Pohlmeier · Selbstmord und Selbstmordverhütung

Selbstmord und Selbstmordverhütung

Prof. Dr. med. Hermann Pohlmeier
Göttingen

Urban & Schwarzenberg · München-Wien-Baltimore 1978

Der Autor:

Prof. Dr. med. Hermann Pohlmeier, Facharzt für Psychiatrie und Neurologie. Psychotherapie. Ordinarius für Medizinische Psychologie an der Universität Göttingen, Humboldtallee 1D, 3400 Göttingen:
Präsident der Deutschen Gesellschaft für Selbstmordverhütung (DGS),
Geschäftsstelle: Dr. M. Heinrich. Reha-Klinik, Leonberger Str. 220, 7000 Stuttgart 1.

CIP-Kurztitelaufnahme der Deutschen Bibliothek

Pohlmeier, Hermann
Selbstmord und Selbstmordverhütung . – 1. Aufl. – München, Wien, Baltimore : Urban und Schwarzenberg, 1978.
ISBN 3-541-08581-9

Satz und Druck: Georg Wagner, Nördlingen.
Printed in Germany

Vorwort zur Orientierung

Selbstmordverhütung hat mit der Forderung nach mehr Prävention in der Medizin an Bedeutung und Interesse in letzter Zeit stark gewonnen. Aber auch die nichtmedizinische Öffentlichkeit ist aufmerksam geworden auf Selbstmordhandlungen, die bekannter werden und beunruhigen. Mediziner, Psychologen, Soziologen und Laien verstärken ihre Anstrengungen zu wirksamer Hilfe und Erforschung der Gründe dieses Phänomens.

Die Betroffenen, die vielen Menschen, die mit Selbstmordgedanken beschäftigt sind, nehmen an diesen Bemühungen regen Anteil und verfolgen sie mit leidenschaftlicher Aufmerksamkeit. Damit ist ganz klar die Hoffnung auf Lösung der eigenen Probleme verbunden.

Die Helfenden stehen bei ihrer Arbeit ebenfalls immer wieder vor neuen, ungelösten Problemen. Das vorliegende Buch wendet sich an die Betroffenen und darüber hinaus an Ärzte sowie paramedizinisch Tätige, um in verständlicher Form über das Thema Selbstmordverhütung zu informieren. Es will Probleme aufzeigen, Lösungsversuche andeuten und konkrete Hilfe anbieten. Dies geschieht aus der Sicht der Medizin, spezieller aus der Sicht der Medizinischen Psychologie. Daraus ergibt sich die wissenschaftliche Bearbeitung des Themas in der besonderen Hinsicht, daß, dem Gegenstand und der Methode der Medizinischen Psychologie entsprechend, nicht nur naturwissenschaftliche, sondern auch sozialwissenschaftliche Gesichtspunkte zur Geltung kommen. Andererseits wird der Verpflichtung Rechnung getragen, Wissenschaft in einfacher Sprache darzustellen und sie damit auch für den Nicht-Fachmann anwendbar zu machen – also für jeden lesbar zu schreiben.

Göttingen im Mai 1978 *H. Pohlmeier*

Inhalt

I. Grundlagen der Selbstmordverhütung

1. Selbstmordverhütung – Ihre Rechtfertigung

Ein aufregendes Buch, „Hand an sich legen – Diskurs über den Freitod“ von dem österreichischen, in Brüssel lebenden Schriftsteller *Jean Amèry* [8] stellte 1976 die Berechtigung der Selbstmordverhütung radikal in Frage. Dort wird die „Besorgtheit der Gesellschaft“ dem „Suizidär“ gegenüber schamlos und unverschämt genannt, weil sie den Menschen an einem „Akt der Freiheit“ hindere. Der allerletzte Ausdruck der Menschenwürde, die durch die Entscheidung zum Freitod erreicht werden könnte, würde durch Selbstmordverhütung vernichtet. In einem Zeitungsinterview später stellte der Autor dar, daß er den Gedanken an den Selbstmord als Davonlaufen aus ausweglos erscheinenden Situationen kenne, sich ihm diese Möglichkeit im Laufe seines Lebens aber als eine Bekräftigung seiner Freiheit als eine aktive Lebensmöglichkeit erwiesen habe [9].

Der Selbstmord erscheint, so gesehen und so erlebt, als Möglichkeit der Veränderung von sich selbst und der Umwelt. Im Rahmen einer im europäischen Abendland traditionellen Freiheitsphilosophie wird hier konsequent als höchste und einzig bindende Verpflichtung die zur Freiheit genannt. Von da aus bietet sich das Argument an, niemand könne im Rahmen „konventioneller Lebenslogik“ zum Durchhalten um jeden Preis verpflichtet werden.

Amèry kommt es auf die subtile Unterscheidung an, daß der Suizidant die Schöpfung zurückweist, nicht aber unbedingt die gerade bestehende Gesellschaft. Diese Unterscheidung, die sich schon im „Davonlaufen vor etwas“ und dem „Bewegen zur Freiheit hin“ andeutet, knüpft an die „ontologische Differenz“ an, mit der *Heidegger* [78] 1929 in seiner Schrift „Was ist Metaphysik?“ den Unterschied zwischen Sein und Seiendem kennzeichnen wollte. *Amèry* bezieht sich auf die transzendental-ontologische oder existenzphilosophische Richtung *Heideggers* [79] und noch mehr *Sartres* [194], die damit den Materialismus und Positivismus zur Wiedergewinnung der Transzendenz zu überwinden suchten.

So richtet sich die Polemik des Autors entschieden gegen die Selbstmordverhütung, speziell gegen die „Anmaßung von Medizin und Psychologie“, die unter allen Umständen „die Art erhalten“ zu müssen glauben. Die Freiheit zum Tode, die Freiheit überhaupt, findet in einem solchen anmaßenden, totalen Perfektionismus keinen Raum mehr. „. . . Und darum ist der *Freitod* für mich ein integrierender Bestandteil des Humanum . . .“, womit der Mensch losgelöst und unabhängig von seinen Einbindungen in Biologie und Soziologie gesehen werden will. Total in ihre

Umwelt gebundene Lebewesen wie Tiere kennen keinen Selbstmord. Beim Menschen, wenigstens nur zum Teil umweltgebunden, kann der Selbstmord deshalb, unbeeinflußt von sozialen und Klassenunterschieden, von einem Ekel vor dem Sein bestimmt werden und nicht vor der Gesellschaft. Jenseits vom Zwang einer Gesellschaft, einer „konventionellen Lebenslogik", progressiven Zielsetzungen geht es dann nur noch um die Erfüllung der Freiheit, in die niemand mehr hineinzureden hat [8, 9]. Dies ist eine Huldigung an die individuelle Freiheit, wie wir sie so profiliert heute nicht mehr gewohnt sind und wie sie so ausdrücklich heute nur noch selten vorgetragen wird.

Der Kampf um die individuelle Freiheit und um die absolute Erhaltung der Möglichkeit ihrer Verwirklichung meldet sich aber auch anders:

„Sterben ist eine Kunst, wie alles.
Ich kann es besonders schön . . .
Ich kann es so, daß man wirklich fühlt, es ist echt.
Sie können, glaube ich, sagen, ich bin berufen zu diesem Ziele . . ."

Die außergewöhnliche amerikanische Lyrikerin *Sylvia Plath* [150] drückt ihre Todessehnsucht in einem mit „Madame Lazarus" überschriebenen Gedicht überirdisch aus und läßt die Vollendung ahnen, die ihr der Selbstmord 1963 im Alter von 30 Jahren in London gebracht hat. Es gibt andere Beispiele aus der Literatur und Philosophie, in denen das Sterben durch die eigene Hand wie eine Verlockung erscheint und der Tod in dieser Gestalt wie ein unwiderstehlicher Verführer mit dem Versprechen der Freiheit winkt. *Alvarez* [7] hat darüber viel Material zusammengestellt. Je mehr man sich da hineinvertieft, je öfter man auch mit Menschen spricht, die einem den Selbstmord als „. . . ein Ziel, aufs innigste zu wünschen . . ." *(Hamlet)* überzeugend hinstellen können, desto mehr beunruhigt die Frage, ob es überhaupt *ein Recht zur Selbstmordverhütung* gibt, wenn andere um das Recht auf Selbstmord kämpfen wie um das Recht auf Leben.

Moralische Bewertung von Selbstmord

Um der Beantwortung dieser Frage näher zu kommen, ist eine Besinnung auf die unterschiedliche Bewertung des Selbstmords in verschiedenen Kulturkreisen und in verschiedenen geschichtlichen Epochen sinnvoll. Es bleibt erstaunlich, daß Selbstmord unter Strafe gestellt wurde. Bekannt und oft zitiert ist das Beispiel England, wo erst 1961 Selbstmordhandlungen aus dem Katalog der durch die Justizbehörden zu ahndenden Taten entfernt wurden.

Ebenso bekannt und oft zitiert ist die Einstellung und Praxis der Kirchen bezüglich des Begräbnisses von Selbstmördern. Es ist noch nicht lange her, daß *Ophelia* im *Hamlet* bei Nacht und hastig unter die Erde mußte ohne den Segen des Paters, d. h. ohne Menschlichkeit. Bis in unsere jüngste Zeit wurden *Canon* 1240 und 2350 des Gesetzbuchs der katholischen Kirche streng und konsequent ausgelegt, wonach Selbstmord Todsünde ist, der Betreffende sich damit aus der Gemeinschaft der Heiligen ausschließt und entsprechenden Sanktionen aussetzt [31]: „. . . Der Herr hat es gegeben, der Herr hat es genommen . . .“ – In diesem ehrwürdigen, christlichen Bestattungsritual wird deutlich dem Menschen jedes Recht auf Selbstmord abgesprochen.

Erst in unserer jüngsten Gegenwart wächst die Toleranz und braucht kaum noch ein Selbstmörder auf ein christliches Begräbnis zu verzichten. *Rost* [190] hat bis 1927 in einer umfangreichen „Bibliographie des Selbstmordes“ viele Auffassungen dieser Art gesammelt. Die Stadt Augsburg ist übrigens auf diese Weise im Besitz einer der repräsentativsten Bibliotheken zum Thema Selbstmord – sie umfaßt inzwischen über 1000 Bände. Daraus wird auch ersichtlich, daß Schriften zur Verteidigung des Selbstmords auf die Liste der kirchlich verbotenen Bücher kamen und vielleicht auch noch kommen (*Canon* 1399) [31]. Im strafrechtlichen und im kirchlichen Zusammenhang waren also Selbstmordhandlungen zur Erlangung der auch dort an sich geschätzten Freiheit keine Möglichkeit.

In anderen kulturellen und geschichtlichen Zusammenhängen jedoch fand Selbstmord nicht nur Strafe und moralische Verurteilung. Eine unmittelbarere und unbefangenere Auseinandersetzung mit dem Tode führt in manchen sogenannten primitiven Gesellschaften den Alten die Hand gegen sich selbst, um dem Stamm die Last der Pflege und Erhaltung ohne Gegenleistung zu ersparen. Zwei Turkvölker Innerasiens, die Jakuten und die Buchäten, verfahren so [90]. Es gilt dort als ehrenrührig, am Leben zu hängen.

Aber auch in modernen Zivilisationen findet der Selbstmord eine positive Wertschätzung im politischen Sinne oder als Opfer für das Vaterland oder als Tribut an die Ehre zur Wiederherstellung selbst gesetzter Ordnungen. Die Ein-Mann-Torpedos der Japaner im Zweiten Weltkrieg oder die Todeskommandos der Amerikaner in Vietnam oder die Selbstverbrennungen buddhistischer Mönche oder die Alarmsignale der Prager Studenten oder der protestantische Pfarrer *Brüsewitz* aus Zeitz, der im August 1976 sich mit Benzin übergoß, um gegen eine bestimmte Politik seiner Regierung und seiner Kirche zu protestieren [234], oder die Selbstmorde einzelner Mitglieder von radikalen Gruppen aus Verzweiflung oder in der Absicht, durch sie politisch wirksam zu werden (was dahingestellt bleiben möge), oder der Selbstmord des ungarischen Ministerpräsidenten Graf *Teleki,* der sich von *Hitler* nicht zum Anschluß an die Achse Berlin–Rom zwingen lassen wollte, zeigen eine Funktion, die Selbstmord in bestimmten Zusammenhängen haben kann und eine Seite der Selbstmordhandlung, die nicht einfach zu erklären ist. Gewinn der Freiheit, Opfer, Wiederherstellung der Ordnung, politische Aktionen lassen ebenfalls die Frage brennend werden, ob es ein Recht oder umgekehrt eine Pflicht zur Selbstmordverhütung gibt. Ist es erlaubt, jemandem die Möglichkeit zum Selbstmord zu nehmen, die in seinen Augen die einzige Form der Selbstverwirklichung und der Verwirklichung bestimmter Ziele ist.

Schon die genannten Überlegungen der Freiheitsphilosophie, der Dichtung, der unterschiedlichen Bewertung des Selbstmords in verschiedenen kulturellen, geschichtlichen und politischen Zusammenhängen vertieft den Ernst der Frage nach der Rechtfertigung von Selbstmordverhütung und nähert sich der Feststellung, daß es ein Recht auf Sterben gibt, wie ein ebensolches auf Leben. In dem schon erwähnten Gedicht der *Sylvia Plath* steht:

„Ich bin erst 30
und wie die Katze kann ich neunmal sterben
bevor es vorbei ist
wovon dies Nummer drei ist . . .“

Die Energie und Ausdauer, mit denen hier der Tod gesucht wird, lassen ihn einfach in solchen Lebenssituationen erstrebenswerter erscheinen als das Leben selbst. Ich habe eine Frau gekannt, die nach dem 11. Versuch gestorben ist und jedesmal gesagt hatte: „Warum weckt Ihr mich immer wieder auf, ich will doch schlafen für immer, tot sein, aber ich werde es noch erreichen, was Ihr auch unternehmt.“ Ein Mann sagte mir: „Sie müssen das ganz ernst nehmen, daß ich sterben will und nicht meinen, weil ich jede Woche zu Ihnen komme, wollte ich bloß darüber reden ohne es zu tun. Auf einmal lesen Sie in der Zeitung, daß ich vom Hochhaus gesprungen bin, Sie wissen ja, daß ich mir schon alles genau angeschaut hatte.“ Tatsächlich erfuhr ich vom Tod dieses Mannes durch die Presse. Die Ehefrau kam danach einige Male zu mir, um die letzten Tage mit ihrem Mann besser zu verstehen und machte deutlich, daß der Tod ihres Mannes zu seinem Leben und auch zu dem von ihnen beiden schon seit Jahren gehört hatte. An eine Malerin erinnere ich mich, die waghalsigste Unternehmungen mit ihrem Auto machte, dabei auch zu Schaden kam und die unwiderstehliche Phantasie hatte, in eine unendliche Weite eintauchen zu müssen ohne Wiederkehr.

Wenn Menschen so um ihren Tod kämpfen, wie *Sylvia Plath* oder die genannten Patienten, dabei alles zur Erreichung dieses Ziels tun, läßt sich eine Begründung zur Selbstmordverhütung nicht umgehen. Sie ist nicht selbstverständlich, sie muß vielmehr sorgfältig gesucht werden.

Vielfach werden darin keine besonderen Probleme gesehen. Es gibt ja so eindeutige Argumente, daß nämlich 80% derer, die sich das Leben nehmen wollten, damit einverstanden sind, gerettet worden zu sein [84]. Gern wird auch angegeben, daß nur 25% derer, die einen Selbstmordversuch gemacht haben, einen solchen wiederholen [84].

Als ganz gewichtige Stütze in der Werbung für Selbstmordverhütung gilt die Auffassung vom Selbstmord als Krankheit oder Krankheitssymptom. Selbstmordgedanken, Selbstmordankündigungen, Selbstmordhandlungen werden in Symptomlisten zur Erfassung psychiatrischer Erkrankungen aufgeführt [145]. Der Pionier der Selbstmordverhütung innerhalb der deutschsprachigen Psychiatrie *Erwin Ringel* [179, 180] kämpft seit 2 Jahrzehnten um die Interpretation der Selbstmordhandlung als Ende einer „neurotischen Lebensverunstaltung" oder „Abschluß einer krankhaften psychischen Entwicklung". Duldung oder Förderung einer Krankheit oder eines pathologischen Zustands indessen kann die Öffentlichkeit nicht zugestehen, schon gar nicht ein Recht auf einen krankhaften Selbstmord zubilligen [175, S. 53].

In diesem Konzept von Krankheit wird denn auch vor der „Ansteckungsgefahr" und dem negativen Beispiel gewarnt, Konflikte durch Selbstmord zu lösen [151, S. 94]. Der Selbstmord oder der Selbstmordversuch sind Ärgernisse, die aus dem Weg geräumt werden müssen. Die „Mental-health-Bewegung" hat – ausgehend von der Schilderung eines Klinikpatienten – die Erreichung geistiger Gesundheit ausdrücklich an die Freiheit von Selbstmordgedanken oder Selbstmordhandlungen geknüpft [174].

Die Problematik und der Stellenwert des Selbstmords in der Medizin wird im nächsten Kapitel noch zur Sprache kommen. In dem hier erörterten Zusammenhang, in dem es um eine Rechtfertigung der Selbstmordverhütung geht, ist die Behandlung des Themas durch die Rechtswissenschaft und ihre Einstellung zum Selbstmord von unmittelbarerem Interesse. Es ist von da aus eine Erweiterung der Erkenntnis zu erwarten, weil dort Aussagen über die Selbstmordhandlung gemacht werden, die in der medizinisch-empirischen Betrachtung nicht wahrgenommen werden. Auf diese juristische Position wird deshalb im folgenden näher eingegangen.

Strafrechtliche Gesichtspunkte zur unterlassenen Selbstmordverhütung

In der juristischen Betrachtung geht es heute nicht mehr so sehr um die Strafverfolgung und um die Rechtswidrigkeit von Selbstmordhandlungen an sich. Im Vordergrund der Diskussion steht die Beihilfe zum Selbstmord und die Pflicht der Hilfeleistung, ihn zu verhindern. Trotzdem werden in Gerichtsentscheidungen und auch in wissenschaftlichen Veröffentlichungen sehr grundsätzliche Aussagen zur Bewertung des Selbstmords gemacht, so daß daraus auch indirekt Ableitungen über Recht und Pflicht zur Selbstmordverhütung möglich werden und die professionelle Selbstmordverhütung daraus Gründe zu ihrer Rechtfertigung finden könnte. So hat z. B. eine höchstrichterliche Entscheidung des Deutschen Bundesarbeitsgerichts im Jahre 1972 zur Frage der Lohnfortzahlung nach Selbstmordversuch Stellung genommen und damit starkes Aufsehen erregt sowohl wie heftige Diskussionen ausgelöst [81]. Die Richter vertraten den Standpunkt, daß im allgemeinen der Arbeitgeber zur Lohnfortzahlung nicht verpflichtet ist, wenn die Arbeitsunfähigkeit seines Arbeitnehmers Folge eines Selbsttötungsversuchs ist. Hier müsse die Frage der selbstverschuldeten Arbeitsunfähigkeit geprüft werden. In dem Streit um Lohnfortzahlung zwischen einem 26jährigen Arbeiter und einer Hoch- und Tiefbauunternehmung wurde diese Selbstverschuldung dem Kläger zur Last gelegt und ihm in Konsequenz dazu der Lohn verweigert. Die Begründung des Gerichts war, der Selbstmordversuch sei wohl auf die Trennung des jungen Mannes von seiner Freundin und auf schlechte Familienverhältnisse in seinem Elternhaus zurückzuführen, habe aber den Betroffenen an seine persönliche Pflicht zur Selbstmordvermeidung ermahnen müssen. Die Begründung enthält die Auffassung von der Selbstmordhandlung als einer freien, wenn auch sittlich verwerflichen, Willenstat, für die der Mensch selbst verantwortlich sei und die er vor allem selbst verhindern müsse. Der Hinweis auf die ärztliche Feststellung einer Depression hat dieses Urteil nicht zu erschüttern vermocht, weil in diesem Denkrahmen die Depression auch eine Selbstmordhandlung nicht zum Symptom einer Krankheit machen und schon gar nicht die freie Willensbestimmung ausschließen kann. Vielmehr wird vom „verständigen Menschen“ erwartet – und man müßte hinzufügen vom gesunden und freien Menschen – daß er ungünstige Lebensbedingungen, Angst und Aggression selbständig überwinde und sich vernünftig verhalte. Zu diesem vernünftigen Verhalten gehöre, dem Selbsterhaltungstrieb, dem sogenannten stärksten Trieb des Menschen, auf jeden Fall zu folgen.

Dieses Gerichtsurteil ist ärztlicherseits moralisierend und inhuman gefunden worden und auch Juristen haben ihm widersprochen [81, 116].

Im vorliegenden Zusammenhang ist aber nicht so sehr die Richtigkeit des Urteils von Bedeutung als vielmehr der Umstand, daß hier von einem rationalistischen und positivistischen Standpunkt Freiheit gefordert wird, den *Amèry* als unverschämte Anmaßung und Freiheitsberaubung von anderer Seite der Medizin und Psychologie unterstellt. In dem Urteil wird davon gesprochen, es sei nicht erlaubt, es sei nicht vernünftig, es sei eine Vertragsverletzung, es sei eine unzumutbare Überbeanspruchung der Kalkulierfähigkeit des Arbeitgebers, es sei sogar mittelbar rechtswidrig, weil gegen Natur und Sitte verstoßend – sich als Arbeitnehmer das Leben nehmen zu wollen. Motive, Gefühle, die eine vernünftige Handlung determinieren, Freiheit als letzte Möglichkeit des Menschen interessieren in diesem Kontext nicht, sondern nur Vernunft und gesetzte Ordnung. Aus der vernünftigen Freiheit des Menschen ergibt sich für dieses Denken die Pflicht, dem Selbsterhaltungstrieb zu folgen und sich selbst vor dem Selbstmord zu bewahren. Zwar wird hier ein Freiheitsbegriff verwendet, der dem Menschen die Möglichkeit der freien Willensbestimmung beläßt und seine Handlungen nicht sofort als krankhaft betrachtet, wenn sie von der allgemeinen Norm abweichen. Die Freiheit wird aber nicht so akzeptiert, daß aus dieser Freiheit der Mensch das für sich Richtige tun könnte, wie es *Amèry* fordert, sondern diese Freiheit wird belegt mit der Verpflichtung, den Selbstmord für sich selbst zu verhüten. Aus dieser am Sittengesetz und Naturrecht orientierten moralischen Pflicht könnte nun das Recht abgeleitet werden, bei der Erfüllung behilflich zu sein und Selbstmordverhütung professionell zu betreiben. Ob sich diejenigen, die damit ihre Tätigkeit rechtfertigen, allerdings des Vorwurfs der Anmaßung, nämlich des Anschlags auf die persönliche Freiheit entledigen würden, wird weiter zu überlegen sein. Eine denkbare Rechtfertigung der Selbstmordverhütung wäre dies – eine überzeugende Verpflichtung läßt sich daraus noch nicht ableiten.

Fragen wir weiter, ob die Rechtsgelehrsamkeit außer im Urteil zur Lohnfortzahlung, wo eine persönliche Pflicht zur Selbstmordverhütung gefordert wird, allgemein eine Pflicht zur Selbstmordverhütung nachweist. Insbesondere interessiert, wie Rechtswissenschaft und Rechtspraxis die Frage nach dem Recht auf Selbstmord behandeln, dem Selbstmordverhütung eventuell entgegen steht. Soweit die Rechtswissenschaft sich nicht vor ihrer Erweiterung zur Rechtsphilosophie scheut und sich dafür offenhält, daß in vielen Urteilen philosophische Voraussetzungen gemacht werden, kann ihren Äußerungen Gewichtiges zu diesem Problem entnommen werden. Diese Verlautbarungen sind ja doch auch Ausdruck eines jeweiligen Zeitgeists und dessen ihn begründende Einstellungen. In

Deutschland waren und sind Selbstmord und Selbstmordversuch keine strafbaren Handlungen im Sinne des Gesetzes. Gleichwohl kommt die Diskussion darüber nicht zur Ruhe, ob eine Teilnahme am Selbstmord oder die Unterlassung seiner Verhinderung nicht doch zu ahnden wären. Eine sehr gute Übersicht der aktuellen Kontroverse ist gerade eben vom Münchner Strafrechtswissenschaftsinstitut durch *Roxin* [192, 193] vorgelegt worden. Daraus geht hervor, daß sehr unterschiedliche Auffassungen herrschen und auch entsprechend praktische Konsequenzen daraus gezogen werden, daß aber bei sorgfältiger Durchsicht und konsequenter Gedankenführung sich doch eine klare Position herausbilden läßt.

Ausgangspunkt der unterschiedlichen Auffassungen sind außerordentlich dramatische Lebenssituationen, in der zum Beispiel eine Frau nach einem Ehestreit sieht, wie ihr Ehemann in der Schlinge eines von ihr gekauften Stricks hängt und ihn darin umkommen läßt, obwohl sie ihn einige Jahre zuvor in derselben Situation abgeschnitten hatte (Bundesgerichtshof [= BGH], erster Strafsenat, 1952). Einen ähnlichen Fall hatte der große Strafsenat des BGH im Jahre 1954 zu entscheiden. In der Literatur wird ein „Teich-Fall" zitiert. Eine Schwiegermutter kündigte ihrer Tochter und ihrem Schwiegersohn an, sie werde sich im Teich ertränken. Sie wollte auf keinen Fall gerettet werden und sprang in einen nahegelegenen Teich, ohne daß der Schwiegersohn Anstalten machte, sie zu retten (BGH, 4. Strafsenat, 1959). In einem anderen Falle handelte es sich um einen Polizisten, der in seinem Auto die Dienstpistole vergessen hatte, mit der sich seine Freundin in einem unbewachten Augenblick selbst erschossen hatte (BGH, 5. Strafsenat, 1972). Ein österreichisches Gericht hatte über die Frage zu entscheiden, ob ein Verlobter zu bestrafen sei, der seine von ihm schwangere Braut zu einem tiefen Teich begleitete und dort nicht vor dem Ertrinken abgehalten hatte. Auch um eine Verlobte ging es bei einer Entscheidung ebenfalls des 5. Strafsenats des BGH 1960, die nach einem heftigen Streit ihrem Verlobten die Trennung ankündigte und darauf dessen Selbstmord durch Erhängen nicht abwendete.

Die überwiegende Rechtsauffassung in Deutschland tendierte in solchen Fällen dahin, Teilnahme, Anstiftung, Verleitung, Beihilfe oder gar Mittäterschaft im Zusammenhang mit Selbstmord zu verneinen, weil logisch konsequent durchdacht für eine an sich straffreie Tat die Umgebung nicht dann doch zur Verantwortung gezogen werden kann. In einem Lehrkommentar zum Strafgesetzbuch der DDR von 1968 wird ganz ausdrücklich vermerkt, daß Teilnahmehandlungen an einer Selbstmordtötung nicht strafbar sind, weil es an einer strafrechtlichen Haupttat fehlt.

Diese Tendenz, die sich mit dem Gesetzestext gut begründen läßt, ist allerdings, und namentlich in den vorgenannten Urteilen, nicht von allen Praktikern unterstützt worden. So enthalten die genannten Gerichtsentscheidungen vereinzelt Meinungen, die religiöse, moralische, ethische oder philosophische Überzeugungen zum Selbstmordproblem in Rechtssätzen ausdrücken zu müssen glauben.

Durch eine so gehandhabte Rechtsprechung, namentlich wenn sie von der Warte höchster Gerichte aus erfolgt, soll dann eine von bestimmten Kreisen empfundene Gesetzeslücke indirekt geschlossen werden. So enthält die BGH-Entscheidung von 1954 folgende Formulierung: „... Jeder Selbstmord, von äußersten Ausnahmefällen vielleicht abgesehen, (gedacht war an eine unheilvolle oder qualvolle Krankheit), ist vom Sittengesetz streng mißbilligt, da niemand selbstherrlich über sein eigenes Leben verfügen und sich den Tod geben darf ..." (BGH, Gr. Strafsenat, 1954).

Im Jahre 1972 ist durch die Entscheidung im Polizistenfall dieser Rigorismus zwar wieder aufgegeben worden, der auch damals schon nach Meinung vieler Juristen weit über die Kompetenz eines Gerichts hinausging. Trotzdem hat bis auf den heutigen Tag die Entscheidung von 1954 und die dort wiedergegebene Bewertung des Selbstmords zur Qualifizierung jeder Selbstmordhandlung als Unglücksfall geführt, der immer und überall zur Hilfeleistung verpflichtet.

Die Wahrung der Rechtsordnung ist unter Umständen ohne Zuhilfenahme philosophischer Voraussetzungen nicht möglich, hier also ohne Rückgriff auf Sittengesetz und Naturrecht. Jedoch sind diese Voraussetzungen oder Wertordnungen als Glaubenssätze durch Gerichte nicht zu erlassen. Wenn wertfrei nicht geurteilt werden kann, müssen auf jeden Fall die Normen, auf die man sich bezieht, daraufhin hinterfragt werden, ob sie noch bestehen und ob die Mehrheit der Betroffenen ihnen folgt. Eine grundsätzliche Verurteilung des Selbstmords und des Selbstmordversuchs ist so in der rechtlichen Praxis nicht möglich, weil sie kein Tatbestand des Strafgesetzbuchs sind. Somit kann den Beteiligten auch keine fahrlässige Tötung durch Unterlassung vorgeworfen werden, weil es sich gar nicht um ein Tötungsdelikt handelt. Voraussetzung dafür ist, daß der Selbstmörder aus freiem Willensentschluß handelt.

Etwas anderes ist es, daß die Selbstmordhandlung unter bestimmten Qualifizierungsgründen wie Unmündigkeit, Krankheit, geistige Umnachtung eine Schutz- und Fürsorgepflicht der Umstehenden nach sich zieht, der Eltern für ihre Kinder oder der Ärzte für ihre Patienten. Auch hier richtet sich das Maß der Pflichtverletzung an der Möglichkeit zur freien Willensbestimmung, die bei unmündigen Kindern ebensowenig angenommen wird wie bei geisteskranken Patienten, aber nur bei diesen. So hat denn auch konsequent der Bundesgerichtshof im ‚Teich-Schwiegermutterfall' 1959 und im ‚Polizistenfall' 1972 den Gedanken an eine fahrlässige Tötung durch Unterlassung bei der Teilnahme am Selbstmord fallengelassen. Diese tolerante Bewertung des Selbstmords, der allerdings das Urteil aus dem Jahre 1954 immer noch sehr hindernd im Wege steht – darauf wird noch einzugehen sein – und der auch viele Untergerichte keineswegs konsequent folgen, ringt sich aber zu einem Respekt vor der freien Willensbildung und vor der freien Willensentscheidung jedes einzelnen Menschen durch. Es wird davon ausgegangen, daß die Selbstmordhandlung, abgesehen von den oben genannten einschränkenden Qualifizierungsgründen, der Freiheit des Einzelnen überlassen werden muß und von daher keine Strafverfolgung der Beteiligten möglich ist. Das Grundgesetz sichert ja auch jedem Bürger das Recht zur freien Entfaltung der Persönlichkeit zu. Dieser Bezug auf das Grundgesetz erweist sich so auch solider und praktikabler als der Bezug auf Sittengesetz und Naturrecht und kommt auch dem philosophischen Freiheitsbegriff näher.

Kann Selbstmordverhütung Nötigung sein?

Durch die Bezugnahme auf das Grundgesetz bekommt die Frage auf das Recht zur Selbstmordverhütung die Wendung, ob unter Umständen Verhinderung von Selbstmord auch Nötigung darstellen kann und dem verbrieften Recht auf freie Willensbestimmung widerspricht. Kann Selbstmordverhütung grundgesetzwidrig sein? Praktisch hat für solche Fälle das Fehlen genauer Vorschriften bisher nicht dazu geführt, daß jemand, der Selbstmord auch gegen den Willen des Betreffenden verhindern wollte, zur Verantwortung gezogen wurde.

Selbstmordverhütung als Hilfeleistung – eine humane Pflicht

Trotzdem legitimieren sich der Arzt und das medizinische Personal sinnvollerweise mit der Annahme, ihr Patient stehe als Kranker zu ihm in einem Behandlungsvertrag, mutmaßlich willige er in alle Maßnahmen zur Gesundung und Erhaltung des Lebens ein, und schließlich sei der Wille des Patienten, sterben zu wollen, aus krankhaften Gründen und nicht im Vollbesitz seiner geistigen Kräfte zustande gekommen. Unter diesen Voraussetzungen sind Arzt und medizinisches Personal zur Hilfe verpflichtet, wo hingegen eine allgemeine Hilfe und Hilfeleistungspflicht bei der Selbstmordhandlung nicht angenommen werden sollte. Dies war auch bis zum Jahre 1954 die Auffassung der Rechtsprechung, die die Selbstmordhandlung bis dahin nicht als Unglücksfall, d. h. als von außen kommende und ungewollte Notlage auffassen wollte (BGH, 1. Strafsenat, 1952).

Die Entscheidung des Großen Senats aus dem Jahre 1954 allerdings interpretiert jede Selbstmordhandlung als Unglücksfall und verpflichtet von daher jeden zur Hilfeleistung. Ist der Rückgriff auf das Sittengesetz, mit dem die Selbstmordhandlung als Unglücksfall bezeichnet wird, schon fragwürdig genug, so kann man sich die praktischen Konsequenzen daraus gar nicht negativ genug ausmalen. Konsequent diesem Urteil folgend, ist jede Selbstmordhandlung zu verhindern und jeder zur Hilfeleistung verpflichtet. Dies würde bedeuten, daß auch nur bei dem geringsten Verdacht auf eine Selbsttötungsabsicht die Umstehenden den Betreffenden nicht mehr aus dem Auge lassen dürften oder ihn gar in geschlossene Abteilungen einweisen müßten. Gerade diese Zudringlichkeit kann aber die Selbstmordgefahr erhöhen, weil Angst, Schuldgefühle und Einengung durch dieses Verhalten der Umwelt nur gefördert werden.

Gott sei Dank hat dieses BGH-Urteil auf die Rechtspraxis nicht die Wirkung, daß jedes Untergericht ihm folgt. Außerdem sind die Fälle, in denen es zur Anzeige einer unterlassenen Hilfeleistung kommt, außerordentlich selten. Nichtsdestoweniger sollten Rechtswissenschaft und Psychiatrie an einer den modernen Erkenntnissen über die Selbstmordhandlung orientierten Weiterentwicklung entsprechender Formulierungen arbeiten. Es ist nicht konsequent, einerseits von der freien Willensbestimmung bei der Selbstmordhandlung auszugehen und diese nur für den Krankheitsfall als eingeschränkt zu betrachten, andererseits aber jeden zur Verhinderung solcher Handlungen zu verpflichten. Gerade die Anwendung der dazu notwendigen Maßnahmen, zu denen oft eben auch die Einweisung in eine geschlossene Abteilung gehören würde, setzt die durch Krankheit bedingte Einschränkung des freien Willens voraus. Das Tätigwerden der Polizei, wenn sie Lebensmüde in Gewahrsam nimmt und späterer Verwahrung übergibt zur Abwendung sogenannter Selbstgefahr, läßt sich nicht durch die Schutzbefohlenheit der Betroffenen begründen. Zwar hat der Staat eine Fürsorgepflicht seinen Bürgern gegenüber, und er nimmt sie in Ausübung der Verwahrungsgesetze in zeitlicher Begrenzung und speziell zum Schutz vor der Gefahr der Selbsttötung wahr. Er kann dies aber nur unter der Voraussetzung, daß die Absicht zur Selbsttötung einer durch Krankheit eingeschränkten oder aufgehobenen nicht mehr freien Willensbestimmung entspringt. Auf diesen Personenkreis muß die Hilfeleistungspflicht beschränkt bleiben.

Selbstmord ist kein Delikt

Auf der Suche nach einer Rechtfertigung zur Selbstmordverhütung stellen wir noch einmal zusammen, was in den Gesetzestexten in unserem Lande steht – den Vergleich mit anderen Ländern sowie ihre Anwendung hat *Simson* [209] fesselnd dargestellt. Zunächst ergibt sich, daß in Deutschland Selbstmord und Selbstmordversuch nie strafbar waren. Der Gesetzgeber hat eine Ausuferung des Strafrechts in unzuständige Bereiche vermieden. Als unzuständiger Bereich wurde hier die Strafverfolgung der eigenen Person empfunden, insofern beim Selbstmord ja der einzige Fall der Identität von Täter und Opfer vorliegt. Das Strafrecht kümmert sich grundsätzlich nur um die Ahndung von Taten gegen fremde Personen. Die Grenzfälle vom Doppelselbstmord, bei dem z. B. Liebespaare sich gegenseitig den Tod geben oder der Lebensmüde erst seine Familie tötet, verwischt diese Identität von Täter und Opfer entweder zum Bereich der Tötung auf Verlangen oder zum Bereich einfachen Mords. Um Tötung auf Verlangen, Suizid und Euthanasie hat der Altmeister des Arztrechts *Karl Engisch* sich immer wieder und auch in jüngster Zeit in sehr lesenswerten Darstellungen geäußert [38, 39, 40]. Der Beschränkung und Übersichtlichkeit unseres Themas der Rechtfertigung der Selbstmordverhütung wegen soll aber darauf nicht näher eingegangen werden, ebensowenig auf den Doppelselbstmord.

Der Gesetzgeber erhebt die Selbstmordhandlung wegen der Identität von Täter und Opfer nicht zum Straftatbestand, weil diese Identität die Annahme von Mord oder Totschlag unmöglich macht. Damit kann die Nichtverhinderung von Selbstmord auch nicht als fahrlässige Tötung durch Unterlassung qualifiziert werden, so daß die BGH-Entscheidungen von 1959 im Schwiegermutterfall und 1972 im Polizistenfall auch konsequent zu Freisprüchen kam. Die Selbstmordhandlung ist also für das Strafrecht kein Tötungsdelikt. Weiter ist festzustellen, daß das Strafrecht die Entscheidung zum Selbstmord dem freien Willen des Einzelnen überläßt und den Eingriff in diesen freien Willen nicht seiner Kompetenz zuschreibt. Die Ausnahme ist die der Einschränkung des freien Willens durch Krankheit.

Die Straflosigkeit von Selbstmordhandlungen macht eine Verurteilung der Umstehenden wegen Anstiftung oder Beihilfe unmöglich. Nicht ausgeräumt ist damit das Problem der unterlassenen Hilfeleistung. Hier steht die höchstrichterliche Rechtsprechung mit dem BGH-Urteil des Großen Strafsenats aus dem Jahre 1954 mit der Definition als Unglücksfall weit hinter den Erkenntnissen der Wissenschaft zurück. Diese Rechtsprechung bleibt auch nicht dem Grundsatz treu, daß die Selbstmordhandlung an sich dem freien Willen entspringt, worauf sonst jede juristische Argumentation aufbaut. Aber auch im Hinblick auf dieses Urteil, das in der Praxis nicht die mögliche und vermutete Anwendung findet, kann Selbstmordverhütung nach den bestehenden Gesetzestexten nicht als verpflichtend betrachtet werden – allerdings ist sie auch nicht verboten.

Der Eingriff bei der Selbstmordverhütung in die Absichten dessen, der sich das Leben nehmen will, wird nicht als Nötigung oder Eingriff in die freie Entfaltung der Persönlichkeit gewertet. Vielmehr wird jedem Mitmenschen ein moralisches Empfinden zugebilligt, jemanden zu retten, der sterben will. Diese Zubilligung ist zwar nicht sehr konsequent und logisch durchdacht, aber die Rechtspraxis folgt hier anderen, unausgesprochenen Prinzipien.

Aktuell ist das Problem geworden im Zusammenhang der Frage der Zwangsernährung beim politischen Hungerstreik, wo die Betreffenden es der Umwelt ja gerade übelnehmen, daß sie einem sogenannten humanen und moralischen Empfinden folgen wollen. Die Hungerstreikenden finden es gerade nicht natürlich, daß ihnen jemand bei der Erhaltung des Lebens hilft. Sie wollen auch nicht gelten lassen, daß sie in selbstmörderischer Absicht hungern, in deren Verlauf der körperliche oder geistige Zustand die Möglichkeit zur freien Willensbestimmung eingeschränkt hätte. *Wagner* [229] hat diese verwickelte Problematik sehr klar dargestellt.

Hier und auch sonst ist der Eingriff des Selbstmordverhüters nur bei einem Lebensmüden zu rechtfertigen, wenn man dessen mutmaßliche Einwilligung voraussetzt oder dessen durch Krankheit bedingte Unfähigkeit zu einem freien Willensentschluß. Unter diesen Voraussetzungen gibt es eine Rechtfertigung der Selbstmordverhütung. Noch nicht geklärt ist die Frage, ob diese Rechtfertigung zur professionellen Selbstmordverhütung ausreicht, ob es noch andere Gründe geben kann als Krankheit und den nicht mehr freien Willen.

Tatsächlich beschränkt sich die Selbstmordverhütung ja nicht auf den Kreis von Kranken, sondern bietet ihre Aktivität viel allgemeiner an. Auf Grund der bestehenden Gesetzestexte ergibt sich eine generelle Verpflichtung zur Selbstmordverhütung nicht. Besondere Situationen oder Qualifizierungsgründe können den Bürger dazu verpflichten, letztlich aber bleibt die Selbstmordverhütung eine humane Pflicht, die der Bürger nicht erfüllen muß, an der er aber auch nicht gehindert werden kann. Dieser Appell an die Humanität und der Übertritt in den moralischen Bereich birgt die Gefahr in sich, Selbstmordhandlungen nun von daher zu disqualifizieren, wenn es schon über das Strafrecht nicht möglich war. Vor allem die Umwelt kann dann doch wieder dafür verantwortlich gemacht werden, daß sie der humanen und moralischen Pflicht nicht nachkommt. Die Erfüllung dieser Pflicht wird aber gefordert, indem man auf eine wie auch immer begründete Sittenwidrigkeit der Selbstmordhandlung zurückgreift.

Die Formulierung des Bundesgerichtshofs aus dem Jahre 1954 (BGH, Großer Strafsenat, 1954) war schon erwähnt worden, die den Selbstmord als „vom Sittengesetz streng mißbilligt" einstuft. So etwas erscheint bedenklich, insofern dann ein solches Sittengesetz auf seine Gültigkeit hinterfragt werden müßte. Sonst entgleiten solche Formulierungen leicht zu persönlichen Weltanschauungen, auf die zwar jeder sein persönliches Recht hat, die aber nicht zum Maßstab allgemeiner Weltordnung gemacht werden können. In dem bereits erwähnten Urteil zur Lohnfortzahlung wird eben auch eine sehr persönliche Meinung über die Selbstmordhandlung vorgetragen, wenn sie als sittenwidrig und der Würde des freien, natürlichen, vernünftigen Menschen widersprechend qualifiziert wird.

Darüber gibt es aber auch wohlbegründete andere Meinungen. Daher ist es vielleicht wenig sinnvoll, solche Urteile als inhuman zu bezeichnen. Letztlich sind sie falsch, insofern sie die Grenzen positiv gesetzter Rechtsordnung überschreiten, darüber hinaus auch der Praxis der Selbstmordverhütung im Wege stehen, die sich um ihrer Effektivität willen an solche Grundsätze nicht halten kann. Es ist aber festzuhalten, daß die Rechtsgelehrten in diesem und in anderen Urteilen mit ihren Hinweisen auf das Sittengesetz, auf die Vernunft, auf die Natur des Menschen, auf den Selbsterhaltungstrieb ganz klar die Möglichkeit offengelassen haben, daß der Selbstmord aus freiem Willen entstehen kann und von daher ein Recht auf Selbstmord besteht.

Wenn dieser Grundsatz auch nicht konsequent durchgehalten wird und so kompliziert und fragwürdig manche juristischen Urteile auch sind, einen Respekt vor der freien Entscheidung des Lebensmüden enthalten sie alle. Die Rechtswissenschaft hat die Freiheit zum Selbstmord grundsätzlich mühsam herausgearbeitet. Sie beläßt sie im straffreien und gesetzesfreien Raum und verpflichtet grundsätzlich niemanden, in diese Handlung einzugreifen. Es muß ruhig und konsequent zu Ende bedacht werden, daß die Forderung nach der Möglichkeit zur Erlangung der Freiheit im selbstgegebenen Tod ihren Niederschlag auch in der herrschenden deutschen Rechtsauffassung findet, ähnlich, wenn auch nicht gleich wie in der Abhandlung von *Amèry*.

Selbstmordverhütung kann sich zu ihrer Rechtfertigung also nicht auf das gesetzliche Recht berufen, nicht auf das praktizierte Recht und auch nicht auf die Rechtsgelehrsamkeit. Die Rechtfertigung zur Selbstmordverhütung läßt sich aus einer Pflicht gegenüber dem Gesetz nicht ableiten. Die umfangreiche Tätigkeit der Selbstmordverhütung geht vielmehr weit über den Personenkreis der Ärzte, die Kranken helfen müssen und über den Personenkreis hinaus, der wegen Krankheit seiner Sinne nicht mächtig ist. Für diese Fälle würde es eine Gesetzespflicht zu erfüllen geben. Da die Tätigkeit der Selbstmordverhütung aber über diesen Personenkreis hinausreicht, muß die Frage nach der Berechtigung dieser erweiterten Selbstmordverhütung noch weiter verfolgt werden.

Selbstmordverhütung auf der moralischen Basis von Freiheit und Verantwortung

Die dargestellte Toleranz der Juristen, die zwar immer wieder inkonsequent durchbrochen wird, aber grundsätzlich doch vorhanden ist, macht ihre Einschränkungen bei Schutzbefohlenheit und Hilfsbedürftigkeit. Der Schwerpunkt, um den die Auslegung zur Hilfsbedürftigkeit kreist, ist die Krankheit. Schon das Katholische Kirchenrecht hat Selbstmord dann nicht für Todsünde erklärt und das Begräbnis auch nicht verweigert, wenn Geisteskrankheit als Ursache vorgelegen hat (*Canon* 1240). Für den Fall wird angenommen, daß die freie Willensbestimmung ausgeschlossen war und der Betreffende nicht verantwortlich gehandelt hat. Genau für denselben Fall und unter denselben Voraussetzungen verpflichtet das deutsche weltliche Recht die Umstehenden zur Hilfeleistung und Verhinderung. Die Diskussion erreicht damit eine neue Ebene und eine neue Zuspitzung in Richtung auf die Frage, ob die Selbstmordhandlung in jedem Falle eine Krankheit ist und konsequent eine Krankheit, welche die freie Willensbestimmung ausschließt.

So verlockend es ist, damit eine generelle Verpflichtung zur Selbstmordverhütung abzuleiten und jedem Suizidanten Zurechnungsunfähigkeit zu bescheinigen, so entwürdigend kann es werden, jeden Willen zum Sterben zur Krankheit, ja gar zur Krankheit der Verblödung zu entwerten. So einfach scheinen die Verhältnisse nicht zu liegen, und Selbstmordverhütung kann auf diese einfache Weise nicht ohne weiteres selbstverständlich gemacht werden.

Man muß feststellen, daß die professionelle Selbstmordverhütung mit den Schwerpunkten in Medizin und Psychologie es schwer hat, Selbstmordhandlungen anders als krank oder abartig zu verstehen. Das hat seinen historischen Grund darin, daß lange Zeit nur im Zusammenhang mit Patienten Selbstmordhandlungen beobachtet wurden. Der andere Umstand ist, daß früher nur mit Hinweis auf ein Gesundheitsproblem

Interesse in der Öffentlichkeit an der Not der Lebensmüden geweckt werden konnte. So hat seit 1948 *Ringel* [179, 180] ganz entschieden den Nachweis erbringen wollen und bedenkenswerte Befunde dazu erhoben, daß Selbstmord immer der Abschluß einer krankhaften Entwicklung oder Ausdruck einer neurotischen Lebensverunstaltung ist. Ich selbst habe 1971 nachdrücklich zeigen wollen, daß Selbstmord in keinem Falle ohne Depression möglich ist [157].

So ganz geht aber die Rechnung nicht mehr auf, wenn auch die Psychologie und Psychodynamik der Selbstmordhandlung diese als abweichend auffälliges Phänomen erkennbar macht. Jedoch decken unsere fragwürdig gewordenen Begriffe von Krankheit und Gesundheit bei weitem nicht alles, was uns auf diesem Gebiet begegnet [171], und man wird auch ohne so enge Zuordnung der Selbstmordhandlung zu Krankheit Mittel der öffentlichen Hand zur Hilfe bekommen. Es wird in Zukunft hoffentlich nicht mehr nötig sein, sich nur noch ausschließlich und total auf dem Weg über die Krankheit, genauer gesagt Geisteskrankheit, für Selbstmordverhütung zu rechtfertigen und dafür die Gunst privater und öffentlicher Geldgeber zu erringen.

Natürlich ist es naheliegend, auch so einen schon erwähnten Selbstmord wie den des Pfarrers *Brüsewitz* 1976 oder den der *Ulrike Meinhof* im selben Jahr auf Krankheit zu beziehen und bei anderen persönlichen Dispositionen sich andere Auswege vorzustellen. Andererseits wird gerade in solchen Extremsituationen sichtbar, wie frei unter Umständen ein Entschluß zum Selbstmord sein kann, gerade weil es Alternativen gibt. Das wird man bei vorsichtiger Abschätzung wohl auch für *Ulrike Meinhof* sagen müssen, deren Name bei aller Vieldeutigkeit des Geschehens hier bewußt nicht ausgeklammert werden soll, wenn andererseits auch zu wenig biographisches und situatives Material vorliegt, um verbindliche Deutungen machen zu können.*)

---

*) *Anmerkung:* Der politische Selbstmord von *Ulrike Meinhof, Andreas Baader* und den übrigen inhaftierten Terroristen verdient ernstgenommen zu werden; solche Handlungen dürfen nicht ohne weiteres als krankhaft abgetan werden. Das Problem im Falle des politischen Selbstmords ist, ob er wirklich aus freier Entscheidung erfolgte oder ob nicht eine krankhafte Depression dahinter stand.

Der Fall *Ulrike Meinhof* ist insofern schwer zu beurteilen, als gelegentlich Hinweise darauf zu hören waren, daß *Ulrike Meinhof* zu Depressionen neigte. Das geht aus Äußerungen von *Klaus Dieter Röhl,* ihrem früheren Ehemann und dem früheren Herausgeber der Zeitschrift „Konkret“ hervor. Dazu finden sich auch in dem Buch von *Jillian Becker* „Hitler's Children. The Story of the Baader–Meinhof Terrorist Gang“, Verlag Michael Joseph, London 1977, Hinweise.

Die Selbstmorde von Stammheim sind noch schwerer zu beurteilen. Es fehlt zuviel Material, um eindeutig sagen zu können, ob es politischer Selbstmord, also eine freie Entscheidung war, oder ob andere Umstände eine größere Rolle spielten. Meine Vermutung ist, daß die Selbstmorde von Stammheim als echte Verzweiflungstaten eingestuft werden müssen. Eine politische Strategie, in der diese Selbstmorde einen bestimmten Stellenwert haben könnten, ist schwer vorstellbar. (Aus einem Leserbrief des Autors im Göttinger Tageblatt 9. 11. 1977.)

Besser verständlich sind Situationen, wie z. B. diejenigen, in denen der Major *Dreyfus* oder General *Rommel* die Pistole gereicht bekamen, um einem jeweils fragwürdigen Vaterland die letzte Ehre zu erweisen, oder wo in Konzentrationslagern, in denen sonst wenig Selbstmorde vorkamen [131], Menschen den Freitod wählten, um durch Aussagen oder Verrat andere nicht zu gefährden. Sollten alle diese oder die erwähnten Asiaten, die den Stamm verlassen und Hand an sich legen, um wegen ihrer Gebrechlichkeit und Arbeitsunfähigkeit den anderen nicht mehr zur Last zu fallen, „krank"sein, und wie war es mit dem schwedischen Hauptmann *Wenerström,* der lange Zeit im Dienst der Spionage unauffällig gewesen sein soll, durch genauere Untersuchung seiner Persönlichkeit belegt, und dann gewissermaßen plötzlich unter den veränderten Bedingungen der Haft als Geheimnisträger von eigener Hand sterben wollte [209].

Politische und historische Situationen können nicht, wie das teilweise z. B. mit den Studentenunruhen von 1968 gemacht worden ist, zu einem Medizinikum entwertet werden [153]. Es ist naheliegend, Menschen, die sich in solchen Extremsituationen befinden, wie der Protest gegen Staat und Kirche, wie der Untergrund oder der Terrorismus, wie die Spionage und andere, von vornherein als nicht mehr normal oder einer Allgemeinheit zugehörig zu empfinden. Gerade das aber ist nicht zulässig, nicht wahr und schlägt der Würde des Menschen ins Gesicht. So frei, wie jemand für diese oder jene außergewöhnliche Lebensgestaltung sich zu entscheiden das Recht hat, so hat er auch, ohne als krank, als abnorm oder als abweichend bezeichnet zu werden, das Recht auf sein Sterben zur Abwendung von Siechtum oder in der Wahl des Freitods zur Abwendung von Versklavung oder einfach, weil er es so will. Das ist nicht eine willkürliche Meinung, sondern die strenge Konsequenz aus unserer humanistischen Tradition, deren Grundlage genau diese Freiheit und Würde des Menschen immer gewesen ist. Der Versuch einer Aufwertung des Krankheitsbegriffs scheint zur Lösung dieses Problems nicht sehr tauglich. Krankheit bleibt bei jeglicher Erweiterung doch ein Zustand eingeschränkter Möglichkeiten [185].

Auf der Suche nach der Rechtfertigung zur Selbstmordverhütung verstellt die Betrachtung der Selbstmordhandlung als Krankheit oder gar Geisteskrankheit unter Umständen den Blick für andere Möglichkeiten. Vielleicht geht es bei dieser Frage gar nicht um Krankheit und Gesundheit, sondern einfach darum, wer will Hilfe und wer braucht sie oder will Hilfe nicht und für wen wird sie aufdringlich? Insbesondere in dem soziologischen Kapitel wird davon die Rede sein, wie die Beziehung des Lebensmüden zu seinen Mitmenschen ist. Ob die schon fast zu Schlagwörtern gewordenen Formulierungen wie Appellfunktion [215] oder Hilfeschrei [46] an die Umwelt diese Beziehung nun annähernd richtig oder gar umfassend treffen, soll als Frage zunächst offen bleiben.

Feststeht, daß es Hilfesuchende gibt, Menschen, die in der Telefonseelsorge oder bei anderen Beratungsstellen anrufen, die zum Arzt oder Psychologen gehen, mit Bekannten oder Verwandten über ihre Selbstmordgedanken und die Frage reden, ob sie es tun sollen oder nicht. Oft stellt sich dann heraus, daß die Menschen nur auf ein erlösendes Wort warten, das ihnen einen Ausweg aus einer bestimmten unbefriedigenden Lebenssituation weist. Gesprächspartner solcher Menschen wissen viel davon zu erzählen, wie akute Nöte mit Beruf, Geld, Familie, Liebe, Kindern, Schule, Krankheit, Alter, Schuld und nahezu allen Bereichen des Lebens in eine Ausweglosigkeit führen, die nach Hilfe verlangt und wo für den Betreffenden selbst kein Ausweg mehr erkennbar ist. Bei vielen darf vorausgesetzt werden, daß sie sich wegen Rat und Hilfe an andere wenden und die Selbstmordabsicht und dann auch der Selbstmordversuch tatsächlich ein Hilferuf ist, der nicht überhört werden darf. Die Zurückverweisung unter solchen Umständen auf die eigene Entscheidungsfähigkeit käme dann nicht der Würde des Menschen entgegen und anerkennte nicht seine Freiheit, sondern verstöße gegen die Angewiesenheit des Menschen auf seinen Nächsten. Als soziale Wesen sind Menschen in einer wie auch immer gearteten Gemeinschaft miteinander verbunden und aufeinander bezogen. Appell oder Hilfeschrei, wie man zu diesem Sprachgebrauch auch geschmacklich stehen will, um Hilfe wird gebeten und Zentren zur Selbstmordverhütung werden gefordert und in Anspruch genommen.

In England ist die Zahl der Selbstmorde seit Einführung der *Samaritans* 1953 um ein Drittel zurückgegangen, in Wien seit Einführung der Lebensmüdenfürsorge 1948 die Zahl von jährlich 32 Selbstmorden pro 100 000 der Bevölkerung auf 22 gesunken. Es gibt andere Beispiele. Man darf davon ausgehen, Hilfe wird gesucht und angebotene Hilfe aufgegriffen. Wenn man diese Hilfesuchenden genau betrachtet, so sind sie nicht alle krank, wenn man nicht einen ganz weiten Krankheitsbegriff zugrundelegt, demgegenüber dann niemand mehr gesund ist. Es erscheint wichtig herauszustellen, daß auch ohne Krankheit Hilfsbedürftigkeit vorhanden sein kann. Diese Hilfsbedürftigkeit, hat sie nun krankhafte oder andere Gründe, erfordert entsprechende Reaktionen und rechtfertigt sie auch. Zur entscheidenden Frage wird, wie diese Reaktionen auszusehen haben.

Die Stellung des Arztes Lebensmüden gegenüber

Inzwischen ist problematisch geworden, wie der Arzt ganz allgemein seinem kranken Patienten gegenüber reagieren und eingestellt sein soll. Die bisherigen Verhaltensweisen der Ärzte ihren Patienten gegenüber sind anmaßend, überheblich, unangemessen und sonstwie gefunden worden. Die Bemühungen der medizinischen Psychologie um eine Erforschung der Erfordernisse in diesem Arzt–Patient-Verhältnis [16] auch die warnenden Rufe über die Medikalisierung des Lebens durch *Iwan Illich* [95], der den Ärzten ihre allmächtige Kompetenz bestreitet, sollten nicht als Hirngespinste einzelner oder eines närrischen Phantasten angesehen werden.

So selbstverständlich ist die Reaktion des Arztes auf seinen Kranken wirklich nicht mehr, seit wir wissen, daß sein Verhalten auf den Krankheitsverlauf entscheidenden Einfluß hat. Schon also für den ärztlichen Alltag, aber noch mehr für den direkten Umgang mit Menschen, die zur Lebensmüdenberatung kommen, ist sicher, daß das Angebot an Hilfe auf die gewünschte Hilfe nicht unverschämt und anmaßend zu sein braucht und natürlich auch nicht sein darf. Anfang und Ende des Angebots an Hilfe auf erwünschte Hilfe ist ihre Unaufdringlichkeit. Diese muß so weit gehen, daß nicht mit allen Mitteln und unter allen Umständen jemand am Leben erhalten werden soll, sondern daß man auch in Ruhe jemanden seinen Tod sterben lassen kann, so weit, daß zwei Menschen miteinander reden und ihre Entscheidung für sich selber finden und einander respektieren. Dann kann Selbstmordverhütung sich rechtfertigen, dann wird es viele Augenblicke geben, wo sie notwendig wird über die Fälle hinaus, wo Arzt und ärztliches Personal ihren Kranken gegenüber im Zustand eingeschränkter Willensfreiheit auch vom Gesetzgeber verpflichtet werden.

Es läßt sich zeigen, daß es ein Recht zur Selbstmordverhütung gibt und daß diese ihre Aktivitäten rechtfertigen kann. Voraussetzung der Rechtfertigung und der Tätigkeit ist, daß Selbstmordverhütung auf jeden Fall unaufdringlich geschieht. Zu dieser Unaufdringlichkeit gehört, Freiheit und Würde des anderen zu respektieren und ihn seinen Tod sterben lassen zu können. Es gehört dazu auch der Respekt, den anderen die Art und den Zeitpunkt seines Sterbens wählen zu lassen und ehrfürchtig etwas nicht mehr mit nachvollziehen zu können (a). Auf der anderen Seite steht die Fähigkeit, einen Hilferuf zu vernehmen und ihn nicht zu überhören. Dann ist die Bereitschaft zur mitmenschlichen Auseinandersetzung gefordert und der Versuchung zu widerstehen, den anderen in die Einsamkeit seiner Freiheit ungewollt allein zu entlassen. Es ist nicht gut, daß der

Mensch allein sei, wenn er es nicht will. Selbstmordverhütung wird dann zur humanen Pflicht und erhält von daher ihre überzeugendste Rechtfertigung (b). Juristisch hat der Arzt seinen kranken Patienten als Schutzbefohlenen gegenüber eine Pflicht zur Hilfeleistung, wenn sicher ist, daß die Selbstmordhandlung krankhafte Ursachen hat und dadurch die freie Willensbestimmung eingeschränkt ist. Die darüber hinaus durch das höchstrichterliche Urteil des BGH aus dem Jahre 1954 angenommene Hilfeleistungspflicht eines jeden hat praktisch keine Bedeutung. Die unterlassene Hilfeleistung wird im Einzelfall kaum nachzuweisen sein, wenn sie überhaupt verhandelt wird. Tatsächlich wird jedermann mehr aus einer moralischen und humanen Pflicht handeln (c).

Selbstmordverhütung reicht weit über den Personenkreis hinaus, bei dem sie zur gesetzlichen Pflicht wird. Sie rechtfertigt sich ebenso außerhalb der Medizin für jeden Augenblick, wo sie Hilfe für den anbietet, der Hilfe sucht. Ihr Zeitpunkt kommt in jedem Augenblick, wo zwei Menschen sich begegnen, jenseits von Krankheit und Gesundheit. Die Auffassung, daß die Rechtfertigung zur Selbstmordverhütung über den Rahmen der Medizin hinausgeht, legt es nahe, die Entwicklung der Selbstmordverhütung in der Medizin zu verfolgen.

2. Selbstmordverhütung – ihre Entwicklung in der Medizin

Historischer Überblick

In bewußter Vermeidung einer genauen, geschichtlich getreuen Zeitabfolge soll als Markierung der Bedeutung von Selbstmordverhütung in der Medizin das Jahr 1910 genannt werden. Damals diskutierte die Wiener psychoanalytische Vereinigung den Selbstmord, insbesondere den Schülerselbstmord und überlegte Möglichkeiten zu seiner Verhütung. *Federn* [47] hat diese Diskussion später veröffentlicht und die Bemerkungen von *Sigmund Freud* (1856-1939) dazu finden sich im Band VIII seiner gesammelten Werke [57]. Entsprechend der Thematik der Diskussion forderte der Begründer der Psychoanalyse vor allem von der Schule Sorgfalt im Umgang mit ihren Schutzbefohlenen. Nachdenklich aktuell klingt heute seine Bestimmung der Schule als „Lebensspiel“, daß sie nicht mehr sein dürfe und von den Schülern in ihrer Entwicklung die Unerbittlichkeit des Lebens fernhalten müsse. Das bedeutet, positiv ausgedrückt, daß *Freud* Lebensbedingungen fordert, die das Gefühl von Geborgenheit und eine Lust am Leben ermöglichen. Das ist zwar weniger eine medizinische als vielmehr eine sozialwissenschaftliche Betrachtungsweise, aber diese Diskussion verdient im Zusammenhang mit der Medizin doch deshalb hervorgehoben zu werden, weil die Wiener psychoanalytische Vereinigung vornehmlich eine Vereinigung von Ärzten war, die Selbstmord und Selbstmordverhütung zu ihrem Thema machten.

Außerdem hat die Diskussion um Selbstmord als Krankheit dort ihre Weiterführung erfahren, insofern *Freud* bemerkte, daß die Aufklärung der Frage, wieso „... der so außerordentlich starke Lebenstrieb zu überwinden ..." sei, von der Aufklärung der Affektvorgänge bei „... dem klinisch bekannten Zustand der Melancholie ..." abhinge. Melancholie wurde damals die Krankheit Depression genannt und die Selbstmordhandlung also auf Patienten bezogen.

Die Psychoanalyse tut das bis heute, und wir werden später wieder auf die inzwischen historisch notwendigen Einschränkungen zurückkommen müssen. Eine davon sei jetzt schon vorweggenommen, welche die Ausführungen von *Freud* zum Selbstmord betrifft, die er zehn Jahre später in Bd. XIII seiner gesammelten Werke gemacht hat unter Einbeziehung des Todestriebs als Erklärungsprinzip [60]. Diese Theorie im engeren psychoanalytischen Sinne kann heute nicht mehr vertreten werden, weil zu wenige Belege dafür zu finden sind. Es ist deshalb auch sinnvoll, sie hier nicht mehr darzustellen.

Mehr Einblick in die Entwicklung der Selbstmordverhütung innerhalb der Medizin gewährt die Beschäftigung mit dem Buch von *Gaupp* [64] aus dem Jahre 1905. Als typischer Mediziner, zwischen den beiden Polen Anlage und Umwelt denkend, betrachtete er die Selbstmordhandlung unter dem Gesichtspunkt der doppelten Kausalität. Er unterschied zwischen Motiv und Ursache und meinte damit, daß die konkrete Lebenssituation aktuell zur Selbstmordhandlung motiviert oder diese so veranlaßt wird und daß bestimmte individuelle Persönlichkeitsfaktoren sogenannterweise abnormaler Art zu dieser Motivation disponieren oder sie überhaupt erst ermöglichen.

Gaupp war Psychiater und als Vertreter eines endlich zur Medizin gehörenden Fachs dem Kausalitätsprinzip der Physik soweit verpflichtet, daß er auch für Erlebnis- oder Verhaltensauffälligkeiten nach Ursachen suchte. Andererseits verdankt ihm die Tübinger Schule der Psychiatrie, später repräsentiert durch so klingende Namen wie *Ernst Kretschmer* (1888-1964) oder *Walter Schulte* (1910-1972), den entscheidenden Anstoß schon am Anfang dieses Jahrhunderts zur Bemühung um ein über die Biologie hinausgehendes psychologisches Verständnis psychiatrischer Patienten. Für die Selbstmordhandlung bedeutet die auf dem skizzierten Hintergrund entstandene Unterscheidung von Motiv und Ursache ihre eindeutige Klassifizierung als Krankheit. Das wird auch nicht durch die erweiterte Sicht des Autors eingeschränkt, der Selbstmord sei ein „. . . biologisches, psychologisches und soziales Problem . . .“. [64].

Es dauerte 35 Jahre, bis aus maßgeblicher psychiatrischer Feder wieder ein ausführlicheres Buch über den Selbstmord erschien [71]. *Gruhle* war 1940 Lehrstuhlinhaber in Bonn und hat in den Jahren zuvor Studien zum Selbstmord bei Jugendlichen, bei alten Menschen und zur Abhängigkeit von geographischen Gegebenheiten gemacht. Ebenfalls der Tradition des kausalen Denkens in der Medizin zu der genannten Zeit noch stark verpflichtet, interessierte den Autor die Selbstmordhandlung in ihrer Beziehung zur Krankheit als Ursache. Er zieht aus den Untersuchungsbefunden der damaligen Zeit den Schluß, daß psychiatrische Erkrankungen, insbesondere die Depression, beim Zustandekommen der Selbstmordhandlung eine entscheidende Rolle spiele.

Als weitere wichtige Determination nennt er Alkoholismus, auch bei dieser Aussage gestützt auf empirische Untersuchungen. Jedoch weitet er den Krankheitsbegriff nicht so aus, wie wir es heute tun, indem er Erlebnis- oder Verhaltensstörungen darin einbezieht, Bereiche, die man früher teilweise unter dem Begriff der Psychopathie subsumierte. Somit wird die Frage, ob Selbstmordhandlungen „normal“ sind, eine weltanschauliche, was nämlich als normal angesehen werden soll und was nicht. In diesem Sinne sind ihm die 124 Selbstmörder von dem schon erwähnten Psychiater *Gaupp* [64], von denen nur einer „seelisch unauffällig“ war, auch kein Beweis für die generelle Krankhaftigkeit der Selbstmordhandlung. Vielmehr betont er ausdrücklich, daß extreme Lebenssituationen wie Haft, politischer Druck und andere ausweglose Konstellationen eine Selbstmordhandlung sehr verständlich machen und vernünftigerweise nahelegen. Warum die einen entsprechenden Belastungen standhalten, die anderen nicht, das ist ihm die Frage, weshalb er der Selbstmordverhütung praktisch auch keine Chance auf Erfolg einräumt. Entsprechende Dispositionen sind eben nicht zu ändern.

In dieser sehr medizinischen Gedankenführung nehmen aber soziologische Betrachtungen einen breiten Raum ein, im engeren Sinne epidemiologische. *Gruhle* führt die Beziehungen zwischen Stadt, Land, Kultur, Wirtschaftslage, Sozialstatus und Selbstmordhandlung an, ohne dabei die schon erwähnte Unterscheidung zwischen Motiv und Ursache zu übernehmen.

Auf einen Umstand verdient noch besonders hingewiesen zu werden, wie überhaupt dieses Werk wegen mancher Ähnlichkeit mit heutigen Erkenntnissen länger behandelt zu werden verdiente, nämlich auf die

Angaben zur Altersverteilung der Selbstmordhandlung zur damaligen Zeit. Der Autor zitiert Untersuchungen [115, 144], die gut übereinstimmend feststellen, daß sich bei Frauen eine zweigipflige Kurve mit Höhepunkten im 3. Lebensjahrzehnt (zwischen zwanzig und dreißig) und im 6. Lebensjahrzehnt (zwischen fünfzig und sechzig) ergibt. Bei Männern wurde in diesen Untersuchungen eine eingipflige Kurve errechnet mit ihrem Höhepunkt im 5. Lebensjahrzehnt (zwischen vierzig und fünfzig).

In einem 1965 erschienenen Buch über die sogenannte „endogene Depression" haben *Matussek* [130] und seine Mitarbeiter für das erstmalige Auftreten von depressiven Krankheitsphasen ebenfalls für Frauen eine zweigipflige Kurve mit Spitzen im 3. und 6. Lebensjahrzehnt und für Männer eine eingipflige mit der Spitze im 5. Lebensjahrzehnt gefunden. Daraus den Schluß ziehen zu wollen, Depression und Selbstmord seien deckungsgleich, wäre voreilig. Jedoch regt dieser Befund zu neuen Überlegungen zum Zusammenhang zwischen Depression und Selbstmord an, auf die später zurückzukommen sein wird [157, 244]. *Stengel* [216] errechnete für beide Geschlechter als bevorzugtes Alter für vollendeten Selbstmord 55-60 Jahre und für Selbstmordversuche 30-35 Jahre.

Die bei *Gruhle* mehrfach erwähnte kleine, 44 Seiten starke Schrift von *Weichbrodt* „Der Selbstmord" [235] einige Jahre früher, 1937, erschienen, hat nicht die entsprechende Beachtung gefunden wie die beiden erwähnten aus klassischer psychiatrischer Feder. Die Schrift behandelt auch breit Kulturgeschichte und soziale Determinanten der Selbstmordhandlung, resigniert aber ebenso wie die Medizin damals überhaupt vor der Möglichkeit der Selbstmordverhütung, weil die Krankheiten und Persönlichkeitsstörungen, mit denen unter Umständen Selbstmordhandlung in Verbindung zu bringen wären, als unheilbar oder unbeeinflußbar galten. Trotzdem wird die „Selbstmordfürsorge" den Ärzten aus humanen Gründen empfohlen, wenn auch der Erfolg in keinem Verhältnis zur aufgewandten Mühe stehe [235].

Erwin Ringel und das präsuizidale Syndrom

Ein Durchbruch dieser Resignation und Gleichgültigkeit erfolgte in der Psychiatrie und Medizin nach dem Zweiten Weltkrieg, als *Erwin Ringel* 1948 in Wien ganz intensiv mit Selbstmordforschung begann und seine Erkenntnisse in entsprechende Strategien umsetzte. In das Jahr 1948 fällt in Wien die Gründung der „Lebensmüdenfürsorge", die vom Caritasverband der Katholischen Kirche getragen wurde und die Arbeit in Therapie und Forschung von *Ringel* und seinen Mitarbeitern bis in die jüngste

Vergangenheit unterstützte. Jetzt ist es gelungen, auch den Staat zum entscheidenden Teilhaber dieses Unternehmens zu gewinnen. Zu der genannten Zeit gab es in Wien noch 32 Selbstmorde auf 100 000 Menschen der Bevölkerung, heute sind es 20. Außerdem passierten damals von allen österreichischen Selbstmorden 34 in Wien, heute sind es 22.

Die Wendung in der Behandlung und im Umgang mit der Selbstmordhandlung drückt sich aber nicht nur in diesen „Erfolgsziffern" aus. Eindrucksvoller ist eine gründliche und sorgfältig erarbeitete Theorie der Selbstmordhandlung, die sich auf die Praxis der Selbstmordverhütung entsprechend auswirkte.

Im Jahre 1953 erschien von *Ringel* [179] das bedeutende Werk „Der Selbstmord – Abschluß einer krankhaften psychischen Entwicklung". Die Grundlage der Ausführung bildeten 745 gerettete Suizidpatienten der Psychiatrischen Universitätsklinik in Wien, die der Verfasser eingehend untersucht hatte mit dem Ergebnis: Sie alle hatten vor der Selbstmordhandlung für jeden außenstehenden Beobachter sichtbare Auffälligkeiten, die *Ringel* unter der Überschrift *„präsuizidales Syndrom"* zusammenfaßte. Er gliederte es in:

a) Einengung
b) gehemmte Aggression
c) Selbstmordphantasien.

Damit meinte er den situativ und dynamisch eingeengten Lebensraum, der dem Betreffenden keine Bewegungsfreiheit mehr erlaubt. Das kann situativ zum Beispiel eine finanzielle Notlage sein und dynamisch eine Beschränkung der Gefühle auf nur diesen einen Gedanken an den Tod (a). Mit der Aggressionshemmung, die dann gegen die eigene Person gerichtet ist, wie es in der genaueren Beschreibung heißt, wird die besondere Handlungsart angesprochen, die mit dem Hand-an-sich-Legen verbunden ist. Ein besonderer Aggressionsdruck ist zu beobachten, der sich aber nicht nach außen, sondern nach innen entlädt. Der Untersucher hatte offenbar Menschen im Auge, die vor Wut kochen, aber niemandem etwas zuleide tun können – eben nur sich selbst (b). Schließlich gibt es Menschen, die von ihren inneren und äußeren Umständen so belastet sind, daß der Gedanke an den Tod verlockend zu werden beginnt und der Rückzug von der grauen Realität in das Reich der Phantasie jenseits von allem Schrecken zum alles beherrschenden Gedanken wird. Man hört ja oft, man habe nichts mehr zu verlieren, es kann nur besser werden (c).

Wenn man viel mit Menschen zusammen war, die sich das Leben nehmen wollten oder genommen haben, gerät man in Erstaunen, wie zutreffend hier die Situation der Betroffenen gesehen und in eine sprachliche Form gebracht wurde.

Der Mann, den ich im vorigen Kapitel erwähnte, weil er mich so nachdrücklich ermahnte, seine Selbstmordabsichten ernst zu nehmen, stellte mir das „präsuizidale Syndrom" sehr lebhaft vor Augen. Er war ein knappes halbes Jahr in meiner Betreuung und kam jede Woche zweimal. Neu in der Stadt, hatte er große Schwierigkeiten, in seinem Beruf als Architekt Fuß zu fassen. Er saß zu Hause und vermißte den Kontakt mit den Kollegen vom Fach und eine Betätigung auf einem Feld, wo er sich bestätigen konnte. Finanziell war die Lage dementsprechend knapp. Die Ehe des zwischen 30 und 40 Jahre alten, etwa gleichaltrigen Paars war gespannt, weil beide keine Freunde hatten, nicht aus dem Haus gingen und niemand zu ihnen kam. Die Beziehung war in der ausschließlichen Angewiesenheit aufeinander überbeansprucht, und die anregenden Einflüsse von außen fehlten völlig. Kinder, die vielleicht neues Leben in diese einsame Welt gebracht hätten, gab es nicht. Gefühlsmäßig waren wegen der auf diese Weise entstandenen Leere Lebensunlust und Lebensüberdruß vorherrschend, die andere Interessen und Stimmungen nicht mehr aufkommen ließen (a).

Das stumme Miteinanderleben, das übrigens in einem für beide sehr befriedigenden, intensiven Sexualverkehr eine andere Austauschebene gefunden hatte als Worte und Taten, wurde gelegentlich von heftigen Zornesausbrüchen beider erschüttert. Sie zeugten von starken Aggressionspotentialen, die meist in der Hemmung hinter freundlicher Maske unscheinbar blieben, aber bei bestimmten Gelegenheiten unüberhörbar waren. Danach allerdings machte sich der Mann immer heftige Vorwürfe, ließ kein gutes Haar an sich, fand sich wertlos, gewissenlos, nutzlos und war der Ansicht, schwere Strafen verdient zu haben (b).

Aus allem Elend rettete er sich mit den schönsten Bildern im Jenseits. Diese waren auch der Hauptinhalt der psychotherapeutischen Gespräche, in denen er Entlastung von seiner traurigen Realität und Lust empfinden lernte an einer Phantsiewelt, in der „... sterben, schlafen ..." auf ihn warteten und „... nichts sonst ..." *(Hamlet)* ihn bedrückte (c). Vermutlich lag hier auch die besondere Befriedigung der Umarmung seiner Frau, mit der er sich in eine phantastische Wunschwelt voller Glück zurückziehen und alles andere vergessen konnte.

Meine Bemühungen, die Einengung aufzulösen, die Aggression zu kanalisieren und die Realität so attraktiv zu machen wie die Phantasie, schlugen fehl. Der Mann stürzte sich vom 22. Stockwerk eines Hochhauses und war sofort tot.

Durch seine Ankündigung und seine Darstellung des „präsuizidalen Syndroms" traf seine Umwelt dieses Ereignis nicht unvorbereitet. Das ist die praktische Seite an der Erarbeitung des präsuizidalen Syndroms, das die Möglichkeit bietet, vor der Tat aufmerksam zu werden und etwas zu tun.

Diese praktische Seite war *Ringel* besonders wichtig, dem die Selbstmordverhütung früh ein dringendes Anliegen war. Die Tatsache, daß etwa 80% aller Selbstmordhandlungen vorher direkt angekündigt werden durch Briefe, Bemerkungen oder andere Äußerungen der Betreffenden, waren dem Autor Anlaß, die Situation vohrer noch genauer zu studieren und diese „Ankündigungen" auf einen breiteren und eindeutiger zu beobachtenden Untergrund zu stellen [183].

Die Bedeutung der Arbeit *Ringels* liegt aber nicht ausschließlich in der Grundlegung der praktischen Selbstmordverhütung, auf die in späteren

Kapiteln noch eingegangen wird. Ebensoviel Gewicht hat die Neufassung der Theorie der Selbstmordhandlung, die als krankhaft beurteilt und in bestimmte Zusammenhänge krankhafter Entwicklungen gestellt wird. Ausführlich hat *Ringel* studiert, wie Lebensgeschichten verlaufen, in denen Selbstmordhandlungen auftreten. Den „Abschluß einer krankhaften psychischen Entwicklung", so der Untertitel seines Buches [179], hat er auch „Neurose der Lebensverunstaltung" genannt [180]. Er denkt dabei an Menschen, die in früher Kindheit keine Sicherheit und Geborgenheit erlebt haben und demzufolge kein Vertrauen in sich selbst und die Welt ihr eigen nennen. Von Enttäuschung, Resignation und Lebensüberdruß geprägt, können sie sich nicht mehr auf einen Selbsterhaltungstrieb berufen, der anderen so selbstverständlich ist und dessen Stärke viele fraglos beim Seiltanz des Lebens wie ein Netz immer wieder auffängt.

Besonders differenziert arbeitet *Ringel* heraus, daß diese Menschen schutzlos ihrer Verzweiflung ausgeliefert sind oder, wie es die Fachsprache ausdrückt, sie keine Abwehrmechanismen haben. Deshalb wird von krankhafter psychischer Entwicklung gesprochen und nicht von Neurose, die gekennzeichnet ist durch ebensolche Abwehrmechanismen und eine jeweils spezifische Symptomatik. So steht dem Hysteriker die Verdrängung zur Verfügung, dem Zwanghaften die Reaktionsbildung, dem Depressiven die Introjektion, dem Wahnkranken die Projektion, dem Maniker die Verleugnung der Realität und allen die Möglichkeit der Symptombildung, um mit Angst und Konflikten fertig zu werden. Dem Lebensmüden fehlt das alles, und darum ist er so gefährdet, an seinen Aggressionen zu ersticken. Sie sind gehemmt und ständig bereit, sich gegen die eigene Person zu wenden und kommen so dem Strafbedürfnis des Betreffenden entgegen, der schwere Schuld glaubt begleichen zu müssen. Einengung, Aggressionshemmung und Rückzug in die Phantasie vermögen den Tod nicht aufzuhalten.

Eindrucksvoll ist hier der Vergleich zu Menschen mit ähnlichen Entwicklungen, die aber ihrem Herzen Luft machen können in abenteuerlichsten Aktionen des Reisens, Unternehmens, Ausnützens von Beziehungen, Herstellens günstiger Konstellationen auch um den Preis von Korruption oder gar der Legalität. Die Selbstmordhandlung ist bei solchen Menschen wesentlich weniger häufig und taucht selten als Ausweg aus belastenden Lebenslagen auf. Bei der Psychologie der Selbstmordhandlung wird darauf noch einmal eingegangen werden.

In diesem engeren Zusammenhang ist es jetzt wichtiger herauszustellen, daß die Arbeit des Wiener Kreises entschieden und eindeutig die Auffassung vom Selbstmord als krankhafter Handlung ergeben hat – einmal durch Aufweis eines spezifischen Syndroms und einer spezifischen Entwicklung, zum anderen durch den Hinweis auf bestimmte Krankheitsbilder der Psychiatrie, in deren Zusammenhang Selbstmordhandlungen auftreten. Vor allem werden Depressionen in verschiedener Gestalt und in verschiedenen Lebensaltern genannt, weiter die Sucht und schließlich die Psychopathie. Damit wird die Selbstmordhandlung Symptom einer Krankheit, und es wird formuliert, daß jeder Selbstmordhandlung eine psychische Erkrankung zugrundeliegt [180].

Ob diese Zuordnung der Selbstmordhandlung zur Psychiatrie als einem Fach der Medizin und der dort abgehandelten psychischen Erkrankungen so endgültig stehen bleiben kann, ist fraglich geworden. Im ersten Kapitel ist auf die Problematik eingegangen worden, und sie wird auch hier wieder aufgenommen werden müssen, zumal *Ringel* [185] selbst sie öfters angesprochen hat.

Andere Selbstmordforscher

Um aber den Zusammenhang „Selbstmordverhütung – Entwicklung in der Medizin" zu wahren, werden vorher noch andere Schwerpunkte der Medizin erörtert, die zu Konsequenzen für die Selbstmordverhütung geführt haben. Der Einfluß der verschiedenen Konzepte der Medizin auf die Praxis der Selbstmordverhütung ist so stark, daß diese Konzepte kritisch diskutiert werden müssen. *Ringels* Anstöße zur Selbstmordverhinderung innerhalb der Medizin sind so beispielhaft, daß andere Erwähnungen nicht mehr unbedingt notwendig sind. Es wäre aber einseitig und ungerecht, nicht wenigstens eine kurze Zusammenstellung weiterer Untersuchungen anzufügen, weil sonst der falsche Eindruck entstünde, als würde medizinische Selbstmordforschung nur in Wien betrieben.

Von einem aus Wien stammenden, nach London ausgewanderten Psychiater namens *Stengel* erschien 1964 englisch und 1969 in deutscher Übersetzung das sehr verbreitte Buch „Selbstmord und Selbstmordversuch" [215]. Es handelt sich um eine solide, gut verständlich geschriebene Ausführung vorwiegend über Motive, Ursachen, Zahlen und Einflüsse der Selbstmordhandlungen, bei denen aufgrund unterschiedlicher Beobachtungen Selbstmord und Selbstmordversuch voneinander getrennt werden. Der Autor beschäftigte sich besonders auch mit der Psychologie der Selbstmordhandlung und arbeitete die „Appellfunktion" besonders des Selbstmordversuchs heraus.

Die Psychologie der Selbstmordhandlung beschäftigte auch einige Jahre früher den psychoanalytisch eingestellten Psychiater *Menninger,* auf dessen Arbeit [134] im Kapitel I.4. eingegangen wird, ebenso wie auf das jüngst erschienene, sehr bedeutend gewordene Buch von *Henseler* [86], der ebenfalls Psychiater und Psychoanalytiker ist.

Mehr im eigentlichen Rahmen der medizinischen Psychiatrie bleiben die Arbeiten von *Boecker* [25], der an der eindrucksvollen Zahl von 832 Selbstmordhandlungen den besonderen Verhältnissen der Großstadt für diesen Zusammenhang nachgeht, von *Feuerlein* [49], der mit dem sehr brauchbaren Begriff der „parasuizidalen Pause" das Problem sogenannter demonstrativer Selbstmordversuche einer Lösung näher bringt, indem er bei vielen Selbstmordhandlungen einfach das Bedürfnis nach Schlaf und Ruhe aufdeckt und von *Pöldinger* [151], der nach Möglichkeiten der richtigen Einschätzung der Selbstmordgefahr sucht.

Sehr praktisch orientiert und dauernd auf Anwendung für die Selbstmordverhütung bedacht sind die vielfältigen Arbeiten des Berliner Arztes und Psychotherapeuten *Thomas* [223, 224]. Historisch redlich hat *Böhme* [26] auch noch den Standpunkt der klassischen Psychiatrie referiert, deren Exponenten *Schneider* und *Jaspers* finden „... daß nicht ein einziger Beweggrund das Ereignis begreiflich macht ..." [200].

In einer Schilderung der Entwicklung der Selbstmordverhütung in der Medizin kann es nicht darauf ankommen, eine vollständige Literaturübersicht zu geben, sondern lediglich repräsentative Punkte der Entwicklung zu markieren. Das bedeutet keine Abwertung anderer aus diesem Grunde nicht erwähnter Arbeiten, vor allem auch von solchen aus dem Bereich der Kinder- und Jugendpsychiatrie [36, 96, 126, 250].

Ist „Krankheit" stets Voraussetzung für die Selbstmordhandlung?

Das entscheidende Ergebnis der Beschäftigung mit der Selbstmordverhütung in der Medizin ist einmal, daß nur sehr allmählich der Gegenstand erforscht und die betroffenen Menschen der ärztlichen Hilfe für wert befunden werden. Das andere ist die eindeutige Aussage der Medizin, Selbstmordhandlungen sind Krankheit. Diese Aussage ist so nicht zu halten, womit die Problematik des ersten Abschnitts wieder auftaucht und gleichzeitig der nächste vorbereitet wird.

Die Entwicklung der Selbstmordverhütung in der Soziologie wird deutlicher machen, wie wenig der individuelle Krankheitsbegriff der Medizin auf der Grundlage der Disposition und des Erregermodells erklärt.

Ich hatte 1971 noch klarzumachen versucht, daß keine Selbstmordhandlung ohne Depression möglich ist, und *Gottfried Benn* hatte das 1940 ebenfalls schon getan [157, 17]. Nur ist Depression immer eine Krankheit, und ist es manchmal nicht realistisch, traurig zu sein, und vernünftig, seinem Leben ein Ende zu machen? Die schon angeführten Fälle aus dem politischen Bereich zwingen zu diesem Gedanken. Die Selbstschilderung, die *Amèrys* Buch ja auch ist, ist ein weiterer Anstoß in dieser Richtung. Die Idee von der Freiheit der Persönlichkeit, sowohl deduktiv wie induktiv gewonnen, ermöglicht den Freitod. Empirisch nachweisbar ist, daß unser Handeln sehr unfrei und vielen Einflüssen ausgesetzt ist, aber nicht unter totalem Zwang steht. Dann freilich, wenn Menschen nach einem Selbstmordversuch verletzt, bewußtlos sind oder sich zeitweilig im Zustand eingeschränkter Sicht der Realität befinden, wird wohl jeder Arzt primär medizinische Hilfe leisten.

Aber die Medizin unterliegt einem Allmachtsanspruch in der Meinung, alles von der statistischen Norm Abweichende gehöre in ihren Bereich der Krankheit. Sie unterwirft sich auch der Zauberformel der medizinischen Gründe wie einem Fetisch, der Behörden und Kapital zur Hilfe zwingt, wenn es um der Güter höchstes, die Gesundheit, geht, so als wenn soziale oder politische Gründe nicht ebenso maßgeblich oder überzeugend wären. Ein verändertes Denken außerhalb der Kategorien der Medizin würde auch das Handeln verändern.

Wenn alle Selbstmordhandlungen als Krankheit gelten, taucht die sehr vernünftige Frage der Antipsychiatrie auf: „Wer ist verrückt – die Patienten oder die Ärzte [119]?" Auf den vorliegenden Zusammenhang angewandt, würde das heißen: Sind nicht diejenigen krank, die unter diesen oder jenen gegenwärtigen oder vergangenen Umständen sich nicht den Tod geben? Diese Frage müssen sich alle Verteidiger des Lebens und alle, die daran arbeiten wollen, gefallen lassen. Sie würden krank, wenn sie diese Frage nicht zuließen und nicht offen blieben für die Antwort, daß sich auch Gesunde das Leben nehmen. Warum die Medizin mit dieser Antwort Schwierigkeiten hat, hängt mit den Begriffen Krankheit und Gesundheit zusammen [171], mit einem besonderen Denkstil der Ärzte [22] und mit unserem Zeitgeist zum Tod [62]. Davon wird noch mehrfach die Rede sein. Jetzt führt am ehesten die Betrachtung der Entwicklung der Selbstmordverhütung in der Soziologie weiter zu einem umfassenderen Verständnis der Selbstmordhandlung und dem Sinn von Selbstmordverhütung.

3. Selbstmordverhütung – ihre Entwicklung in der Soziologie

Die moderne Soziologie wird mit der Überschrift dieses Abschnitts sowenig einverstanden sein, wie mit dem letzten Satz des vorangegangenen. Sie wird nämlich darauf bestehen festzustellen, daß Soziologie kein Interesse an Selbstmordverhütung hat und weiter, daß der Gegenstand der Soziologie nicht die Selbstmordhandlung ist, sondern höchstens die unterschiedlichen Suizidraten in den verschiedenen Ländern [100]. Trotzdem soll es bei der Überschrift bleiben und bei der Erwartung, die Soziologie könnte bei der Frage nach dem Sinn von Selbstmordverhütung weiterhelfen.

Ermutigt wird man zur Auseinandersetzung mit der Soziologie in diesem Sinne, wenn man bereit ist, bestimmte Voraussetzungen dieses Fachs zu akzeptieren. Dann wird man aus der soziologischen Forschung Einsichten gewinnen, die mit der eigenen Erfahrung und Sicht weitgehend übereinstimmen. Dies wird zu einer kritischen Reflexion der Position von Medizin und Psychologie führen. Zum anderen wird man ermutigt durch die lange Tradition, die der Selbstmord in der Soziologie hat; – das grundlegende Werk erschien bereits 1897 [37]. Mit der Darstellung der dort gemachten Ausführungen zum Thema beginnt meist die Auseinandersetzung um Soziologie und Selbstmord. Im vorliegenden Zusammenhang soll anders vorgegangen, nämlich zuvor gewissermaßen die Bedingung der Möglichkeit von Aussagen dieses Wissenschaftszweigs erörtert werden.

Zunächst ist festzustellen, daß die Methoden der empirischen Soziologie allgemein Anerkennung gefunden haben. Die wissenschaftliche Erforschung der Selbstmordhandlung übernimmt diese Methoden, muß aber berücksichtigen, daß es hier nicht genügt, bis drei zählen zu können. Es wird immer wieder schwierig sein, verbindlich eine Übereinkunft zwischen Ärzten, Angehörigen und Behörden zu erzielen, ob in diesem oder jenem Falle ein Todesfall als Selbstmord zu klassifizieren ist oder dieser oder jener Unglücksfall als Selbstmordversuch.

Weiter ist zu bedenken, daß unter diesen oder jenen Umständen amtlich falsch gezählt wird, wenn es darum geht, bestimmten Staaten mit bestimmter Ideologie eine reine Weste oder bestimmten medizinischen oder sozialen Einrichtungen einen guten Ruf oder Familienangehörigen eine Versicherungssumme zu erhalten.

Zum wiederholten Male sei daran erinnert, daß bis 1961 der Selbstmord in England strafbar war und in unserem Lande die Kirchen bis vor kurzem das Begräbnisverbot streng auslegten. Solche und andere Umstände sind eine Teilerklärung für so unterschiedliche Zahlenangaben, daß 1970 in der DDR auf 100 000 Einwohner 30,5, in der BRD 1972 19,8 und in Irland 1970 1,8 Selbstmordfälle kamen [100].

Solche als offiziell geltende Statistiken sind mit entsprechender Vorsicht zu genießen. Wohl erfüllen sie eine Orientierungsfunktion, wenn man weiß, daß in der BRD etwa 20 Selbstmorde auf 100 000 Menschen der Bevölkerung jährlich gleichbleiben, die Selbstmordversuche 5- bis 10mal häufiger sind, aber leicht ansteigen, daß Männer mehr Selbstmorde, Frauen mehr Selbstmordversuche machen, daß ältere Menschen gefährdeter sind, daß Berlin infolgedessen mit 43 pro 100 000 eine sehr hohe Selbstmordrate hat, daß Kinderselbstmorde praktisch nicht vorkommen. Die Gefährdung der Jugendlichen dagegen wird größer: Geglückte Selbstmorde bei 6- bis 15jährigen Knaben haben sich von 1959 bis 1970 verdoppelt. Die 10- bis 15jährigen Jugendlichen hatten 1969 eine SM-Rate von 75 gegenüber 45 früher. Die 16- bis 20jährigen 1975 eine von 500 gegenüber 370 früher und die 21- bis 25jährigen eine von 800 gegenüber 570 früher. Gerade meldet die Bundeswehr 3mal mehr Selbstmordversuche ihrer 18- bis 26jährigen Soldaten als in der Normalbevölkerung und bei den Ersatzdienstlern sollen sogar die Selbstmorde steigen. Gegen diese Angaben der statistischen Jahrbücher steht ein Bericht aus Zürich, daß sich die Selbstmordversuche bei Jugendlichen in den letzten 10 Jahren nicht erhöht hätten [19], aus New Haven wiederum, sie seien zwischen 1955 und 1970 um das 11fache gestiegen [96, 160, 238]. Diese Beispiele zeigen deutlich, wie es auf die Zeiträume, in denen und die Arten, nach denen gezählt wird, ankommt. Die Orientierungsfunktion der Zahlen bleibt aber erhalten, wenn man kritisch mit ihnen umzugehen versteht.

Die gleiche Vorsicht wie bei der Frage nach Zu- oder Abnahme der Selbstmordhandlungen gebietet sich bei den absoluten Zahlen: So nachdenklich Selbstmordhandlungen stimmen und soviel Betroffenheit sie auslösen in der mittelbaren und unmittelbaren Umgebung, so sind 13 000 bis 16 000 Selbstmorde im Jahr in der Bundesrepublik Deutschland gleich der Zahl der Verkehrstoten von allen Sterbefällen jedoch immerhin nur 1,5 bis 2%. Unter 50 Todesursachen steht Selbstmord an vierzehnter Stelle, etwa auf der Höhe mit Bluthochdruck und Lungenentzündung. Bei Kindern bis zu 15 Jahren steht Tod durch Selbstmord an 10. Stelle; aber schon in der Altersgruppe 16 bis 20 und 21 bis 25 Jahre wird der Selbstmord zur zweithäufigsten Todesursache nach den Unfällen. In diesen beiden Altersgruppen hat sich die Selbstmordrate in den letzten 10 Jahren um 50% erhöht. Ist also die Selbstmordrate mit etwas mehr als 1% aller Sterbefälle eher gering, erschüttert die Tatsache, daß 12,5% männl. Tote zwischen zwanzig und fünfundvierzig an Selbstmord gestorben sind, übertroffen nur noch von Autounfällen und Krebserkrankten. Nur sterben in dem Alter nicht viel und gemessen an der Gesamtzahl der Lebenden dieser Generation zwischen zwanzig und fünfundvierzig errechnen sich nur noch 0,024% Männer diesen Alters, die an Selbstmord sterben. Solche Gedankengänge sollen keineswegs ein öffentliches und menschliches Problem herunterspielen in seiner Tragik und Bedeutung. Sie sollen wohl aber dazu anregen, einen kühlen Kopf zu behalten und nicht mit kaleidoskopartig durchgeschüttelten Zahlen wie von einem Jahrmarkt zum anderen die Selbstmordhandlung zum Gegenstand von Werbeaktionen zu machen. Das Problem ist ernst und sachlich genug und bedarf keiner Propaganda oder moralisierender Wanderprediger, selbst wenn es um die Jugend zwischen 15 und 20 geht, bei der auch Selbstmorde 12,2% aller Todesfälle ausmachen [163].

Vor allem Vorsicht ist geboten, aus Zahlen inhaltliche Schlüsse auf die Bedingungen der Selbstmordhandlungen zu ziehen. Das eindrucksvollste Beispiel in dieser Hinsicht ist der Vergleich der Selbstmordrate in Dänemark 1970 mit 21,5 auf 100 000 Menschen der Bevölkerung und Irland zur selben Zeit mit 1,8. Dänemark ist protestantisch, Irland katholisch. Man könnte meinen, die katholische Dogmatik schütze vor Selbstmord. Wer waren aber die Selbstmörder – vielleicht gerade die Katholiken als Minderheit in Dänemark oder die Protestanten in umgekehrter Lage in Irland? Über die Zahlen hinaus erfährt man in solchen Zusammenstellungen nichts über den Einzelfall und muß daher zunächst auf Deutungen verzichten. Wenn trotzdem heute gesagt wird, die Selbstmordhandlung sei ein Problem der Kleinfamilie, des Kerns von Großstädten, der 15- bis 25jährigen, der Alten, bestimmter Lebensbedingungen, so werden Daten zum Ausgangspunkt gemacht von Folgerungen, deren Wert von der Art und Weise abhängt, wie sie gezogen worden sind. Dabei ist vor allem der sogenannte „ökologische Fehlschluß" zu vermeiden, der darin bestünde, von einem sogenannten Datenaggregat auf Individualeigenschaften der betroffenen Personen zu schließen [100]. *Durkheim* [37] hat 1897 als erster den Weg beschritten, Zahlen unter Vermeidung solcher Fehler inhaltlich fruchtbar zu machen, und es ist jetzt an der Zeit, ihm nachzugehen.

Durkheims Buch [37] „Der Selbstmord" erschien zum erstenmal 1897, wurde 1960 in Paris wieder aufgelegt und 1973 ins Deutsche übersetzt. Es hat seine Bedeutung weniger durch den Titel über so viele Jahrhunderte erhalten als vielmehr dadurch, daß das Phänomen Selbstmord Anlaß wurde, eine bis heute stark beachtete soziologische Theorie zu entwickeln. Ausgangspunkt waren die unterschiedlichen Selbstmordraten in den einzelnen Ländern bei gleichen klimatischen, rassischen und gesundheitlichen Bedingungen. Daraus wurde der Schluß gezogen, die einzige Verschiedenheit könne nur die jeweils gesellschaftliche Realität sein, und die unterschiedlichen Selbstmordraten könnten daher nur gesellschaftlich erklärt werden und nicht individuell.

Der Beitrag der Soziologie zur Selbstmordforschung und zur Selbstmordverhütung schränkte sich damals schon auf einen indirekten ein, nämlich auf die Herausarbeitung gesellschaftlicher Bedingungen, die Selbstmord begünstigen oder nicht, und dies logisch konsequent, jedoch unter Ausklammerung der Einzelfallhilfe. Der interessierende Forschungsgegenstand wurde die jeweilige gesellschaftliche Gruppe, in der Selbstmorde vorkommen und nicht der Selbstmord selbst.

Auch die Gruppen wurden als sogenannte statistische Gruppen untersucht und nicht als solche, die durch die Zusammensetzung individueller Persönlichkeiten zu beschreiben gewesen wären. Es begann nun die Suche nach den unterschiedlichen Strukturmerkmalen gesellschaftlicher Gruppen, die mit den damaligen statistischen Rechenmethoden schwieriger war als heute im Zeitalter der Faktorenanalyse.

Damals klärte sich, daß hohe Selbstmordraten in Gruppen abhängig sind von Religion, Einkommensverhältnissen, Ausbildungsstand und Stabilität der Familienverhältnisse. Welcher von solchen vier angenommenen Faktoren gewichtiger als der andere ist, konnte damals nur so geprüft werden, daß von solchen vier unabhängigen Variablen drei konstant zu halten waren, um die Bedeutung der vierten herauszubekommen. Man mußte also beispielsweise ein evangelisches Land ausfindig machen, das zugleich auch arm, ungebildet und von stabiler Familienstruktur ist, um es im Hinblick auf den Faktor Religion mit einem katholischen, armen, ungebildeten und familienstabilen Land vergleichen zu können.

Gesellschaftliche Gruppen im Vergleich auf ihre Unterschiede hin zu untersuchen und zu beschreiben, ist wegen der Unmöglichkeit, experimentelle, d. h. künstliche Gruppen zum Zwecke der Untersuchung zusammenzustellen, außerordentlich schwierig. Man kann sich nur an tatsächliche Länder halten, und da gibt es so viele dann doch nicht. Übrigens werden deshalb gerne religiöse Sekten in diesem Sinne untersucht, die zahlreicher sind und leichter überschaubar [160].

Die heute zur Verfügung stehende Faktorenanalyse bringt eine gewisse Erleichterung, insofern unbedenklich mehrere Merkmale einer Gesellschaft ins Auge gefaßt werden können, wobei später durch rechnerisch vorgenommene Merkmalsreduktion Faktoren in ihrem Gewicht für das untersuchte Phänomen sich abzeichnen. Interessant ist aber, daß trotz dieser heutigen methodischen Verfeinerungen auch die moderne Soziologie für die unterschiedlichen Selbstmordraten keine wesentlich andere Erklärung hat als damals *Durkheim* und auch die Beschreibung von gesellschaftlichen Gruppen im wesentlichen immer noch auf seiner Theorie aufbaut. Sie besagt, daß soziale Phänomene nach dem Gesetz der Anomie verlaufen: Wenn in Gruppen durch Wirtschaftskrisen oder Kriege oder Bevölkerungsexplosionen u. a. alte Ordnungen und Wertvorstellungen zerbrechen ohne sofortigen Ersatz von neuen, verändert sich das Verhalten der einzelnen in der Gruppe etwa im Sinne höherer Anzahl von Selbstmordhandlungen (anomischer Selbstmord). Der einzelne hat nämlich dann keine Möglichkeit mehr, sich in der Gruppe integriert zu fühlen (egoistischer Selbstmord) oder die Gruppennormen laufen seinen persönlichen Interessen zuwider (aetruistischer Selbstmord). Das Gesetz der Anomie besagt, daß gesellschaftliche Veränderungen im Sinne von Veränderungen bisher geltender Gesetze mit Zwischenzeiten von Gesetzlosigkeit (Gesetze sind hier im Sinne von Wertvorstellungen gemeint, anomisch heißt hier gesetzlos) sich in Phänomenen wie z. B. veränderten Selbstmordraten anzeigen. Die Soziologie nimmt damit dem Selbstmordplan ganz entschieden seinen individuellen Charakter. Was ist dazu zu sagen?

Medizin und Sozialwissenschaften

Als dringendste Frage stellt sich, ob Angst, Scham, Einsamkeit, Zweifel, Liebeskummer, Trauer als sogenannte individuelle Motive der Selbstmordhandlung nicht auch soziale Phänomene sind. Das weitere wäre, ob man nicht noch intensiver versuchen sollte, Gesellschaften auf einer Skala zwischen zwei Polen von Traditionalismus einerseits und Säkularisation andererseits einzuordnen und entsprechende Korrelationen zur Selbstmordrate zu finden. *Halbwachs* [74], ebenfalls ein französischer Soziologe, hat im Jahre 1930 die Forschung um diese Ausblicke zu bereichern versucht. Interessant ist hier eine historische Parallele anzumerken, daß auch in der Soziologie wie in der Medizin (s. o.) etwa in einem Abstand von 30 Jahren ein weiteres bedeutendes Werk dem ersten folgte – in der Medizin schrieben *Gaupp* 1905 [64] und später *Gruhle* 1940 [71], in der Soziologie *Durkheim* 1897 [37] und *Halbwachs* 1930 [74].

Unausweichlich führt uns der Ansatz der Soziologie zurück zu der Frage, ob Selbstmord eine Krankheit ist und was es mit der Selbstmordverhütung auf sich hat. Ist sie Sache der Medizin oder nicht? Man kann sich die Beantwortung dieser Frage leicht machen und sagen, Selbstmord sei eine Krankheit, aber Krankheit ist ja auch ein soziales Geschehen.

Sozialpsychiatrie, Medizinische Soziologie und Sozialmedizin behandeln dieses Problem, indem sie Geisteskrankheiten im Zusammenhang mit bestimmten Kommunikationsformen in den Familien [121], Krankheitsverhalten im Zusammenhang mit Erwartung der Gesellschaft [203] und Krankheitserscheinungen im Zusammenhang mit bestimmten gesellschaftlichen Gewohnheiten [195] zu verstehen suchen. Das sind Bemühungen, die den biologischen Krankheitsbegriff zu einem psychosozialen Krankheitsbegriff zu erweitern versuchen. Bei allem Respekt vor dieser mutigen und realistischen Erweiterung dieses Krankheitsbegriffs, der man nur viele Befürworter wünschen kann [171], ist Krankheit in weiten Bereichen aber doch auch Veränderung des Organismus durch Einwirkung von Schäden.

Zunächst steht dieser Krankheitsbegriff Pate, wenn vom Selbstmord als Krankheit gesprochen wird, und die Erweiterung hier geht dann in Richtung Fehlentwicklung unter Einbeziehung der psychologischen Dimension also. Aber diese sogenannte Fehlentwicklung ist ja auch Ergebnis von Einwirkungen aus der Umwelt. Das gerade meint die Soziologie nicht, sondern vielmehr, daß die Gesellschaft je nach ihrem Zustand und ihrer Fähigkeit zur Integration ihre Kinder in den Tod entläßt oder nicht. *Durkheims* These, Selbstmordziffern seien eine Maßzahl der jeweiligen gesellschaftlichen Verhältnisse im Hinblick auf Integration, bestreitet dem Selbstmord radikal jeden Krankheitswert, und die Soziologie hat dem konsequenterweise bis heute nichts hinzugefügt. Sie widerspricht auch nicht nur der Krankheitsauffassung vom Selbstmord, sondern auch der Selbstmordhandlung als Privatsache. Sie erklärt diese ganz eindeutig zu einem sozialen Phänomen im genannten Sinne und stellt sich damit nicht nur quer zur Medizin, sondern auch quer zur phänomenologisch-existentialistisch orientierten Philosophie.

Der schon erwähnte und noch mehrfach zu erwähnende *Amery* tritt ja nicht für eine Verteidigung des Selbstmords ein, sondern für ein Recht auf Freitod, den einer in einer bestimmten Lebenssituation sich geben will, um endgültig sich selbst zu gehören, entlastet von allem, was ihn einengt, überzugehen von der Absurdität des Lebens in die des Sterbens, keine Auswege mehr suchend in einem Leben, das keine Menschlichkeit, Würde und Freiheit mehr verspricht. *Amery* redet von diesem „Einzelnen“ [104], nicht von dem, was „man“ und wie man es tut [79]. Sicher ist hier die Überlegung erlaubt, daß nicht jede Selbstmordhandlung die Tat eines Einzelnen im Sinne der Existenzphilosophie ist, sondern auch viel nach Art und Weise geschieht, wie „man“ das eben so tut. Aber der Selbstmord des Einzelnen, sein ganz privater Weg ins Freie, paßt nicht in den Denkstil der Soziologie, womit sie in Widerspruch zur Philosophie gerät.

Bei dieser Auseinandersetzung wird zu gegebener Zeit wieder auf die Freiheit zum Tode zurückzukommen sein. Noch ist es auch nicht an der Zeit, Soziologie wie Medizin zu verurteilen als Exponenten einer menschenunwürdigen Gesellschaft, als Statthalter, die durch ihre Überlegungen und Analysen die Selbstmordhandlung in den Bereich der Rarität abdrängen und durch Selbstmordverhütung Gewissen und Statistik bereinigen wollen zugunsten gesunden Fortschritts. Hilfsbedürftigkeit (s. o.) bleibt jenseits jeder Gesellschaftsordnung.

Wir ziehen uns noch einmal zurück auf die Selbstmordhandlung als ein zunächst unverständliches und beunruhigendes Phänomen. Von der Soziologie war zu lernen, daß bestimmte gesellschaftliche Verhältnisse Selbstmordhandlungen begünstigen oder nicht. Der entscheidende Punkt ist das Verhältnis des einzelnen zu seiner Gruppe. Je nach der Stärke der Verbindung der einzelnen Mitglieder, nach der Möglichkeit, daß die einzelnen sich in der Gruppe frei bewegen, ohne sich verloren zu fühlen, richtet sich das Risiko des Selbstmords. Besonders deutlich ist das zu sehen an den Gruppen der Alten, die oft isoliert sind und hohe Selbstmordraten haben. Dasselbe ist zu beobachten an den Gruppen der Geschiedenen, die keine neuen Beziehungen mit der Ausgewogenheit von Freiheit und Geborgenheit mehr finden. Von diesem besonderen Verhältnis des einzelnen zu seiner Gruppe hängt übrigens auch die Art der Aggressionshandhabung ab [158, 176], die auf Selbstmordhandlungen einen so besonderen Einfluß hat, wie später noch zu zeigen sein wird. Die Fähigkeit von Gruppen, ihre Mitglieder wirklich bei sich aufzunehmen und zu behalten, entscheidet oft über Leben und Tod. Auf Einzelheiten dieser Integrationsfähigkeit von Gruppen und ihre Bedeutung wird ebenfalls später noch zurückzukommen sein. Selbstverständlich leiten sich davon Überlegungen zur Selbstmordverhütung ab, wie nämlich die bestmögliche aller Gesellschaften auszusehen hätte, wie sie herbeizuführen oder zu verändern sei.

Aber drängender sind jetzt die Fragen, die ja in der Soziologie schon mehrfach weitergegeben wurden: Wer ist der, der Hand an sich legt? Ist er in der statistischen Gruppe der anderen nur ein Zeiger an der Uhr wechselnder Zeiten? Oder hat er auch seine Eigengesetzlichkeit?

Zwar hat die ganz moderne soziologische Suizidforschung, repräsentiert durch *Welz* [242], einen entscheidenden Schritt von der gesellschaftlichen Pathologie zum Einzelfall getan. Mehr aber beschäftigt sich damit die medizinische Psychologie, die eine Reihe von Theorien entwickelt hat, aus denen ganz unmittelbare Konsequenzen für die Selbstmordverhütung gezogen wurden. Prüfen wir diese auf ihre Überzeugungskraft und Rechtmäßigkeit.

4. Selbstmordverhütung – ihre Entwicklung in der medizinischen Psychologie

Eine Entwicklung der Selbstmordverhütung in der Soziologie gibt es eigentlich nicht. Das vorige Kapitel hat mehr von der Auseinandersetzung mit dem Problem gehandelt als von Selbstmordverhütung direkt mit dem Ergebnis, daß Überlegungen und Beobachtungen der Soziologie zu Konsequenzen bei der Verhinderung von Selbstmord anhalten. Gesellschaftliche Verhältnisse so zu gestalten und an ihrer Verbesserung so mitzuwirken, daß immer weniger Menschen zu diesem Weg ins Freie oder zu diesem Ausweg sich genötigt sehen, ergibt sich als Forderung. Eine Strategie der Durchführung bietet die Soziologie nicht mehr an. Selbstmorde sind für sie „Raten einer gesellschaftlichen Pathologie", nicht veränderbar.

Anders ist das mit der medizinischen Psychologie. Noch mehr als die Medizin im engeren Sinne zieht sie aus ihren Untersuchungen praktische Konsequenzen. Sehr genau betrachtet, hat erst die medizinische Psychologie mit Selbstmordverhütung angefangen, insofern erst mit dem Einzug der Psychologie in die Medizin Selbstmordverhütung möglich wurde. Bei aller Entschiedenheit der Medizin, Selbstmord als Krankheit einzustufen, war doch immer das psychologische Problem der Selbstmordhandlung so augenfällig, daß ohne Psychologie nie auszukommen war bei der Frage nach der Möglichkeit der Selbstmordverhütung. Dies war auch den der Krankheit verpflichteten Medizinern immer kar, selbst wenn sie Selbstmord nur als Symptom nahmen.

Nun ist medizinische Psychologie, um das zunächst einmal zu klären, nicht die Summe einer Addition von zwei verschiedenen Fächern. Die Verbindung von zwei Wörtern zu einer Bezeichnung geht auf das Jahr 1842 zurück, als *Lotze* [125] in Göttingen den „Kampf um die Seele", wie *Windelband* dieses Stück Geistesgeschichte nannte [245], in die Richtung führte, Psychologie von Philosophie zu trennen. Im Klartext gesprochen heißt das, es handle sich um den Versuch, Psychologie zu einer empirischen Wissenschaft zu machen, als die Medizin damals schon galt.

1922, ein halbes Jahrhundert später, erschien aus der Feder des schon erwähnten Psychiaters *E. Kretschmer* eine „Medizinische Psychologie" [114], nochmals Jahrzehnte später 1965, kam eine solche aus Frankreich, nämlich die des Psychiaters *Pichot* [34]. Heute gibt es eine Flut derartiger Bücher [42], nachdem 1972 „medizinische Psychologie" ein Prüfungsfach der Medizinstudenten geworden ist.

Aber auch ohne derartige Legitimation hatte die Medizin besonders in ihren psychiatrischen Vertretern immer ein Herz für die Psychologie. So widmete *Kraepelin* ausführliche Studien der Psychologie der Leistung und untersuchte auf sehr moderne Weise schon damals mit Tests [70, 112]. Die Arbeitsgruppe seines psychologischen Labors arbeitete nach den Prinzipien von *Wundt,* dem damals bedeutendsten Elementarpsychologen [248]. *E. Bleuler* war in seiner Arbeit mit Patienten lange fasziniert von der Psychologie *Freuds* [21]. Eine Psychologie der Weltanschauungen schrieb der Arzt *K. Jaspers* 1929 [99]. Die Psychologie der Schizophrenie beschäftigte den ebenfalls schon erwähnten *Gruhle* in gleichnamigen Arbeiten 1922-1929 [18, 69].

Die Reihe ließe sich fortsetzen mit vielen, zum Teil weithin unbekannten kleineren Arbeiten bis zum großen Durchbruch der Psychologie innerhalb der Medizin 1948, als der erste nach dem Krieg wieder stattfindende Internistenkongreß die psychosomatische Medizin zu seinem Thema machte und die Bemühungen von *v. Weizsäcker* und *Mitscherlich* und ihrer Schüler um Psychologie in der Medizin eine vorläufige Krönung fanden [240]. Gegenläufig hat die Psychologie insbesondere in der sogenannten klinischen Psychologie sich für die Medizin geöffnet und ihr einen Platz bei sich eingeräumt [172].

Ohne diese Psychologisierung der Medizin wäre Selbstmordverhütung heute nicht denkbar, und sie ist vielleicht deshalb erst so beachtlich geworden, weil vorher dieser Prozeß noch nicht genügend vorangetrieben war. Die Einführung der medizinischen Psychologie als Prüfungsfach für angehende Ärzte kann deren psychologische Einstellung und Fertigkeit vielleicht erhöhen, das war jedenfalls der Sinn der Reform. Sie kann über das Verständnis der Ärzte für die sozialen Probleme ihrer Patienten hinaus auch noch zum unbefangenen Umgang mit dem Selbstmord verhelfen. Das hängt davon ab, ob es gelingt, in der Lehre eine Psychologie anzubieten, die im Umgang mit dem Kranken wirklich vorkommt, noch besser eine Psychologie, wie sie in bestimmten medizinischen Situationen gefordert wird [169].

Wenn als medizinische Psychologie nicht nur verstanden wird „Psychologie für Mediziner", sondern eher Psychologie von Medizinern, wie sie in dem Alltag von Ärzten beobachtet wird und vorkommt, dann gehören unter diese Überschrift auch eine Reihe von Theorien über die Selbstmordhandlung. Es handelt sich um Theorien, die von Medizinern als psychologische auf dem Hintergrund ihrer Erfahrungen mit dem Ziel einer Anwendbarkeit zur Hilfe ausgedacht wurden.

Freudsche Theorien

Die Psychoanalyse ist eine medizinische Psychologie, ohne daß dieser Satz umgekehrt dieselbe Geltung hätte. Der Begründer der Psychoanalyse, wie Sigmund *Freud* (1856-1939) sich selbst nannte, war Arzt und entwickelte seine Theorie auf der Grundlage seiner Beobachtungen an seinen Patienten. Da er vor allem die psychologische Dimension seiner Kranken im Auge hatte, insbesondere auch die der Beziehung zwischen sich selbst und seinem Patienten, ist die Bezeichnung seiner Theorien als medizinische Psychologie zutreffend.

Im Hinblick auf den Selbstmord äußerte Sigmund *Freud* sich explizit 1910, 1917 und 1920 [57, 59, 60]. Seine Diskussionsbemerkung im Wiener Psychoanalytischen Verein 1910 ist schon erwähnt worden, daß er nämlich mehr Verständnis dieses merkwürdigen Phänomens erwartet von der Aufklärung der Affektvorgänge bei der Depression [57]. Diese versucht er im Anschluß an Arbeiten seines Lieblingsschülers *Abraham* aus dem Jahre 1912 [1] in einem klassischen Denkmal der wissenschaftlichen Literatur, in „Trauer und Melancholie" [59].

Im Jahre 1917 beschreibt *Freud* auf knappen 18 Seiten die Depression so, daß dem streng genommen nichts mehr hinzuzufügen ist. Hier soll aber nicht die psychoanalytische Theorie der Depression vorgetragen werden, wie das an anderer Stelle geschehen ist [162], sondern diese Arbeit lediglich im Hinblick auf diese Aussage zum Selbstmord ins Auge gefaßt werden. Dieser wird dort als Wendung der Aggression gegen die eigene Person erklärt und so dargestellt, daß Selbstmord auch immer ein Mord an anderen ist, und zwar an den verinnerlichten, verlorengegangenen Menschen der ersten Liebe. Mit dem ist an die frühe Bezugsperson im ersten Lebensjahr gedacht, deren Fragwürdigkeiten in vielen Perioden des späteren Lebens wieder auftauchen können. Zum zentralen Geschehen der Selbstmordhandlung wird hier ein Liebesverlust, der mit Aggression beantwortet wird, dem dann Trauer, Schuldgefühl und Strafbedürfnis folgen, die zum Selbstmord zwingen.

Freud reichte im Laufe der Jahre diese Ableitung nicht aus, und auch das war schon erwähnt worden, daß er 1920 einen „Todestrieb" annahm, um die Überwindung des Selbsterhaltungstriebs im selbstgegebenen Tod zu erklären [60]. Während der „Todestrieb" sich nicht beobachten läßt, ist die Wendung der Aggression gegen die eigene Person bei fast allen

Selbstmordhandlungen zu sehen und in Gesprächen ein verläßlicher Anknüpfungspunkt, miteinander Vertrauen in die Zukunft zu fassen.

Seit ich als junger Assistenzarzt in einem großen psychiatrischen Krankenhaus erlebt habe, wie eine junge Frau nach dem Bruch ihrer Freundschaft mit einem Mann sich mit einem Brotmesser an beiden Halsschlagadern, an beiden Pulsadern und an der Kehle durchstochen hatte, so daß sie nach ungeheurem Blutverlust nur nach Tagen höchster Lebensgefahr noch knapp davonkam, will die Theorie vom Aggressionskonflikt nach Liebesverlust mir nicht mehr aus dem Sinn. Natürlich stützt dieser Einzelfall die Theorie nicht genügend, aber so viele Menschen, die nicht mehr leben wollen, stehen in diesem psychischen Konflikt.

Für die Selbstmordverhütung ist diese gut belegte Theorie von großer Bedeutung, insofern es in vielen Situationen lebensrettend sein kann, die in Rede stehende Aggression ernst zu nehmen und im Gespräch zu kanalisieren. Historisch gesehen, kommt ihr eine große Bedeutung zu, insofern 1938 *Menninger* sein umfangreiches Buch „Man against himself" [134], deutsch leider übersetzt mit „Selbstzerstörung" anstatt mit „Der Mensch gegen sich selbst", auf dieser Theorie aufbaute.

Etwa zehn Jahre später gewann die Selbstmordverhütungskampagne unter *Ringel* in Wien mächtige Impulse, sie ging von derselben Aggressionstheorie aus. Im „präsuizidalen Syndrom" ist Aggressionshemmung ein zentraler Punkt [179]. *Ringel* steht über seinen Lehrer *Adler* in einer indirekten Tradition zu *Freud* [4].

Die Zeiten ändern sich. Die von der Medizin herkommenden Psychologen haben Schwierigkeiten mit der Aggressionstheorie bekommen. Die Psychodynamik des Selbstmords wird heute gern als narzißtische Krise gesehen und der Aggression in dieser Krise eine nebengeordnete Rolle beigemessen. Es wird darauf hingewiesen, man habe die Aggression überschätzt und zu oberflächlich zur Erklärung der Selbstzerstörung herangezogen [86].

Henseler bemüht sich im deutschen Sprachraum seit einigen Jahren, an seinen Fällen zu zeigen, wie es eigentlich um die Psychologie seiner Patienten bestellt ist, und hat unsere Wahrnehmung dafür sicher in einem gleich zu beschreibenden Sinne erweitert. Vorher ist aber darzustellen, daß die Beobachtungen von *Henseler* eine interessante wissenschaftstheoretische Vorgeschichte haben.

Tiefenpsychologen nach Freud

Die Psychoanalyse macht die Unterscheidung zwischen Übertragungsneurosen und narzißtischen Neurosen. Mit letzteren meint sie Schizophrenie und psychotische Depression. Beide galten lange als ungeeignet für eine psychotherapeutische Behandlung. *Freud* hat 1914 in einer längeren Arbeit darüber gehandelt [58]. Seitdem hat es immer wieder Psychotherapeuten gegeben, die sich mit der „Unheilbarkeit" der Schizophrenie nicht zufriedengeben wollten und Fallberichte entsprechender Behandlungen veröffentlichten [139, 140]. In Deutschland arbeitet seit 1950 maßgeblich *P. Matussek* auf diesem Gebiet, auf dem er zu sehr viel weiterreichenden Einsichten und positiveren Therapieerfolgen gekommen ist als die frühe Psychoanalyse [133].

1970 ist die Narzißmusdiskussion neu entbrannt, seit der in Amerika lebende Wiener Analytiker *Kohut* [109], in privater Praxis tätig, nicht mehr müde wurde, darüber zu schreiben. Seine Beobachtung war, daß ein Mensch nicht schizophren oder manisch-depressiv sein muß, um als narzißtische Persönlichkeit beschrieben werden zu können. Er stellte fest, daß vor allem unter den Studenten seines Landes narzißtische Konflikte weit verbreitet sind, ohne den Bereich der Krankheit zu erreichen. Unter den veränderten historischen und gesellschaftlichen Bedingungen der letzten Jahrzehnte habe vor allem in der jüngeren Generation eine besondere Form der Beziehung zu sich selbst und der Umwelt zugenommen. *Kohut* war fasziniert von seinen eigenen Beobachtungen und seinen daraus sich ergebenden Ableitungen. Er faszinierte damit auch seine Kollegen mit aller ihm zur Verfügung stehenden Rhetorik und Darstellungskunst.

In Amerika selbst ist man inzwischen dieser Bewegung gegenüber kritisch eingestellt. Es wird gefragt, inwieweit ihr ein modischer Charakter anhaftet, wieweit die Beobachtungen und Darstellungen Folge sehr einseitiger Wahrnehmung sind und für welchen Bereich die Beobachtungen gelten, ob z. B. die Privatpatienten eines renommierten Analytikers anders strukturiert sind als gewöhnliche Sterbliche [101, 102].

Henseler [86] hat die moderne Narzißmustheorie, der wir viel Verständnis für die junge Generation verdanken, auf die Suizidhandlung anzuwenden versucht und an seinen Fällen gezeigt, daß sie für diese zutrifft. Er ist damit einem modernen Zug der Psychoanalyse gefolgt und hat neue Möglichkeiten der Therapie entdeckt. Noch nicht ausgestanden ist die Klärung des Verhältnisses dieser Theorie zur klassischen Aggressionstheorie, und noch nicht ausgetestet ist der Geltungsbereich, für welche Anzahl und Art von Hilfesuchenden der Ansatz stimmt.

Selbstmord als narzißtische Krise will sagen, daß durch eine wie auch immer geartete Kränkung das sogenannte narzißtische Gleichgewicht einer Persönlichkeit gestört wird und diese zur Selbstmordhandlung verführt wird. Narzißtisches Gleichgewicht wird ein Zustand genannt, etwa von Ausgeglichenheit, Wohlbehagen, Zufriedenheit mit sich selbst und Selbstsicherheit. Diese dauernde Zufriedenheit mit sich selbst ist eine andere als die augenblickliche nach Triebentspannung – nach Stillung von Hunger und Liebe also. Eine Kränkung, ein böses Wort, ein Vorwurf, ein Mißerfolg, eine Lieblosigkeit, eine Krankheit oder was auch immer bringt selbstunsichere Menschen schnell aus der Fassung, indem sie in einen panikartigen Zustand der Ohnmacht und Verlassenheit geraten, wo sie keinen anderen Ausweg mehr sehen als den in die Ruhe und Sicherheit des Todes. Es handelt sich um Situationen, in denen die Harmonie der ersten Stunden oder Monate des Lebens wieder herbeigesehnt wird, wo Mutter und Säugling eine heile Welt waren, ohne Widerstand und Angst auf beiden Seiten, wo das Gefühl herrschte, alles zu können und alles zu bekommen. Im Laufe des Lebens lernt der Mensch, auf dieses Paradies zu verzichten, lernt Widerstände ertragen, lernt, die Menschen seiner Umgebung als andere gelten zu lassen, insgesamt sich den Unannehmlichkeiten des Alltags anzupassen. Durch bestimmte Lebensumstände kann diese Fähigkeit unausgebildet bleiben oder zumindest zu bestimmten Zeiten aktuell verlorengehen und die Notwendigkeit dieser Harmonie zu einer Lebensfrage werden. Die Selbstmordhandlung ist in dem Sinne eine narzißtische Krise, insofern als auf diese Weise der Ausweg in das tote Gleichgewicht gesucht und in gewisser Weise ja auch gefunden wird.

Die hier nur ganz grundsätzlich wiedergegebene Theorie der Selbstmordhandlung ist einleuchtend, vernünftig und läßt sich vielfach bestätigen. Nicht sinnvoll ist es, eine irgendwie geartete Polemik gegen die Aggressionstheorie damit in Gang zu setzen, denn ohne Aggression ist kein Selbstmord möglich, und sie gehört zum Ausweg aus dem narzißtischen Konflikt unbedingt dazu. Auch das läßt sich beobachten [239, 243].

Aber auch aus theoretischen Gründen ist die Polemik nicht sinnvoll, weil *Freud* in „Trauer und Melancholie" 1917 seine 1914 angestellten Gedanken über den Narzißmus bereits zum Verständnis von Depression und Selbstmord mit herangezogen hat. Dort wird die Rolle der „narzißtischen Objektbeziehung", der „narzißtischen Regression" im Zusammenhang mit Depression und Selbstmord ausführlich diskutiert und die der Kränkung herausgearbeitet.

Die Faszination der Narzißmustheorie heute rührt daher, daß wir uns selbst darin wiederfinden, weil die Sache mit dem Selbstgefühl, der Selbstsicherheit und Selbstliebe uns heute in einer nahezu maniristischen Endphase einer Persönlichkeitskultur besonders unter die Haut geht.

Nüchterner betrachtet gewichtet die Narzißmustheorie mehr die Erkenntnisse aus der Ich-Konflikt-Psychologie, die durch *Hartmann* [75] und *Anna Freud* [53] begonnen wurden, während zu Anfang des Jahrhunderts die Triebkonflikte besser erforscht waren. Das von *Sigmund Freud* 1923 entworfene Strukturmodell der Persönlichkeit [61] mußte erst einmal griffig werden, ehe damit weitergeforscht werden konnte.

Vielleicht wäre die Arbeit der Narzißmusforscher heute fruchtbarer und weniger modeanfällig, wenn sie wissenschaftsgeschichtlich ihren Standort besser bestimmen könnten und ihre Modelle als Wahrnehmungsschule für neue Beobachtungen hernähmen, nicht um die alten damit zu verdecken. Die Selbstmordhandlung bleibt am Selbsterhaltungstrieb, an der Trauer, an der Enttäuschung, an dem Verlust der Liebe, an der Wut, an der Ausweglosigkeit hängen – damit auch am gestörten narzißtischen Gleichgewicht und der Kränkung. Die realen gesellschaftlichen und politischen Verhältnisse dürfen dabei allerdings nicht unterschätzt werden. Verständlicher und lösbarer wird das dem Menschen eigene Selbstmordproblem nur durch eine Betrachtung von vielen Seiten, ohne auf eine ausschließliche Wahrheit zu hoffen.

Gelernte Hilflosigkeit?

In dieser Hinsicht wird in den nächsten Jahren der experimentellen und lerntheoretisch oder – allgemeiner ausgedrückt – verhaltenswissenschaftlich orientierten Psychologie wache Aufmerksamkeit zu schenken sein. Seit 1965 hat sie sich der Erforschung der Depression und damit auch der Selbstmordhandlung angenommen. Es wird versucht, Modelle der Entstehung depressiven Verhaltens zu entwickeln, wobei durch *Ferster* [48] vor allem die aktuellen Anlaßsituationen *(Life Events)* ins Auge gefaßt werden, durch *Seligmann* [206] der mehr oder weniger dauernde Zustand der Hilflosigkeit, während *Lewinsohn* [120] vor allem therapeutische Interessen verfolgt.

Ein gerade von *Hoffmann* [93] herausgegebenes Buch über depressives Verhalten informiert ganz ausgezeichnet über diese neue Forschungsrichtung. Der Autor gehört zu einer klinisch arbeitenden Gruppe am Institut für Psychologie der freien Universität Berlin, die in sieben Einzelarbeiten mit eigener kritischen Stellungnahme die hauptsächlichsten Schwerpunkte darstellt. Depression und auch Selbstmordtendenzen werden konsequent, dem Ansatz von *Skinner* folgend, als gelerntes Verhalten aufgefaßt. Es wird davon ausgegangen, daß jedes psychotische und neurotische Verhalten denselben Lernprozessen seine Entstehung verdankt wie anderes

Verhalten auch. Von daher entsteht ein Interesse an den biographischen Ereignissen im Vorfeld der Depression und während der aktuellen Krise.

In der Tradition der *„Life Event“* Forschung zeigen eine Reihe von Untersuchungen die Bedeutung von Verlust, Umzug, Streß im allgemeinsten Sinne als Anlaßsituationen. Dazu werden Untersuchungen aus den 70er Jahren referiert. Es folgt eine positive Auseinandersetzung mit entsprechenden Ansätzen in der Psychiatrie, vor allem mit dem Ansatz von *Paul Matussek* [130] über Anlaßsituationen bei der Depression.

Das zweite Kapitel referiert, wie schon erwähnt, das Modell von *Ferster* aus dem Jahre 1965, in dem er depressives Verhalten analysiert als Meide- und Fluchtverhalten vor abstoßenden Situationen und eine Verminderung aktiver Strategien feststellt, diese Situationen zu ändern. Diese Verhaltensweisen werden im Zusammenhang mit biographischen Ereignissen als depressiv bezeichnet. *Lewinsohn* hat die Analyse um die Beobachtung im sozialen Feld erweitert.

Der dritte Abschnitt befaßt sich mit der einer Depression zugrunde liegenden Einstellung. *Seligmann* [206] hat Depression 1975 „Gelernte Hilflosigkeit“ genannt. Er untermauerte seine Theorie mit Tierexperimenten, in denen das Zustandekommen von Hilflosigkeit gezeigt wird.

Beck [14], der durch seinen Depressionsfragebogen seit 1961 sehr bekannt geworden ist, ergründet bei Depressiven eine „negative Einstellung“, mit der sie sich selbst, die Umwelt und die Zukunft selektiv wahrnehmen und depressive Situationen konstellieren. Die Entstehung dieser Einstellung beruht auf biographischen Ereignissen, insbesondere Verlusterlebnissen. Die Nähe zur psychoanalytischen Theorie der Depression wird hier deutlich sichtbar und auch nicht bestritten.

In einem *vierten Abschnitt* wird dargestellt, daß depressives Verhalten nicht nur Reaktion ist, sondern auch Reiz sowohl für den Betroffenen selbst wie für die Umwelt. Das wird in Interaktionen untersucht, und dazu werden Arbeiten referiert, die Appellationsverhalten, Hostilitätsverhalten und Deprivationsverhalten in ihrer Wirkung studieren. Diese Verhaltensweisen interessieren vor allem als spezifische Strategien zur Problemlösung in Konfrontation mit Frustrationen. Besonders hervorgehoben wird, daß Depressive gelegentlich nicht nur gehemmt aggressiv sind, sondern auch offen aggressiv sein können, daß mit der Abnahme der offenen Aggression manchmal sogar eine Besserung der Depression einhergehen kann.

Dieser Abschnitt ist deshalb von so großer Bedeutung, weil es den Depressiven in seinen Partnerbeziehungen und sozialen Fertigkeiten verständlicher macht. Es taucht nämlich die Möglichkeit auf, daß mit depressivem Verhalten eine ganz bestimmte Konfliktstrategie verfolgt wird. Für den Fall, daß Depression und auch Selbstmordtendenz gelerntes Verhalten sein könnten, würden sich natürlich auch entsprechende verhaltenstherapeutische Konsequenzen ergeben.

Die Untersucher sowohl in den USA als auch hier in Deutschland versuchen, verständlicherweise entsprechende Programme zu entwickeln, da sie Depression nicht als Symptom einer Krankheit auffassen, sondern, um es nochmals zu wiederholen, als gelerntes Verhalten, das zu korrigieren ist [93].

Ausblick

Es ist sicherlich zu früh, diese sehr junge Forschungsrichtung und deren Ergebnisse in unsere bisherigen Vorstellungen von Depression und Selbstmord einzubauen oder entsprechend zu korrigieren. Andererseits ist es sehr erfreulich, daß sich nicht nur Psychiater und Psychoanalytiker der Depression und des Selbstmords annehmen, sondern nun auch die Lernpsychologen. Eine Bereicherung des Verständnisses wird sich dabei sicher ergeben.

Dieser Stand der Dinge mag aber auch rechtfertigen, daß nicht die Originalarbeiten im einzelnen referiert worden sind, sondern mehr oder weniger ein Übersichtsreferat zur Grundlage der Darstellung gemacht wurde [93, 164]. In dem hier vorliegenden Kapitel über Selbstmordverhütung aus medizinisch-psychologischer Sicht im engeren Sinne ist es für den gegenwärtigen Zeitpunkt weiterhin verständlich und gerechtfertigt, daß vor allem die zwei psychoanalytischen Theorien näher behandelt worden sind, die teilweise ja auch bei den lerntheoretischen Vorstellungen Pate gestanden haben.

Streng genommen und kritisch gesehen müßte man weit gehen, andere, so weit ausgebaute Theorien in diesem Bereich ausfindig zu machen. Das zeigt erneut, daß die Selbstmordforschung Neuland ist. Dies soll jedoch nicht als Hinweis gelten, diese Theorien wären so schlüssig, daß keine anderen mehr denkbar wären (s. o.). Ebensowenig soll das zu der Annahme verleiten, diese Theorien seien von Jahrzehnt zu Jahrzehnt unbesehen vom einen zum anderen übernommen worden. Die detaillierteren Ausformungen und Abweichungen sollen hier bewußt ausgeklammert bleiben. Deutlich werden mußte in diesem Abschnitt, daß die gewichtigen Beiträge zum Verständnis der Selbstmordhandlung aus der von Medizinern erdachten Psychologie kommen. Deutlich werden mußte auch, daß diese Theorien heute hoffentlich noch nicht der Weisheit letzter Schluß sind, denn unbegreiflich bleibt die Suizidtat immer noch. Außerdem sind verbesserte Theorien vonnöten, um wirksam helfen und Selbstmord verhindern zu können, wo es gewünscht wird.

Die Aggressionstheorie und die Narzißmustheorie der Selbstmordhandlung sind nämlich heute die verbreitetsten Grundlagen der praktischen Arbeit. Insofern hat sich innerhalb der medizinischen Psychologie Selbstmordverhütung stärker profilieren und entwickeln können als in Medizin und Soziologie. Das gilt auch, wenn man die verhaltenstherapeutischen Ansätze zur Bekämpfung der Depression berücksichtigt, über deren Auswirkungen auf die Selbstmordverhütung man noch nicht viel sagen kann und für die Effektivitätskontrollen wegen der kurzen Zeit der Anwendung noch weitgehend fehlen [93]. In der medizinisch-psychologisch orientierten Selbstmordverhütung wird versucht, die Aggression zu kanalisieren, das Selbstwertgefühl des betroffenen Menschen zu stärken und den zwischenmenschlich-sozialen Bereich zu ordnen. Auf dieser Grundlage läßt sich gut arbeiten. Wenn wir aber mehr wüßten, ließe sich besser arbeiten. Dieses Ziel zu erreichen, kann einmal durch noch intensivere Zusammenarbeit von Medizin, Soziologie und Psychologie und durch eine Zusammenschau der perspektivisch gewonnenen Einsichten gefördert werden. Zum anderen ist es unerläßlich, immer wieder die einzelnen Menschen, die nicht mehr leben wollen, anzuschauen und sich nahe kommen zu lassen. Darum ist es sinnvoll und geradezu notwendig, im nächsten Hauptstück sich diesen Menschen zuzuwenden.

II. Die Betroffenen

1. Bei wem entstehen Selbstmordgedanken?

Es mag verwundern, in einem Buch über Selbstmordverhütung nicht direkter zu fragen, wer macht Selbstmord, sondern vielmehr das Vorfeld betrachten zu wollen mit der Frage, bei wem entstehen Selbstmordgedanken. So zu fragen erscheint jedoch insofern sinnvoll, als beim Auftauchen von Selbstmordgedanken bereits Selbstmordgefahr besteht und die Verhütungsbemühungen bereits hier einsetzen müssen. Die häufig geäußerte *Ansicht, wer* an Selbstmord denke und *von Selbstmord spreche, sei nicht gefährdet, kann nicht oft genug als falsch zurückgewiesen werden.* Immer wieder beweisen Untersuchungen, daß der Selbstmord sich durch Gedanken und Worte ankündigt. Oft hat *Ringel* [183] darauf hingewiesen, daß etwa 80% aller Selbstmordhandlungen vorher in irgendeiner Weise bekanntgemacht werden. Sich auf die heikle Ebene der Abschätzung der Suizidalität zu begeben mit dem Rätselraten darüber, wie ernst Selbstmordgedanken zu nehmen sind, ist ebenso gefährlich wie direkte Ankündigungen nicht ernst zu nehmen.

Die wissenschaftliche Forschung bemüht sich zur Zeit sehr darum, ein Maß für die Größe der Selbstmordgefahr zu ermitteln, auch ohne sich auf direkte Äußerungen verlassen zu müssen. Jedoch ist die Entwicklung entsprechender Meßinstrumente außerordentlich schwierig und wird von den Autoren selbst noch als ungenügend betrachtet [151, 211]. Für den Alltag ist es sinnvoll, vom Augenblick des ersten Gedankens an Selbstmord sich auf die Möglichkeit der Verwirklichung einzustellen. Daraus leitet sich die Notwendigkeit ab, sich mit den Menschen vertraut zu machen, die Selbstmordgedanken bekommen. Das wird die Arbeit in der Selbstmordverhütung wesentlich erleichtern. Darüber hinaus werden die Betroffenen selbst daraus Gewinn ziehen, sich ihrerseits mit dieser Seite ihrer Persönlichkeit auseinanderzusetzen.

Selbstmordgedanken gelten als Symptom der Depression [14]. Wir haben im Abschnitt I über Grundlagen der Selbstmordverhütung immer wieder die Auffassung eingeschränkt, die Selbstmordhandlung sei „nur" Symptom einer Krankheit und die Ansicht vertreten, daß jeder Mensch das Recht habe, nicht mehr leben zu wollen, ohne deshalb als krank abgestempelt werden zu müssen. Andererseits ist es vernünftig, von einem Symptom der Depression zu sprechen oder allgemeiner von einem Ausdruck der Depression und konsequent zu unserer früheren Auffassung die Frage nach dem Stellenwert von Depression in der Krankheitslehre zunächst einmal unberücksichtigt zu lassen.

Die medizinisch orientierte Psychologie hat schon früh darüber diskutiert, daß Depression ein Affektzustand ist, der nicht ohne weiteres mit bestimmten Krankheitsbildern gleichzusetzen sei [1]. Diesen Gesichtspunkt greift heute die experimentell und lerntheoretisch orientierte klinische Psychologie entschieden wieder auf, indem sie „depressives Verhalten“ untersucht und nicht über eine dahinterliegende, unsichtbare Krankheit spekuliert [93].

Wir bringen also vernünftigerweise den Selbstmordgedanken mit „Depression“ in Zusammenhang, der übrigens auch mit statistischen Rechenverfahren sichtbar gemacht werden konnte. *Beck* und *Lester* [15] untersuchten 254 Suizidale; aus den gesammelten Daten ergab sich, daß den Faktoren Pessimismus, Verlustgefühl und Hoffnungslosigkeit die kennzeichnendste Bedeutung zukam. Eine andere Untersuchung von *Beck*, der seit 15 Jahren intensive Depressionsforschung betreibt und unter anderem durch die Entwicklung eines Fragebogens zur Messung von Depression hervorgetreten ist [14], ergab einen engen Zusammenhang zwischen Depression und Selbstmordabsicht weit über die Zufallswahrscheinlichkeit hinaus, allerdings einen noch engeren zwischen Selbstmordabsicht und Hoffnungslosigkeit [135], ein Ergebnis, das niemanden verwundern wird. Mit derart nachgewiesenen Zusammenhängen ist keine Aussage darüber möglich, daß „Depression“ etwas Krankhaftes sei, und schon gar nicht darüber, wie es mit den Ursachen dazu steht. Sobald wir fragen, bei wem Selbstmordgedanken auftreten, ist es am vernünftigsten, ebenso einfach zu fragen, wer ist depressiv, und festzustellen, daß Selbstmordgedanken damit verbunden sind.

Ärzte zum Beispiel sollen sehr häufig depressiv sein, weil die ständige Forderung nach Entsagung und Nächstenliebe im Dienste der Patienten nicht zu erfüllen ist und unzufrieden macht. In den USA verüben jährlich etwa 300 Ärzte Selbstmord, in der Altersgruppe der 24- bis 40jährigen ist das viermal soviel wie in der entsprechenden Altersgruppe der Gesamtbevölkerung. 17 000 amerikanische Ärzte, etwa 6%, sind alkohol- oder drogensüchtig, ein Verhalten, das ebenfalls gern mit Depression und Selbstmord in Verbindung gebracht wird [241]. Das Beispiel dieser Berufsgruppe ist deshalb sehr eindrucksvoll, weil zwei Dinge deutlich werden, die einen Menschen auf Selbstmordgedanken bringen können: Überforderung und Unzufriedenheit. Bei den Ärzten wird vermutet, daß der ständige Dienst am Nächsten zuviel sei, wobei zu fragen wäre, was für andere Menschen zuviel wird und wie es bei ihnen zu Unzufriedenheit und schließlich Panik kommt, jenseits der Frage nach Krankheit.

Tellenbach [221] hat in sehr eingehenden Fallstudien einen sogenannten „Typus melancholicus“ herausgearbeitet. Dabei ergaben sich als hervorstechende Eigenschaften Ordentlichkeit, Gewissenhaftigkeit, Anhänglichkeit, hoher Leistungsanspruch, strenge Pflichterfüllung, Pünktlichkeit, Zuverlässigkeit und Korrektheit. *D. von Zerssen* [249] fand in Untersuchungen mit Eigenschaftslisten arbeitstreu, sehr fleißig, tätig, pflichteifrig, peinlich genau, übersparsam, ordentlich, solid und fromm als besondere Merkmale depressiver Menschen. Diese Beschreibung gilt übrigens nach den genannten Autoren nicht für Menschen mit der sogenannten manisch-depressiven Erkrankung, was ein Grund mehr wäre, diese als ganz besondere Erkrankungsform herauszustellen oder gar als einzige, bei der „Depression" als Krankheit aufgefaßt werden könnte [170].

Nun ist interessant zu beobachten, daß sogenannte depressive Persönlichkeiten mit den hier vorgeführten Eigenschaften solange nicht zum Selbstmord greifen, wie sie in fester Ordnung und gewohnter Umgebung ihre Eigenarten anbringen können und nicht gestört werden. Sie sind depressive Persönlichkeiten, aber nicht dauernd in depressiver Stimmung oder verhalten sich nicht dauernd depressiv. Es bedarf besonderer Umstände, in denen das durch vielfältige Strategien erhaltene Gleichgewicht gestört wird und Selbstmordgedanken auftauchen. Wenn der Zwang zur Ordnung und zur Genauigkeit wegfällt, bricht die depressive Stimmung durch und kommt der Gedanke an den Tod. Erinnert sei hier nochmals an den Architekten (s. S. 6, 27), dem nach Umzug und bei Arbeitslosigkeit äußerlich und innerlich viel zusammengestürzt war und den die Gedanken an den Tod nicht mehr losließen. Diesen Wechsel von Zwang und Depression kann man oft beobachten und in Berichten lesen [129, 205].

Abraham [2], einer der Mitbegründer der Psychoanalyse am Anfang dieses Jahrhunderts, hat dafür auch eine Erklärung angeboten. Er fragte sich, warum manche Menschen zum Zwang kommen, andere aber zur Depression. Die frühe Psychoanalyse lenkte ihre Aufmerksamkeit ja vor allem auf die biographische Entwicklung des Menschen, insbesondere auf dessen frühe Kindheit. Nach oft wiederholter Beobachtung ist die allmähliche Trennung des Kleinkinds von seiner Mutter ein äußerst gefährlicher Vorgang. In harmonischer Verschmelzung beginnen Mutter und Kind gemeinsam ein glückliches Leben, das bald vom Schatten der Trennung getrübt wird. Das Kind erlebt allmählich eine Einschränkung der Allmacht, daß die Mutter nämlich nicht dauernd zur Verfügung steht. Die Mutter wiederum erlebt allmählich das Größerwerden des Kindes, nicht mehr nur sein Anschmiegen, sondern auch seine Selbstbehauptung. Die Verhaltensbeobachtung an Säuglingen ergibt einen Übergang vom Saugen zum Beißen beim Stillvorgang, das *Abraham* als Schwanken zwischen

Lieben und Hassen interpretierte, wie er ganz allgemein die Entwicklung zur erwachsenen Persönlichkeit als Überwindung eines Ambivalenzkonflikts auffaßte. Als Kernproblem der frühkindlichen Entwicklung sah er die Lösung des Trennungskonflikts mit der Mutter, die auf dem Wege des Einverleibens oder des Abstoßens erfolgen kann, bis der Verlust verschmerzt ist.

Nach psychoanalytischer Lehre ist diese Entwicklung außerordentlich störanfällig und kann bei äußerlichen Fortschritten innerlich stehenbleiben. Je nach der Störungsquelle im einverleibenden oder im abstoßenden Stadium kommt es nun später zu Depression oder zur Zwangsneurose, wobei der Verlust des Liebesobjekts in der Depression total ist und innerlich, in der Zwangsneurose dagegen, nur teilweise und äußerlich verarbeitet wird. Die Vorgänge sind oft beschrieben und diskutiert worden [205], was nicht im einzelnen wiederholt werden soll.

Für unsere Gegenwart ist einmal wichtig herauszustellen, daß viele psychoanalytische Deutungen heute Bestätigung finden durch die direkte Beobachtung an Kindern, durch allgemeine Verhaltensbeobachtungen, sogar durch physiologische Untersuchungen im Zusammenhang mit der Bedeutung von Träumen, [222], daß erneut Anlaß besteht, von der medizinischen Psychologie noch manchen Aufschluß über den Menschen zu erwarten. Über diesen allgemeinen Gesichtspunkt hinaus ist für unsere spezielle Frage, wer Selbstmordgedanken bekommt, die Feststellung wichtig, daß ein gewichtiger Einfluß darauf von frühkindlichen Erfahrungen ausgeht, bei denen es um Verlusterlebnisse geht. Treten später ähnliche oder daran erinnernde Situationen wieder auf, ist Selbstmordgefahr gegeben, wenn ein Mensch sich anders gegen den Schmerz nicht mehr wehren kann. Inhaltlich besonders wichtig am Zusammenhang zwischen Depression und Selbstmordgedanken ist die Aggression. Ihr gilt der Kampf und das Zeremoniell, und vom Stand der Aggression hängt die Schwere der Selbstmordgedanken ab. Es war schon erwähnt worden, daß die klassische Psychoanalyse den Selbstmord als Wendung der Aggression gegen die eigene Person aufgefaßt hat und sie als nach innen gerichtet, gehemmt beschrieb (s. S. 41).

Neuere experimentell-lerntheoretische Untersuchungen haben allerdings ergeben, daß depressives Verhalten mit Selbstmordgedanken sich auch in offener Feindseligkeit äußern kann [52, 124, 236, 239, 243]. Diese richtet sich vor allem gegen nähere oder entferntere Bezugspersonen wie Familienangehörige, Freunde, Liebespartner und direkt in der Untersuchungssituation gegen den Arzt oder den Versuchsleiter. Eigentlich ist es nicht verwunderlich, daß Aggression in ihren Äußerungsformen und in ihrer Richtung wechselt. Im Augenblick der Tat des Suizids richtet sie sich gegen die eigene Person. Zu anderer Zeit ist sie gegenläufig und vielleicht ebenso gefährlich für andere. Sehr einleuchtend ist ein weiteres, neueres Untersuchungsergebnis, daß sich mit Abnahme der Feindseligkeit auch Depression und Selbstmordtendenz als Gefahr für sich oder andere verringern [93].

Selten wird beachtet, daß in der Depression nicht nur der Selbstmord als Möglichkeit auftaucht, sondern auch der Mord, wie gerichtspsychiatrische Gutachten zeigen [228]. Der erweiterte Selbstmord, bei dem vorher die ganze Familie getötet wird, oder der Doppelselbstmord, bei dem meistens der Liebespartner zum Opfer wird, zeugen von der Wechselhaftigkeit der Aggressionsrichtung.

Ein 56jähriger Botschafter erschoß in Paris seine 52jährige Frau, seinen 19jährigen Sohn und seine 16jährige Tochter, um sich dann selbst zu erschießen. Als dies mißlang, versuchte er sich in der Seine zu ertränken, verlor aber dann den „Mut" und stellte sich der Polizei. Der Mann war seit einigen Jahren arbeitslos und in wirtschaftlicher Bedrängnis (Süddeutsche Zeitung 31. 1. 1977). Man wird darüber hinaus annehmen müssen, daß der Verlust der Arbeit auch einen Verlust an Ansehen im Familien- und Freundeskreis mit sich brachte und die Verzweiflungstat begünstigte.

Wenige Tage später berichtete die Presse von einem Familiendrama in Bad Godesberg, bei dem ein 48jähriger Autoverleiher seine 4 Kinder im Alter von 9-20 Jahren, seine 50jährige Ehefrau und dann zwei Tage später sich selbst erschoß (Göttinger Tageblatt 7. 2. 1977). 4 aufgefundene Abschiedsbriefe gaben Auskunft über hohe finanzielle Verschuldung und Ausweglosigkeit der weiteren geschäftlichen und, man darf auch hier hinzufügen, persönlichen Entwicklung.

Ein eifersüchtiger Soldat bedrohte mit seiner durchgeladenen Pistole seine Freundin und deren Liebhaber, um vor seinem eigenen Tod „reinen Tisch" zu machen (Süddeutsche Zeitung 2. 2. 77).

Es erscheint nicht sinnvoll, solche Meldungen innerhalb einer Woche als zufällig oder sensationell aufgemacht abzuwerten. Sie zeigen vielmehr deutlich die Berechtigung, Depression, Selbstmord und Aggression zusammen zu betrachten. Wenn auch Einzelteile des Zusammenhangs noch weiterer empirischer Klärung bedürfen, ist es nicht zulässig, ihn zu leugnen, vor allem wenn man dabei Einseitigkeiten der Betrachtung vermeidet.

Die Frage, wer bekommt Selbstmordgedanken, findet eine weitreichende Antwort mit dem Hinweis auf „Depression". Dabei spricht man am besten von depressiven Zuständen [103], um der Diskussion um den uneinheitlichen Krankheitsbegriff zu entgehen (s. o.). Denn auch, wenn Mediziner in ihren Statistiken mit „Depression" Krankheitseinheiten meinen, sind diese mit depressiven Zuständen verbunden. Es ist dieser übergeordnete Begriff günstiger, weil umgekehrt nicht jeder depressive Zustand mit einer Krankheit verbunden sein muß. Interessant ist, daß maßgebliche Suizidforscher einen hohen Anteil von „Depressionen" in ihren Tabellen vermerken, wie wir das aus theoretischen Überlegungen und der Beobachtung am Einzelfall auch erwarten würden. *Linden* [122] zählt 56,4% „reaktive Depressionen" der von ihm untersuchten Personen, *Pöldinger* [151] 47,7% verschieden benannter Depressionen und *Sonneck* [212] 30%. Diese Aussagen haben insofern nur begrenzten Wert, weil jeder Arzt heute unter Depression nicht dasselbe versteht. Aber man wird davon ausgehen können, daß alle einen depressiven Zustand feststellen, wenn sie eine entsprechende Diagnose vergeben. Diese und andere Zahlen machen jedenfalls verständlich, daß „Depression", was immer man auch darunter versteht, ein Risikofaktor für Selbstmordhandlung ist.

Nicht unerwähnt bleiben darf in diesem Zusammenhang, daß die sogenannte „endogene Depression" einen besonderen Risikofaktor für Selbstmord darstellt. Die Untersuchungsergebnisse der letzten Jahre sind zwar nicht völlig übereinstimmend. *Ringel* [183] hat vor Jahren den Anteil mit 28% ausgerechnet, die neueste Untersuchung von *Böcker* [25] zählt 9,3%, während *Pöldinger* [151] früher keine signifikanten Unterschiede zwischen endogenen und anderen Depressionen fand im Hinblick auf Selbstmordgefahr. Jedoch Vorsicht ist besser als Nachsicht. Es war ja schon im Soziologiekapitel auf die Schwierigkeiten des Zählens hingewiesen worden, durch die unterschiedliche Ergebnisse zustande kommen können. Ungeachtet dieser Schwierigkeit stimmen andere Zahlen von *Böcker* doch nachdenklich, daß nämlich die lebensbedrohlichen Zustände nach Selbstmordhandlung bei „endogenen Depressionen" überdurchschnittlich hoch sind und ebenfalls die Wiederholungsgefahr 6 Monate nach dem ersten Suizidversuch [25]. Das ist in Anbetracht der für eine endogene, zyklische Depression kennzeichnenden schweren Schuld- und Versagensgefühle verständlich. In der schweren Depression ist der Gedanke an den Tod eben besonders naheliegend. Die Aufmerksamkeit auf den Zusammenhang zwischen Depression und Selbstmord ist jedenfalls sehr berechtigt und auch die daraus abgeleitete Forderung nach besonders sorgfältiger Vorbeugung.

Folgt man weiter einer Einteilung nach Risikogruppen, die für Selbstmordgedanken anfällig sind, werden nahezu übereinstimmend an zweiter Stelle Menschen mit Alkohol- und Drogensucht genannt [184]. Geht bei Depressiven die Annahme eines Anteils von etwa 50%, also fast der Hälfte der Selbstmordhandlungen nicht fehl, so machen Süchtige ungefähr ein Viertel aus. *Sonneck* [212] nennt 30%, *Feuerlein* [50] 20%, *Böcker* [25] auch fast 20%, ebenso *Pöldinger* [151]. Zwar muß auch hier wieder berücksichtigt werden, daß die ärztliche Begriffssprache nicht einheitlich ist und es auch für Sucht keinen verbindlichen Schlüssel gibt, nach dem diese eindeutig festgestellt wird. Aber eine Orientierung geben die genannten Zahlen doch, vor allem auch, weil Suchterscheinungen etwas leichter als solche zu beobachten und zu beschreiben sind als die sehr verschwommene depressive Verstimmung. Auch andere, vor allem von *Feuerlein* [50] zusammengetragene Zahlen sind informativ: daß angeblich 6-21% der Alkoholiker durch Selbstmord sterben und dieser für den genannten Personenkreis nach der Leberschrumpfung die zweithäufigste Todesursache sei. Die Neigung zum Selbstmord liegt bei dieser Gruppe 12- bis 75mal höher als bei der vergleichbaren Normalbevölkerung [50]. *Schmidtobreik* [199] nennt genauer die vermehrte Häufigkeit mit 22. Er gibt auch an, daß in seiner Untersuchung jeder zweite der 15- bis 65jährigen, der einen Selbstmordversuch macht, suchtkrank ist [199].

Diese äußerlich nahe Verwandtschaft zwischen Sucht und Selbstmord wird noch unterstrichen dadurch, daß beide Verhaltensweisen zu beobachten sind bei Menschen desselben Familienstands, Berufs, Alters, derselben Sozialschicht, derselben Wohnverhältnisse, derselben Zugehörigkeit zur Stadt- oder Landbevölkerung, derselben Lebensentwicklung im Verhältnis zu Eltern und Geschwistern.

In zwei Bereichen gibt es allerdings erhebliche Unterschiede: alte Menschen begehen viele Selbstmordhandlungen und trinken wenig, ebenso Studenten. Letzteres mag verwundern, wo bei Studenten das „Kneipen" doch so beliebt zu sein scheint.

Diese Art des Alkoholkonsums ist jedoch von der süchtigen Abhängigkeit sehr zu unterscheiden. Trotz der Verheerung im Einzelfall sind Hasch und Heroin mit der damit verbundenen Drogenszene von untergeordneter Bedeutung. Darauf haben Experten wie *Feuerlein* auch immer wieder hingewiesen [50, 51].

Feuerlein hat sich darüber hinaus bemüht, die innere Verwandtschaft von Sucht und Suizid darzustellen, der im übrigen Anfang 1976 eine ganze Tagung gewidmet war, deren Ergebnisse in einem Buch veröffentlicht sind [184]. Der Autor weist auf die depressive Persönlichkeitsstruktur der Alkohol- und Drogenabhängigen hin und knüpft damit an alte medizinisch-psychologische, im engeren Sinne psychoanalytische Ableitungen an, in denen das Trinken dem Saugen des Kleinkindes an die Seite gestellt wird. Die nichtgehabte oder verlorene Liebe, das Grundproblem in der Depression, wird gewissermaßen symbolisch im süchtigen Trinken nachgeholt mit der immer wieder eintretenden Enttäuschung einer nur scheinbaren Ersatzbefriedigung. Der Depressive versucht es durch Leistung – Nachholbedarf haben beide. Ebenfalls träumen beide von einer schöneren Welt, die der eine im alkoholischen, der andere extrem im manischen Rausch herbeizaubert, beide in Ermangelung anderer Strategien, die jeweils reale Welt des Alltags zu ertragen. Beide haben auch ihre lebensgeschichtliche Entwicklungsstörung in frühester Kindheit, vornehmlich schon in der Stillperiode als Säugling, warum für beide später Essen und Trinken so besonderes Gewicht bekommen – entweder als Kummerspeck oder Schlankheitsideologie bei den Depressiven oder als „Trinken" bei den Alkoholikern, wobei man spätestens hier nach dem Unterschied fragen muß.

Die Antwort darauf ist nicht zu einfach, wenn sie lautet: jeder Süchtige ist depressiv, doch für jeden Depressiven ist die Sucht „nur" ständige Versuchung. Das macht für beide die Vertrautheit mit Selbstmordgedanken verständlich, die unter Umständen nur andere Konsequenzen haben: dem abhängigen Trinken oder Drogenmißbrauch liegt eine langsame, aber sichere Selbstzerstörung zugrunde, bei der auf eine akute Selbstmordhandlung auch verzichtet werden kann. Oft genug aber, wie gesagt, setzen sich die Gedanken in die Tat um, wenn alles unerträglich scheint und kein Ausweg mehr in Sicht ist. Die beiden Gruppen gemeinsamen Schuldgefühle, das dauernde Erlebnis des Versagens, wirtschaftliche Not, unlösbare Konflikte mit dem Liebespartner treiben manchmal den innerlich Schwachen, der kein Vertrauen zu sich oder anderen hat, alles nur von der Zukunft erwartet und keine Hoffnung mehr in die gegenwärtige Welt setzt, zur Verzweiflung. Es sind unvergeßliche Eindrücke klinisch-psychiatrischer Beobachtung, sich an Trinker zu erinnern, die mit großen Kinderaugen alles vom anderen erwarten, unfähig zu irgendeiner anderen Initiative, als das Glas oder die Flasche zum Mund zu nehmen, um sich mit saugenden Bewegungen wie an der Mutterbrust ihren ganzen Lebensinhalt einzuverleiben. Zerrissen zwischen der Tatsache erwachsenen Lebensalters und kindlichsten Wünschen nach Verwöhnung taucht oft keine andere „Lösung" auf.

Diese etwas breite Problematisierung des Verhältnisses zwischen Sucht und Suizid erschien sinnvoll, um verständlich zu machen, weshalb Menschen mit abhängiger Neigung zu Alkohol oder Medikamenten Selbstmordgedanken bekommen und eine Risikogruppe darstellen. Sie erschien aber auch deshalb sinnvoll, weil Sucht manchmal zur Verharmlosung verleitet, insofern der Rausch ja auch wieder vergeht. Vielfach endet er aber eben auch mit dem Tod.

Alte Menschen leben besonders gefährlich. Sie stellen die dritte Risikogruppe im Hinblick auf Selbstmordhandlungen dar. Dabei überwiegen die tödlich ausgehenden Selbstmordhandlungen. *Sonneck* [200] gibt den Anteil der über 60jährigen mit 40% an. In West-Berlin mit einer überalterten Bevölkerung im Durchschnitt von 60 kommen auf 100 000 Menschen etwa über 43 Selbstmorde, also doppelt soviel wie im übrigen Bundesgebiet mit 20 auf 100 000. *Ringel* [184] hat in einer früheren Untersuchung festgestellt, daß vier Fünftel der von über 70 begangenen Selbstmordversuche tödlich ausgehen. Weitere Zahlen ließen sich aneinanderreihen. Eindeutig ist, daß Selbstmordversuche mehr das Alter vor 60 betreffen, gelungene mehr die Zeit nach 60. Diese Tatsache sollte allerdings nicht dazu verführen, die Selbstmordversuche der Jüngeren weniger ernst zu nehmen, „nur" weil sie nicht so oft mit dem Tod enden. Wissen wir doch, daß ein Selbstmordversuch das Risiko einer weiteren Selbstmordhandlung in sich birgt, daß sie in 25% der Fälle ein oder mehrmals wiederholt wird. Wir wissen auch, daß Selbstmordhandlung nicht nur in der eigenen Lebensgeschichte, sondern auch in der der Angehörigen einen Gefahrenpunkt darstellt, insofern ein Beispiel zu dieser Art von Problemlösung gegeben worden ist. Vererblichkeit einer Neigung zur Selbstmordhandlung ist nicht festgestellt.

Trotz des Unterschiedes zwischen den Jüngeren mit mehr Selbstmordversuchen und den Alten mit tödlichen Selbstmorden bleiben die Alten eine Risikogruppe für Selbstmordhandlungen überhaupt, und insofern ist die oft vorgeschlagene Trennung von Selbstmordversuch und Selbstmord nicht immer von Vorteil. In einer bestimmten Hinsicht ist Selbstmord nicht schlimmer als Selbstmordversuch, weil sich hinter beiden Handlungen eine Ausweglosigkeit verbirgt, die in jedem Falle ernst genommen zu werden verdient. Wenn einer sein Leben aufs Spiel setzt oder damit spielt, und das tut er mit jeder Selbstmordhandlung, weil sie immer auch schiefgehen kann, ist das schlimm genug. Es ist immer ein Hilferuf, der Gehör verdient. So stumpf oder nur an dramatischste Ereignisse mit großen Ausmaßen gewöhnt, dürfte eine Gesellschaft nicht sein, daß sie erst beim Tod aufwacht.

Ärzte neigen dazu, *Lebenserhaltung* als die wichtigste Aufgabe der Selbstmordverhütung anzusehen, aber ihnen müßte die *Qualität des zu erhaltenden Lebens* ebenso am Herzen liegen [171]. Gerade diese scheint den Alten besonders in der Gegenwart oft ganz abhanden zu kommen. Ein Fall wird mir unvergeßlich bleiben, mit dem ich während meiner Zeit als Leiter einer psychiatrischen Ambulanz zu tun hatte.

Eine Pfarrvikarin rief am Freitag nachmittags an, sie hätte eine 72jährige Frau in einer Wohnung fast verhungert aufgefunden. Sie war von einem Nachbarn auf die Frau aufmerksam gemacht worden, die nicht in der Kartei der Pfarrei vermerkt war. Der Besuch der

Vikarin mit einem Blumenstrauß unter dem Vorwand eines laufenden Seelsorgegesprächs endete dramatisch, insofern die alte Frau mit Erhängen drohte, wenn man sie nicht in Ruhe ließe. Ihr Bruder war zwei Jahre vorher gestorben, und sie wollte nun selbst den Hungertod sterben, zur Sühne in dem Wahn, sie sei am Tod ihres Bruders schuld. Die Vikarin wollte bei Nachbarn und Verwandten Näheres wissen, aber alle wichen mit peinlichem Schweigen aus.

Der Telefonanruf der Vikarin bei mir vermittelte zunächst den Eindruck einer einsamen, alten Frau, die sich nicht mehr versorgen konnte. Ich riet, in den nächsten Tagen jeweils mit einem warmen Essen einen Besuch zu machen und die Frau zu füttern. Zwei Tage später wurde die Frau erhängt in der Wohnung aufgefunden.

Das „Kochrezept", wie die Presse etwas stillos berichtete, hatte nichts geholfen: mein spontanes Angebot, die Frau sofort zu besuchen, wurde mit dem Hinweis abgelehnt, so ernst sei die Lage nicht. Das Gesundheitsamt konnte sich nach der Schilderung der Vikarin zu einer Einweisung in ein psychiatrisches Krankenhaus nicht entschließen, der Hausarzt riet zur Verständigung der Verwandten, die ließen sich Zeit bis zum Tod ihrer Tante. Die große Sorge war, daß bei der Beerdigung kein Wort von Selbstmord fiele und alles als Gottes Wille erschiene.

Diese Geschichte macht die Situation der Alten überdeutlich. Verlassen von weit weg lebenden Verwandten und vorher verstorbenen näheren Angehörigen, durch körperliche Unbeweglichkeit stark behindert, vereinsamen sie. In der Kartei der Pfarrei sind sie nicht unbedingt geführt, der Hausarzt hat sie vor einem Jahr zum letzten Mal gesehen, die Nachbarn sehen und hören nichts. Sie kommen nicht mehr unter die Leute, siechen innerlich und äußerlich dahin, und wenn sich dann jemand engagiert um sie kümmert, sind sie so verschreckt, daß sie sich binnen kurzer Zeit erhängen.

Die 30jährige bemühte Vikarin konnte es offenbar auch nicht erfassen, daß es da wirklich um Leben und Tod ging. Sie schilderte die Situation harmlos, so daß weder ich, noch das Gesundheitsamt, noch der Hausarzt sich zu schnellen Aktionen veranlaßt sahen. Eine durch Unterernährung geschwächte Frau wird nicht sofort sterben, dachte man wohl, und zum Erhängen reicht die Kraft nicht. Hinterher erfuhr man, daß die Frau in ängstlicher Erregung war, keineswegs nur geschwächt im Bett lag, sondern im Zimmer hin und her lief, bis der Druck der Schuldgefühle dem Bruder gegenüber und die Ausweglosigkeit sie zur Tat rief.

An anderer Stelle wird darauf zurückzukommen sein, welche Schwierigkeiten die Vikarin hatte ihrerseits mit ihren eigenen Schuldgefühlen, den Tod der Frau nicht verhindert zu haben, wie aggressiv die Zeitung nach einem Sündenbock suchte und wie erleichtert die Verwandten sich nun des hinterlassenen Erbes freuten. Da waren ganz spezielle und typische Verhaltensweisen der Gesellschaft auf Selbstmord zu sehen. Im vorliegenden Zusammenhang sollte die zugespitzte Vereinsamung deutlich werden, der unsere alten Menschen ausgeliefert sind und die sie zur Verzweiflung treibt; auf die Gesellschaft kommen wir noch zurück.

Die hauptsächlichen Risikogruppen für Selbstmordgedanken mit entsprechenden Konsequenzen sind depressive, süchtige und alte Menschen. Die besondere Anfälligkeit dieser Gruppen darf aber nicht den Blick dafür verschleiern, daß es eine Menge anderer Lebenssituationen gibt, in denen Menschen auf Selbstmordgedanken kommen: von Ärzten unter der besonderen Belastung ihres Berufs war schon die Rede [241]. Auch Studenten verüben sehr oft Selbstmordhandlungen, etwa 20mal häufiger als ihre Altersgenossen [126]. Geschiedene, nach einer mißglückten Ehe allein lebende Menschen, sind ebenfalls sehr gefährdet [25]. Verwitwete Menschen begehen auch mehr Selbstmordhandlungen als ihre verheirateten Altersgenossen. Die Bedeutung des Verlusts von Angehörigen, von der frühen Psychoanalyse schon herausgestellt [1], ist jetzt in eindrucksvoller Weise durch Untersuchungen von *Parkes* [146] erneut bewiesen worden. Besonders herauszustellen ist schließlich noch, daß unmittelbare Anlaßsituationen zu Selbstmordhandlungen in sehr hoher Zahl Auseinandersetzungen mit den unmittelbaren Bezugspersonen in Ehe, Familie oder Freundschaft sind; Zahlen bis 21,2% sind ausgerechnet worden [215].

Worauf es in diesem Abschnitt mit der Überschrift „Wer bekommt Selbstmordgedanken“ ankam, war, zu zeigen, daß sehr vielen Selbstmordhandlungen eine tiefe Vereinsamung und Verzweiflung zugrunde liegt. Es verwundert nicht, daß der Depression beim Selbstmord immer wieder eine so große Rolle beigemessen wird. *Stengel* [217] gab ihren Anteil bei Suizidpatienten, die in einem allgemeinen Krankenhaus untersucht wurden, mit 85,5% an (26,3% endogene, 59,2% andere Depressionen). Dieser eindrucksvolle Befund sollte an dieser Stelle doch noch nachgetragen werden. Das Kennzeichen der Depression, der traurigen Verstimmung, ist gerade diese Verzweiflung, die sowohl äußerliche wie innere Vereinsamung. In dieser Ausweglosigkeit oder wenn Menschen süchtig geworden sind, verdrängt der Gedanke an den eigenen Tod jeden anderen. Einsamkeit, Ausweglosigkeit und Verzweiflung bestimmen auch das Leben so vieler alter Menschen, Verwitweter, Geschiedener oder in der Berufs- oder Ausbildungssituation scheiternder Menschen.

Es ist vielleicht an der Zeit, einmal den Mut aufzubringen, den Tatbestand mit einfachen Worten auszudrücken: Wo *Liebe* von anderen oder zu sich selbst *nicht mehr erlebt werden kann,* erscheint das Leben nicht mehr lebenswert und ist die Gefahr, in endgültige Trauer zu versinken, sehr groß [28]. Diese Ebene ist wahrscheinlich die sinnvollste, jenseits aller Auseinandersetzungen um Begriffe wie Krankheit und Freiheit, um Hilfeschrei und Todessehnsucht, um Gesellschaft und Lebensgeschichte, um sich den verzweifelten Menschen zu nähern. Sie ist auch der beste Zugang zu den Menschen, die ganz bewußt aus politischen, aus historischen, aus ethischen, aus religiösen oder aus existentiellen Gründen den Weg aus dem Leben wählen, das ihnen keine Möglichkeit des Daseins mehr gibt; – diese Welt hat jedenfalls nichts mehr zu bieten. Das gilt auch besonders für die 15- bis 25jährigen, die inzwischen als weitere Risikogruppe mit immer geringer werdender Zukunftsorientierung betrachtet werden müssen [160, 163].

Selbstmordgedanken können in jeder Vereinsamung entstehen, wie und wodurch auch immer sie bedingt sein mag. Krankheit und insbesondere psychische Krankheit sind dazu nicht der einzige Grund. Das Leben winkt in vielen anderen Situationen mit dem Tod. Wann setzt sich nun der Gedanke an Selbstmord in die Suizidtat um?

2. Wer zieht Konsequenzen?

Für diesen Abschnitt gilt weitgehend dasselbe wie für das, was über Risikogruppen und besonders gefährliche Lebenssituationen gesagt wurde. Vor allem soll aber hier der immer noch weit verbreiteten Ansicht entgegengetreten werden, als gäbe es ungefährliche Selbstmordhandlungen (a) oder müßten Selbstmordgedanken nicht unbedingt ernst genommen werden (b). Darüber hinaus ist schließlich einiges anzuführen darüber, wie Selbstmordgedanken in die Tat umgesetzt werden (c).

Selbstmordhandlungen ohne Lebensgefährdung?

Ungefährliche Selbstmordhandlungen gibt es, streng genommen, nicht. Diese Aussage ist vielleicht sehr herausfordernd und mag einseitig klingen. Als falsch kann sie schwerlich gewertet werden. Selbstmordversuche mit den untauglichsten Mitteln können gefährlich werden, wenn man daran denkt, daß auch geringe Mengen von Medikamenten in Ausnahmefällen unerwartet große Wirkungen haben können. Allergien gegen Penicillin haben die heilsame Wirkung dieses Stoffes nicht selten mit tödlichen Reaktionen verbunden und den Betroffenen das Leben gekostet. Auch von den seit 1952 so erfolgreich in der Psychiatrie benützten chemischen Substanzen sind Überempfindlichkeitsreaktionen bekannt. Der Tod eines 17jährigen Mädchens, das wegen schwerer Angstzustände in das psychiatrische Krankenhaus eingeliefert wurde, in dem ich als junger Assistent arbeitete, wird mir eine beständige Mahnung zur Wachsamkeit und Nachdenklichkeit im Umgang mit Medikamenten bleiben.

Das Mädchen hatte einen bösen Traum, in dem sie sich von ihrem Vater im Bett bedroht fühlte. Zwei Tage später wurde sie stumm, verweigerte das Essen und wurde starr vor Angst. Auf Grund früherer Erfahrungen und weil die Mutter eine Elektroschockbehandlung verweigerte, setzten wir sogenannte neuroleptische Medikamente ein. In den ersten Tagen wurde es mit dem Mädchen besser. Der ängstliche Gesichtsausdruck und die Körperstarre lösten sich; sie sprach auch gelegentlich und nahm etwas Essen zu sich. Nach wenigen Tagen aber begannen Fieber und erhöhter Pulsschlag die günstige Entwicklung zu beeinträchtigen und sich eine sehr schwere „Schüttellähmung" einzustellen. Dieser Zustand des Parkinsonismus ließ sich trotz entsprechender Gegenmaßnahmen nicht mehr aufheben und 22 Tage nach Aufnahme in die Klinik war das Mädchen tot.

Es stellte sich heraus, daß eine Gehirnblutung, eine Durchlässigkeit der Blutgefäße in der Luftröhre und eine spezifische Hirnveränderung, wie sie sonst nur nach schwerer Gehirnhautentzündung oder im Alter auftritt, den Tod herbeigeführt hatten. In der Fachwelt jedoch wurde der Fall damals in der Richtung diskutiert, daß die Medikamente die Schädigungen am Gehirn und am Blutgefäßsystem verursacht hätten [156]. Heute legen Gespräche mit Kollegen über ähnliche Verläufe die Annahme näher, daß die fraglichen Organe aus unbekannten Gründen vorgeschädigt sein könnten und daher die nach der Schwere des Krankheitsbilds durchaus mittlere Dosierung der Medikamente nicht vertragen wurde.

Dieser Ablauf wurde deshalb hier etwas ausführlich geschildert, weil er deutlich machen kann, daß man bei der Einnahme von Medikamenten immer mit unvorhersehbaren und unbekannten Größen rechnen muß, die ganz unerwartete Wirkungen in Gang setzen können. Wenn in selbstmörderischer Absicht auch nur wenige Tabletten genommen werden, kann auch das gefährlich werden.

Ein anderer Umstand macht die Unterscheidung in gefährliche und ungefährliche Selbstmordhandlungen problematisch. Wer weiß genau, wie ernst es dem anderen in dem Augenblick ist, wo er Schluß machen will. Zwar gibt es sorgfältige Untersuchungen, daß bei bestimmten Gruppen (s. S. 33) von Menschen Selbstmordhandlungen eher zum Tode führen als bei anderen, daß Männer eher tödlich ausgehende Selbstmordhandlungen begehen und daß bestimmte Arten von Selbstmordhandlungen sicherer den Tod herbeiführen als andere [215]. Jedoch sind das ja nachträglich erschlossene Aufstellungen und insofern von nur begrenztem Wert.

Die Bedeutung einer Selbstmordhandlung sollte nicht von der Lebensbedrohlichkeit ihres Ausgangs abhängig gemacht werden. Sonst ist nämlich kein weiter Weg mehr zum sogenannten „demonstrativen" Selbstmordversuch oder zur Einschätzung eines Lebensmüden als „Erpresser". Damit ist vielen Menschen Unrecht getan worden, und hinter solchen Wörtern verbirgt sich viel unbewußte Bosheit. Schließlich schließt Lebensbedrohlichkeit ja das psychische Leben ebenso ein wie das physische, und so wie wir ein Recht auf Selbstmord zugestehen, müssen wir logisch konsequent auch ein Recht auf die besondere Art von Hilferuf im Selbstmordversuch zugestehen.

Sicherlich haben so namhafte Forscher wie *Stengel* die „Appellfunktion" jeder Selbstmordhandlung nicht herausgearbeitet, um diese abzuwerten und *Ringel* mit „Hilfeschrei" nicht die Reaktion – „... sei ruhig und schwimm weiter ..." – rechtfertigen wollen. Jede Selbstmordhandlung bedeutet etwas und signalisiert eine Not, wie unbeholfen uns deren Bekundung auch vorkommen mag. Daraus folgt, daß auch jeder Selbstmordgedanke die Möglichkeit der Konsequenz, den Gedanken in die Tat umzusetzen, in sich birgt.

Wer von Selbstmord spricht, ist gefährdet!

Es ist eine weit verbreitete Ansicht, daß derjenige, der von Selbstmord spricht, ihn nicht begehe. Sie ist falsch. Etwa 80% aller Selbstmordhandlungen werden vorher durch Briefe, Gespräche, Telefonanrufe oder sonstwie angekündigt [183]. Andere Untersucher nennen niedrigere Zahlen, aber unter 50% kommt niemand – die Zahlen sind also in jedem Falle beträchtlich. Bei den jeweiligen Resten gilt das früher zum Zählen kritisch Gesagte, daß man nachträglich nicht immer sicher erfährt, wie es wirklich gewesen ist. Es darf ruhig davon ausgegangen werden, daß Lebensmüde gern von ihren Problemen sprechen und daß sie sich damit keineswegs interessant machen wollen, sondern wirklich nach einer Lösung suchen.

Ich kannte einen Tankwart, der am Beginn der Nachtschicht, wenn der Betrieb ruhiger wurde, oft Selbstmordgedanken bekam. Nachdem er von der Existenz einer psychiatrischen Ambulanz wußte, rief er mich oft abends an oder, wenn er vorübergehend Ablösung finden konnte, machte er auch einen Besuch bei mir. Er sprach dann über seine finanziellen und familiären Sorgen. Er war danach nicht gleich wieder voller Zuversicht und lebensbejahend, aber es eröffneten sich ihm in den Gesprächen doch Möglichkeiten, aus bestimmten Schwierigkeiten herauszukommen, und er konnte dann später auch Gebrauch davon machen.

Solche Situationen kennt jeder, der Menschen mit Selbstmordgedanken getroffen hat. Sie zeigen ganz deutlich, daß zwischen dem Selbstmordgedanken und der Konsequenz zur Durchführung ein Schwanken von Gefühlen und eine Unsicherheit der Entscheidung herrscht, bei der sich im Inneren des Betroffenen oft dramatische Szenen abspielen. Dabei ist zur letzten Konsequenz oft kein klarer Entschluß notwendig, oft gleiten Menschen in eine Selbstmordhandlung oder gar den Tod allmählich hinein.

Der Weg zur Tat

Wichtig scheint, sich Klarheit darüber zu verschaffen, wie Selbstmordgedanken in die Tat umgesetzt werden, wenn wir die Betroffenen und diese sich selbst verstehen wollen. Es ist viel darüber geschrieben und zusammengestellt worden, mit welchen Methoden Selbstmordhandlungen durchgeführt werden. Dabei interessiert einerseits, was alles angewendet wird, vom absichtlich herbeigeführten Autounfall bis zu leichten Schlaftabletten, andererseits möchte man Klarheit darüber gewinnen, welche Wirkungen die verschiedenen Tötungsarten haben. Diese Diskussion soll hier nicht fortgesetzt, sondern nur mit dem Hinweis erwähnt werden, daß grundsätzlich jedes Mittel recht ist, daß es allerdings bevorzugtere und weniger gebräuchliche Methoden gibt. An erster Stelle steht die Einnahme von Schlaftabletten. Weiter wird oft von der Öffnung der Pulsadern Gebrauch gemacht. Vergiftungen durch Autoabgase und – früher – durch Leuchtgas kommen nicht selten vor. Die eingangs (s. S. 4, 7) mehrfach erwähnte amerikanische Lyrikerin *Sylvia Plath* steckte ihren Kopf in einen Gasbackofen, bis sie tot war. Sogenannte härtere Methoden, wie Sprung aus der Höhe, Erschießen, Erstechen und Erhängen, sind selten, aber durchaus gebräuchlich, wie Zeitungsmeldungen auch immer wieder berichten.

Die Unterscheidung in harte (Erschießen, Erhängen usw.) und weiche (Vergiften, Ertrinken usw.) Methoden ist sinnvoll, ebenso die Feststellung, daß Männer mehr harte, Frauen mehr weiche Methoden benützen. Plausibel ist auch, daß Selbstmord mehr mit harten, Selbstmordversuch mehr mit weichen Methoden durchgeführt wird. Eine wichtige Orientierung ist auch, daß in bestimmten Krankheitssituationen und in bestimmten Krankheitsgruppen harte Methoden näher liegen als in anderen.

Sehr zögernd sollte man damit sein, hart als gefährlich und weich als weniger gefährlich anzusehen. Neunzig Tabletten von einem Medikament mit einem hohen Anteil von Barbitursäure, die in mehreren Gläsern Wasser eingenommen wurden, – wie ich das bei einer jungen Mutter von 29 Jahren erlebte, bei der alle Wiederbelebungsversuche auf unserer Krankenhausstation nichts mehr nützten und die nach drei Tagen starb, ohne das Bewußtsein wiedererlangt zu haben, – sind zwar weich, aber tödlich, wo hingegen Messerstiche unter Umständen nach einer ambulanten Versorgung durch einen Chirurgen nicht lebensbedrohlich werden. Beim Selbstmordproblem mit gefährlich oder ungefährlich, ernst gemeint oder nicht ernst gemeint, demonstrativ oder krankhaft umnachtet einzuteilen, wirkt wie ein Spiel mit dem Feuer. Eine Selbstmordhandlung bekommt ihre schwerwiegende Bedeutung nicht erst mit dem Tod.

Die Methoden sollten aber, wie gesagt, hier nicht so in den Vordergrund gerückt werden als vielmehr die Psychologie, die bei der Umsetzung vom Gedanken in die Tat sichtbar wird. *Pöldinger* beschreibt den Weg zur Tat in drei Abschnitten: „. . . Im ersten Stadium, dem Stadium der Erwägung wird der Suizid als eine Möglichkeit, die wirklichen oder scheinbaren Probleme durch Selbstmord zu lösen, in Erwägung gezogen. Zu Beginn treten Todeswünsche, sehr bald jedoch Selbstmordphantasien und Selbstmordgedanken auf. Suggestive Momente, aber auch soziale Isolierung spielen eine bedeutsame Rolle. Das zweite Stadium ist durch Ambivalenz, Unschlüssigkeit und inneren Kampf zwischen konstruktiven und destruktiven Tendenzen gekennzeichnet. In diesem Stadium kommt es häufig zu Selbstmordankündigungen, die, wie Untersuchungen von *Robins* [188], aber auch eigene Untersuchungen [151], zeigen, bei 69 bzw. 78% der Selbstmordhandlungen vorher gefunden werden können. Das dritte Stadium ist das Stadium des Entschlusses. Es kommt nun zu indirekten Hinweisen, wie Vorbereitungen, konkreten Vorstellungen über das Vorgehen bei der Suizidhandlung oder zu einer plötzlichen „Ruhe vor dem Sturm" und scheinbarer Abgeklärtheit.

Diese drei Stadien können einen unterschiedlichen Verlauf zeigen. Bei den sogenannten Kurzschlußhandlungen werden diese Stadien außerordentlich rasch durchlaufen. Zu dieser Gruppe gehören die infantilen, unreifen, explosiblen psychopathischen Persönlichkeiten sowie Schwachsinnige und Gehirngeschädigte. Kurzschlußhandlungen finden sich jedoch auch im Rausch und im Rahmen schizophrener Psychosen. Nach einer Untersuchung von *Linden* [122], die sich jedoch nur auf Suizidversuche bezieht, wäre diese Gruppe zu unterteilen in eine Gruppe der reaktiv Depressiven, die sich in einer festen sozialen Bindung befinden und in eine Gruppe der abnormen Persönlichkeiten, die meist alleinstehend unter Einfluß von Alkohol Kurzschlußhandlungen unternehmen.

Eine lange suizidale Entwicklung, insbesondere ein langes Durchlaufen des zweiten Stadiums finden wir bei den Neurosen einschließlich der neurotischen Depression. Bei dieser Patientengruppe zeigt sich auch eine große Anzahl von Rezidiven (40%). Bei den endogenen Depressionen finden wir eine gleichmäßige Zunahme des Suizidimpulses, ein langes Durchschreiten aller drei Phasen. Charakteristischerweise wird gerade am Beginn und am Ende der depressiven Phase die Suizidalität besonders intensiv sein . . . (zit. n. [44 S. 79]).

Linden [123] macht eine andere *Unterscheidung,* nämlich die *zwischen Bedenkzeit* und *Entschlußzeit.* Seine Untersuchung betrifft Menschen, die einen Selbstmordversuch gemacht haben, aber gerettet worden sind. Bei dieser Gruppe stellte er fest, daß 42% nur eine Stunde brauchten vom ersten Selbstmordgedanken bis zum Entschluß (Bedenkzeit) und 58,5% ebenfalls nur 1 Stunde vom Entschluß bis zur Verwirklichung (Entschlußzeit). Bis zu einem Tag brauchten etwa 30% (24,7%, 38,5%), mehr als einen Tag etwa 10% (9,5%, 1,5%) und mehr als eine Woche etwa 22% [123].

Auf Grund einer solchen Untersuchung liegt es nahe, von *Kurzschlußreaktionen* zu sprechen, womit gemeint ist, daß bei Auftreten bestimmter Schwierigkeiten innerhalb 24 Stunden das Leben aufs Spiel gesetzt wird. Nach der angeführten Untersuchung ist das in fast 50% der Fälle so.

Der *Bilanzselbstmord,* bei dem länger überlegt und genau abgewogen wird, ist demnach viel seltener. Man kann daran zweifeln, ob es ihn überhaupt gibt, inwieweit eine Selbstmordhandlung nicht immer im Affekt geschieht. Es ist jedenfalls nicht einleuchtend, allein von der Länge der Zeit auf eine wohlüberlegte Bilanzierung zu schließen. Es ist schon erwähnt worden, daß ein Stadium der Ambivalenz zwischen Leben wollen und Sterben wollen oder, ganz allgemein ausgedrückt, zwischen widerstrebenden Gefühlen für bestimmte phsychische Konfliktsituationen, wie z. B. Depression, aber auch andere, typisch sind und daß somit die Länge der Zeit einer Entschlußlosigkeit nicht nur Ausdruck reiflicher Überlegung sein muß.

Besondere Aufmerksamkeit verdienen bei der Frage, wer zieht aus Selbstmordgedanken Konsequenzen, diejenigen, die schon einmal einen Selbstmordversuch gemacht haben und die von früheren oder gegenwärtigen Familienangehörigen einen Selbstmordversuch kennen. Es war zwar schon erwähnt worden, daß nur 25% von denen, die einen Selbstmordversuch begingen, wieder einen machen. Aber die 25% wiederholen ihn häufiger, ebenso wie diejenigen, die ihn aus der Familie kennen. *Ringel* hat erst kürzlich wieder Angehörige von Selbstmördern und Menschen, die bereits einen Selbstmordversuch durchgeführt haben, zu den Gruppen eines erhöhten Suizidrisikos gezählt [183].

Böcker [25] rechnete aus, daß bis zur Wiederholung in zwei Drittel der Fälle eine Zeit von einem halben Jahr und in über der Hälfte der Fälle eine Zeit von mehr als einem Jahr verstreicht. Die Wahrscheinlichkeit der Wiederholung ist also unmittelbar nach einem Selbstmordversuch nicht sehr hoch, aber irgendwann kann es wieder passieren, auch noch nach mehr als 10 Jahren, worauf ebenfalls *Böcker* hingewiesen hat.

Eine besonders ungünstige Beeinflussung liegt dann vor, wenn sich an der inneren und äußeren Lebenssituation nichts geändert hat. Alle Befürworter der Selbstmordverhütung sind sich darin einig, daß es nicht nur auf die Rettung des physiologischen Lebens ankommt, sondern eine Verpflichtung besteht, die innere und äußere Welt des Betroffenen so zu verändern, daß nicht dieselbe Misere nach geraumer Zeit wieder zu demselben Verhalten zwingt.

Hat man etwas wie den Selbstmordversuch einmal kennengelernt, wird er verführerisch. Nur wenige Menschen berichten, daß die ganzen Umstände der Wiederbelebung so unangenehm gewesen wären, dadurch ein für allemal von einem solchen Verfahren geheilt zu sein. Gott sei Dank gehören untaugliche Maßnahmen im medizinischen Bereich, z. B. einen besonders dicken Schlauch bei der Magenaushebung nach Tablettenvergiftung zu nehmen, um bei dem Betroffenen eine abschreckende Wirkung für die Zukunft zu erzielen, weitgehend der Vergangenheit an. Abgesehen von der Inhumanität solchen Verhaltens zeugt es auch von absoluter Unkenntnis der Psychologie der Selbstmordhandlung, die auf diese Weise nicht beeinflußt werden kann. Wie gerade die Wiederholungen von Suizidhandlungen zeigen, kann der Wille zum Sterben oder das Strafbedürfnis oder die Aggressionsrichtung jeweils so geartet sein, daß jedes Mittel recht ist und nichts von dem Vorhaben abhalten kann.

Wenn man, wie die medizinische Psychologie das gerne tut, den Selbstmordversuch als Problemlösungsverhalten auffaßt, so wird der einmal eingeschlagene Weg vertraut und bietet sich bei der nächsten Gelegenheit wieder an. Das ist auch der Grund, warum das Beispiel der Familienangehörigen geradezu ansteckend wirkt. Wenn man bei anderen diese Art des Versuchs, Probleme zu lösen, kennengelernt hat, fällt sie einem in entsprechenden Situationen eher ein als andere Möglichkeiten der Bewältigung von Schwierigkeiten. So muß man es wohl erklären, daß in manchen Familien Selbstmordhandlungen gehäuft auftreten, ohne daß für eine Vererbung der Neigung zum Selbstmord wissenschaftliche Beweise beigebracht worden wären. Hier bewährt sich besonders der vor vielen Jahren von *M. Bleuler* [23] eingeführte Begriff der „sozialen Vererbung“. Er meinte damit, daß bestimmte Verhaltensweisen, Gewohnheiten, Einstellungen und anderes in einer Familie Tradition werden und von Generation zu Generation weitergegeben werden können. Er zog daraus für die Psychiatrie den Schluß, daß familiäre Häufungen von Symptomen einer Krankheit diese nicht notwendigerweise zu einer Erbkrankheit machen. Für Selbstmordhandlungen ist dieses Konzept besonders einleuchtend, denn für „Ansteckung“ in diesem Sinne gibt es ja eindrucksvolle Beispiele aus der Geschichte: Werther löste mit seinem Schmerz über dem Grab der Geliebten bei seinen Zeitgenossen eine Epidemie aus; nach dem Bankkrach in New York 1922 gab es eine Selbstmordwelle, und unter den

Studenten in Göttingen war 1968 ein Selbstmordfieber ausgebrochen, für das bisher keine überzeugende Erklärung gefunden wurde. Das sind lehrreiche Beispiele dafür, daß Menschen sich gegenseitig in ihren Handlungen stark beeinflussen können und sich diese vielfach voneinander abgucken.

Am Schluß des Abschnitts, der einige Seiten der Frage, wer zieht Konsequenzen aus seinen Selbstmordgedanken, behandelt hat, soll noch einmal auf das Problem „Krankheit" zurückgeblendet werden. Wir kommen immer wieder darauf, weil die Beschäftigung mit dem Selbstmord und der Selbstmordverhütung als Aufgabe an die Medizin, als Lehre von den Krankheiten, herangetragen wird und dem Arzt allgemein menschliche Lebensschicksale unmittelbar und höchst eindrucksvoll vor Augen führt. Konsequenzen zieht nicht derjenige, der eine bestimmte Krankheit hat, die heute keiner, wenn er ehrlich ist, genau genug umschreiben kann.

Die wünschenswerte Klarheit und Deutlichkeit, welche die Logik von der Güte eines Begriffs fordert, damit er nach Inhalt und Umfang bestimmt sei, besitzt gegenwärtig keiner der psychiatrischen Krankheitsbegriffe, soweit sie im Zusammenhang mit Selbstmordhandlungen diskutiert werden. Vielleicht ist diese Forderung auch gar nicht erfüllbar, weil im Rahmen psychologischer Begriffsbildung, die lebendige Menschen mit einer jeweils einzigartigen Lebensgeschichte decken muß, andere Maßstäbe gelten als in der Logik. Daß die Psychiatrie aber immer wieder so tut, als sei das Wort „endogene Psychose" ein solchermaßen gewünschter, fest umschriebener Krankheitsbegriff, bleibt ein Ärgernis. Im vorliegenden Zusammenhang den Anschein zu erwecken, als führe die sogenannte „endogene Depression" zwangsläufig oder jedenfalls mit hoher Wahrscheinlichkeit zu einer Selbstmordhandlung, gewissermaßen der Eigengesetzlichkeit einer Krankheit folgend, ist nicht sinnvoll. Das Risiko dieser Gruppe war mehrfach erwähnt worden und auch die Notwendigkeit, dies Risiko zu kennen und ernst zu nehmen. Andererseits ist auch bei dieser Gruppe der letzte Anstoß zu einer Selbstmordhandlung nicht eine mysteriös von innen waltende Krankheit, sondern eine konkrete Ausweglosigkeit einer aktuellen Lebenssituation.

Es gibt Psychologen, die nicht mehr von Depression als Krankheit sprechen, sondern nur noch von depressivem Verhalten [93], und es gibt Psychiater, die nicht mehr von Selbstmordverhütung sprechen, sondern von Krisenintervention [30]. Beide Vorschläge, von depressivem Verhalten statt Depression und von Krise statt Selbstmord zu sprechen, versuchen der unlösbaren Schwierigkeit mit der Krankheit aus dem Wege zu gehen, indem sie sich nicht um unsichtbare Begriffe bemühen, sondern

Ereignisse ins Auge fassen. Das mag vielen, die an abstraktes und systematisches Denken gewöhnt sind, nicht liegen, ja sogar voreilig und leichtfertig erscheinen.

Sicher ist über diese Vorschläge auch noch nicht das letzte Wort gesprochen und wird darüber noch viel nachgedacht werden. Aber ein Hinweis kann in diesem Zusammenhang nicht entschieden genug gegeben werden, daß nämlich die sogenannte Krankheitsgruppe der endogenen Depressiven nur knapp 1% der Gesamtbevölkerung ausmacht. Mit einer so kleinen Gruppe muß mit verallgemeinernden Schlüssen sehr vorsichtig umgegangen werden. 28% der Selbstmorde und 15% der Selbstmordversuche werden von endogen Depressiven begangen, das ist sicher viel. Wenn man bedenkt, daß endogen Depressive aber nur zu 1% über die Gesamtbevölkerung verteilt sind, verlieren diese Zahlen sehr an Gewicht. Dann werden nämlich die anderen 110 000 Selbstmordhandlungen jährlich in der BRD bei einer Gesamtbevölkerung von etwa 60 Millionen insofern alarmierend, als diese Gesamtbevölkerung plötzlich zu einer Risikogruppe wird. Immerhin machen dann nämlich die Suizidanten 3mal soviel aus wie die „endogen Depressiven“, die sich ja nicht alle umbringen oder es versuchen.

Das Spiel mit den Zahlen, das an anderer Stelle (s. S. 34) so kritisch reflektiert wurde, soll hier nicht im Widerspruch zu früheren Äußerungen zu einem Puzzle gemacht werden. Der Hinweis auf die Kleinheit der Gruppe der endogen Depressiven, die so schwer zu definieren ist, soll auch deren Bedeutung an der Beteiligung von Selbstmordhandlungen nicht schmälern. Aber diese Bedeutung zu relativieren, ist notwendig, um ganz eindeutig festzustellen, daß den letzten Ausschlag zur Umsetzung eines Selbstmordgedankens in die Tat ein verzweifelter Augenblick im Leben eines Menschen gibt, wo er keinen anderen Ausweg mehr erkennt, wo er sich von seinen verzweifelten Gefühlen mitreißen läßt. Da ist weder eine schicksalhafte Krankheit, noch eine geschichtlich schicksalhaft gewordene Gesellschaft, deren Zugriff man sich nicht mehr entziehen kann. In dem Augenblick geht es nicht mehr weiter, und die Selbstmordhandlung soll neue Möglichkeiten eröffnen – das ist wenigstens die Hoffnung. Insofern ist verständlich, daß die Stimmen nicht verstummen, welche die Selbstmordhandlung als freie Willensentscheidung und Verwirklichung der Freiheit verstanden wissen wollen, die nicht zur Umnachtung oder dem Zustand des nicht bei Sinnenseins ihre Zuflucht nehmen können. Wenn es, wie es scheint, kein unentrinnbares Schicksal ist, sich das Leben zu nehmen, andererseits Augenblicke in jedem Leben eintreten, „. . .wo Du meinst, es geht nicht mehr, . . .“ – taucht die Frage auf, ob es nicht auch für den Lebensüberdrüssigen doch andere Lösungen eines scheinbar unlösbaren Problems gibt, also andere Auswege. Das soll im nächsten Abschnitt überlegt werden.

3. Gibt es andere Auswege?

Ein Mann verweigerte seiner Frau am heiligen Abend den Geschlechtsverkehr. Streng religiös erzogen, verband er Schuldgefühle mit dem Gedanken an sexuelle Lust, die er nicht mit der Würde und Feierlichkeit eines hohen Kirchenfestes in Einklang zu bringen vermochte. Der Sinn des Weihnachtsfestes, das zum Andenken an Christi Geburt gefeiert wird und die Liebe symbolisiert, die sich für die Erlösung aller Menschen opfert, war ihm abhanden gekommen. Die meisten Menschen können heute ja religiöse Gefühle nur als moralische Forderungen erleben und sie nicht mehr in ihr an Fleisch und Blut gebundenes historisches Leben einordnen. Die Ehefrau, anders erzogen und unbefangener erlebend, war verständnislos und machte dem Mann Vorwürfe. Das Ende der Auseinandersetzung, nach welcher der Mann sich lieblos und liebesunfähig vorkam, war sein Selbstmordversuch mit einer großen Menge Schlaftabletten. Drei Tage dauerte die Entgiftung, dann erst konnte die Aussprache mit der Ehefrau weitergehen.

Nun konnte er sich erstaunlich gut verständlich machen. Die Frau begriff, daß ihr Mann sie nicht zurücksetzen, keineswegs ihr seine Liebe entziehen wollte, auch sie für ihn nicht irgendwie unattraktiv geworden war. Vielmehr erkannte sie, daß ein ganz kompliziertes religiöses Problem hinter dem Verhalten des Mannes stand und eine sehr eigenartige Schuldgefühlsproblematik ihn belastete. Die Frau verblüffte ihn mit der Bemerkung, warum er ihr das alles denn nicht schon früher mal auseinandergesetzt hätte. Er wiederum war überrascht, daß man über so etwas überhaupt sprechen konnte und daß den anderen das interessierte.

Beim nächsten Mal ging es besser: ein halbes Jahr nach Weihnachten erfuhr der Mann von einem Tag auf den anderen von seiner Schwiegermutter, daß seine Frau aus beruflichen Gründen plötzlich ein paar Tage verreisen mußte. Er war enttäuscht über die mangelnde Offenheit seiner Frau, so wirkte ihr Verhalten auf ihn, und er kam wieder in eine depressive und grüblerische Stimmung. Seine Überlegungen und Phantasien erreichten wieder realitätsferne, schwindelnde Höhen. Die Überlegung, seine Frau einfach zu fragen, warum sie ihn nicht darüber informiert hätte und er das sozusagen hintenherum erfahren müsse, erschien ihm zunächst absurd. Als er sich aber dann doch ein Herz gefaßt hatte und die Frau so Gelegenheit bekam, ihm die Zusammenhänge zu erklären, löste sich alles trübsinnige Grübeln in Wohlgefallen auf. Die Erfahrung, mit dem anderen reden zu können und auf Fragen Antworten zu bekommen, wurde befreiend.

Etwa vier Monate später – die Zeiträume zwischen den einzelnen kritischen Situationen entsprechen auch in diesem Einzelfall den im vorigen Abschnitt referierten Untersuchungsergebnissen [123] – kam eine neue, ernstere Belastung für den Mann: eine lang erwartete und von allen Beteiligten für selbstverständlich erachtete Beförderung zum Abteilungsleiter innerhalb einer Möbelfirma blieb aus. Ein erst vor kurzem neu Eingestellter wurde dem langjährigen, treuen, zuverlässigen, aber wahrscheinlich etwas festgefahrenen Mitarbeiter vorgezogen. Diese ganz offene Zurücksetzung wurde zu einer schweren seelischen Kränkung für den Mann, die ihn wieder in Grübeleien und trübe Gedanken stürzte. Nur der Tod schien ihm eine schönere Zukunft zu verheißen, frei von Intrigen und Plagen dieser schnöden Welt.

Vor einem erneuten Selbstmordversuch jedoch den Personalchef einmal zur Rede zu stellen und sich die ganzen Vorfälle erklären zu lassen, war dem Mann inzwischen kein fremder Gedanke mehr. In seiner depressiven Stimmung bat er ihn um ein Gespräch: bevor ich mich umbringe, will ich noch wissen, wie das alles war. Nach der Unterredung war ihm manches klarer, und vor allem fühlte er sich bei dem Plan seines Chefs, ihn anderweitig zu verwenden, nicht billig getröstet, sondern allmählich sogar erleichtert. Ihm war nämlich beim Gedanken an die Abteilungsleiterstelle ganz heimlich nie recht wohl. Seinen Ehrgeiz hätte diese Beförderung wohl befriedigt, auch sein Bedürfnis, sich bei den anderen Ansehen zu verschaffen, wäre gestillt worden. Jedoch vor der Verantwortung auf solch einem Abteilungsleiterposten hatte er Angst.

So lernte der Mann allmählich in Belastungssituationen andere Auswege kennen und auch, diese anderen Auswege zu beschreiten. Er bekam ein Gefühl dafür, an welchen Stellen er in traurige, wortlose, lähmende Verstimmung zu geraten drohte und daß ein Gespräch mit der gerade beteiligten Bezugsperson ihm da heraushelfen würde. Im Laufe der Zeit fand er diesen anderen Ausweg des Gesprächs und der unmittelbaren Auseinandersetzung auch ohne psychotherapeutische Hilfe. Er lernte, daß die anderen ja auch auf die Mitteilung seiner inneren Situation angewiesen sind, um sich auf ihn einstellen zu können und ihn nicht fortwährend zu kränken.

Das Beispiel zeigt, daß es in kritischen Lebensmomenten andere Auswege als den Selbstmord gibt. Will man wissen, wovon das abhängt, ist es sinnvoll, die Belastungssituationen ins Auge zu fassen, die wie Weichenstellungen diesen oder jenen Weg weisen. Daran schließt sich die andere Betrachtung an, ob der Selbstmord nun überhaupt nicht als einer unter mehreren Auswegen gelten darf, ob ein Buchtitel: „Ich sehe keinen Ausweg mehr“ [175] die Psychologie der Selbstmordhandlung richtig trifft. Interessant ist, daß nicht nur die Forscher aus dem Bereich der Medizin und Psychologie die Selbstmordhandlung als Ausweglosigkeit auffassen, wie z. B. *Reiner,* der Autor des gerade erwähnten Buchs, sondern auch der schon oft zitierte *Ringel* oder *Thomas,* der Begründer der Lebensmüdenberatung in Berlin, mit seinem Buchtitel: „Menschen vor dem Abgrund“ [224] sie ebenso beurteilt.

In der juristischen Literatur wird als Notstand, der für jemanden eine rechtswidrige Handlung entschuldbar macht, eine „. . . ausweglos erlebte Lebenslage . . .“ beschrieben, in der die Einhaltung der Rechtsnorm nicht mehr möglich ist [229]. Parallel dazu wird von demselben Autor auch die Krise, die zum Selbstmord führt, als „Ausweglosigkeit“ betrachtet, „. . . wo das Leben selbst seinen Sinn für den Lebenden so völlig verliert, daß er nur noch die gewaltsame Beendigung dieses Lebens als Weg zu sehen vermag . . .“ (S. 58 ff.) Vermag er nur nicht zu sehen, oder gibt es keine anderen Auswege?

Führt man sich zunächst einmal die besonderen Belastungssituationen vor Augen, in denen die Versuchung zu einer Selbstmordhandlung naheliegend wird, ist hervorzuheben, daß es keineswegs immer um das „Erlebnis der völligen Sinnlosigkeit des eigenen Lebens“ geht. Darauf hat von juristischer Seite übrigens *Roxin* [192] mit wünschenswerter Deutlichkeit hingewiesen.

Streß ist heute ein vielbenütztes Wort. Andere reden lieber von Frustration. Ein Trauma irgendwann in seiner Lebensgeschichte mitbekommen zu haben, weiß fast jeder zu berichten. Mit all diesen Begriffen wird das zu umschreiben versucht, was belastend in bestimmten Lebenssituationen auf uns einwirkt. Entscheidend ist dabei, – im Auge zu behalten, daß es in dem Sinne keine objektiven Belastungen gibt, sondern man fragen muß, was in welchem Augenblick für wen nicht mehr zu ertragen ist. Im Zusammenhang mit der Frage, ob es andere Auswege als den Selbstmord gibt, sollte typischen Belastungssituationen nachgegangen werden, welche diesen speziellen Ausweg nahelegen. Widerspricht das aber nicht der gerade gemachten Aussage, daß jeder einzelne seiner besonderen Belastung ausgesetzt ist? Im gewissen Sinne ja, es sei denn, man vergegenwärtigt sich, daß Menschen mit Selbstmordgedanken eine gewisse Gemeinsamkeit der Persönlichkeitsstruktur haben und darum bestimmte Situationen im Leben ähnlich erleben. So ließe sich jedenfalls die Beobachtung erklären, daß insbesondere Partnerkonflikte, Verlusterlebnisse, Einsamkeit, Trennungsängste bei Veränderungen in Familie, Beruf oder der ganz persönlichen Entwicklung die häufigsten Anlässe zur Selbstmordhandlung sind.

Einsamkeit und Depression in ihren Wechselwirkungen

Eine tiefe Einsamkeit befällt offenbar alle Menschen in Selbstmordgefahr oder gar im Augenblick der Tat. Sie ist eine Wiederauflage ganz früh erlebter, katastrophaler Einsamkeiten, die den Betreffenden schon einmal an den Rand der Verzweiflung gebracht haben. Diese Einsamkeit, die vor oder nach jeder Selbstmordhandlung festzustellen ist, bildet den Hintergrund für den immer wieder diskutierten Zusammenhang zwischen Depression und Selbstmord [157, 244].

Der Streit der Fachleute um dieses Thema geht um ein Mehr oder Weniger dieses Zusammenhangs, um eine verschiedene Interpretation der Zahlenergebnisse, vor allem aber um den Begriff der Depression. Wenn man letztere im Anschluß an die frühe Psychoanalyse [1] als Affekt auffaßt wie die Angst und man von der Angst Furcht, von der Depression Trauer unterscheidet, könnte die Diskussion eine gemeinsame Ebene finden. Trauer wäre dann Trauer um einen eingetretenen Verlust – Depression Trauer um einen befürchteten Verlust.

In diesem Verständnis braucht man dann nicht mehr die gemeinsame Sprache einer klinischen Krankheitslehre, die einheitliche Kriterien für ärztliche Diagnosen bereitstellt, sondern nur die Feststellung eines augenblicklichen Gefühlszustands. Depression als Affekt aufzufassen und nicht nach ihrer Einordnung in ein System von Krankheiten fragen zu müssen, scheint aus genannten Gründen im vorliegenden Zusammenhang besonders sinnvoll. Diese Tradition der Psychoanalyse in die medizinische Psychologie zu übernehmen, gibt auch für den Augenblick der Selbstmordhandlung die Möglichkeit, diesen depressiven Affekt wahrzunehmen und darauf einzugehen.

Die Einordnung in eine Krankheitslehre oder in das System einer Persönlichkeitstypologie ist notwendig und orientierend, jedoch im Augenblick der Konfrontation mit einem Lebensmüden eine zweite Sorge. Auf die Depression als Affekt oder Gefühlsspannung, die mit Einsamkeit der Verdeutlichung wegen gleichgesetzt werden darf, ist leichter unmittelbar zu reagieren als auf dem Umweg langwieriger diagnostischer Untersuchungen. Das mag manch einem riskant erscheinen, verliert jedoch an Befremdlichkeit, wenn man, wie auch andernorts in der Psychiatrie, zunächst sich einmal um die Bestandsaufnahme einer Krise kümmert, in die jemand geraten ist, und sich bemüht, da wieder herauszuhelfen. Vor allem *Caplan* [30] und seine Arbeitsgruppe haben sich um solche Strategien bemüht. Im deutschsprachigen Raum versuchen *Gastager* und auswärts andere familiendynamisch orientierte Psychiater, diesen Weg fruchtbar zu machen [63, 5, 121]. Diagnostische Überlegungen des Arztes oder des Psychologen entfalten nach dieser Vorarbeit dann viel eher ihren guten Sinn, im zweiten Akt all die Faktoren herauszuarbeiten, welche die Krise mitbeeinflußt haben.

Wenn augenblickliche oder längere Einsamkeit der gemeinsame Nenner aller Selbstmordhandlungen ist und sich von daher Selbstmord ohne Depression nicht denken läßt, sich schließlich von daher auch der hohe Anteil der klinisch-sichtbaren Depressionen verstehen läßt, verwundert es nicht, wenn bestimmte Belastungssituationen besonders leicht Selbstmordhandlungen nach sich ziehen. Es sind solche eben, die zu Einsamkeit führen, ganz generell gesagt Verlustsituationen. Daran schließt sich die Frage, warum von einigen Einsamkeit nach solchen Verlusterlebnissen, die alle kennen, als unerträgliche Katastrophe erlebt wird – von vielen anderen aber wiederum nicht.

Bevor die entwicklungspsychologisch-biographische Herkunft der Bedeutung von Einsamkeit erörtert wird, sollen Beispiele deutlich machen, wie gewaltig das Ausmaß des Affekts Depression sein kann. Die Beispiele vermitteln gleichzeitig ein Verständnis für den Stellenwert von Einsamkeit, daß nämlich Depression und Einsamkeit, die wir hier einmal als auswechselbare Begriffe verwenden wollen, zu Gewalttätigkeit gegen sich und andere führen können.

Ein junger Mann wuchs ohne Geschwister auf. Der Vater war im Beruf sehr engagiert, die Mutter verfolgte ehrgeizig künstlerische Ambitionen. Das Kind störte beide, mußte zur Oma, kam ins Heim, reagierte frühzeitig mit spezifischen Depressionen des Kindesalters, bekam später Magen-Darm-Störungen. Im Kindergarten hatte es Angst, in der Schule fand der Bub keine Freunde, bis er sich im vierzehnten Lebensjahr in einen älteren Mann verliebte und schon damals mit Selbstmordgedanken spielte in dem Bewußtsein, er sei homosexuell. Der ältere Freund vermochte ihn zu halten, ermöglichte auch nach geraumer Zeit die Trennung, die den inzwischen zum Abiturienten herangereiften ausgeglichen und gefestigt hinterließ.

Bald danach hatte er sogar eine länger dauernde glückliche Beziehung zu einer Studentin. Doch das blieb eine Affäre. Allmählich wurde er wieder von Verlassenheit und Einsamkeit überfallen, er vermißte seine Eltern, verwand seine Geschwisterlosigkeit nicht und versuchte es wieder bei Männern. Diese Beziehungen blieben lange Zeit rein sexuell. Die wenigen Gelegenheiten, einen homosexuellen Liebespartner zu finden, beschränkten sich auf „Jungen", die Verkehr wollten und finanzielle Vorteile. Die literarischen, musikalischen und sonstigen künstlerischen Neigungen zu eigener Produktivität blieben unausgelebt.

Schließlich kam es zur Verbindung mit einem Mann aus einem sozial-karitativen Beruf. Der Mann war zwar von einfachem Gemüt und niederem Niveau der persönlichen Differenzierung – aber er hatte ein Gefühl für Liebe. Um so tiefer war die Enttäuschung unseres Jurastudenten, als er feststellen mußte, daß im Leben seines Freundes auch noch andere Männer eine Rolle spielten. Er nahm das zunächst hin, versuchte in Gesprächen, sich mit dem Problem auseinanderzusetzen, wurde aber immer einsamer und fühlte sich unverstanden. Der andere verstand das wieder nicht, die Beziehung wurde gespannt und gereizt, es kam zur Trennung. Der Student litt, versuchte sich mit anderen zu trösten, hoffte aber immer auf Wiederherstellung der alten Gemeinschaft.

Eines Tages besuchte ihn sein alter Freund und schlug einen gemeinsamen Spaziergang vor. Dieser verlief harmonisch, auch ein anschließender gemeinsamer Kaffee. Gegen Abend stieß der neue Freund des alten dazu; die Aussichten auf ein klärendes Gespräch oder gar eine Versöhnung schwanden dahin. Alkohol begann zu fließen und zu wirken. In einer Kneipe ging es weiter. Der Jurastudent saß allein an der Bar, der andere begann einige Tische weiter mit beleidigenden Äußerungen – man ging auseinander.

Auf der Straße packte den Juristen die Wut, und er griff seinen früheren Freund tätlich an, ließ aber schnell wieder von ihm ab. Noch tiefer verzweifelt nun über seine eigene Ungerechtigkeit, drängte er vermehrt auf eine Aussprache und ging in die Wohnung des Freundes, zu der er noch einen Schlüssel hatte. Er wollte dessen Rückkehr abwarten, um mit ihm zu sprechen. Statt dessen rannte er beim Heimkommen des Freundes in die Küche, holte ein Brotmesser und stach wild auf ihn ein. Er verletzte ihn am Hals, an beiden Armen und an der Brust, wie durch Zufall nicht lebensgefährlich. Dann machte er eine Irrfahrt mit dem Auto zu seiner Mutter, zur Wohnung zurück, zum Krankenhaus, zur Polizei. Nach 24 Stunden fand er sich in seinem eigenen Bett wieder, wußte vom Betreten der fremden Wohnung nichts mehr, erfuhr vielmehr nach seiner Festnahme von den Polizeibeamten alles, was passiert war.

Das – von den Fachleuten allerdings kontrovers diskutierte – Ergebnis der Untersuchung war eine sogenannte „retrograde Amnesie", hervorgerufen durch den außergewöhnlich starken Affekt der Depression und Verzweiflung über die verlorene Liebe und die totale Vereinsamung.

Ein 16jähriges Mädchen versuchte während ihrer Lehrzeit, eine ältere Raumpflegerin von hinten zu erschlagen. Sie hatte sich nach Geschäftsschluß im Keller versteckt und der Frau dann aufgelauert. Nach mehreren Schlägen auf den Kopf stellte die sich tot. Das Mädchen rannte auf die Straße, demolierte mehrere Parkuhren, durchstach Autoreifen und legte sich schließlich auf eine Parkbank. Dort wurde sie am Morgen tiefschlafend von

Passanten gefunden. Beim Erwachen in einer privaten Nervenklinik wußte sie vom Ende der Geschäftszeit an nichts mehr.

Auch hier ergab das diesmal übereinstimmend anerkannte Ergebnis der Untersuchung einen außergewöhnlich starken Affekt der Depression, der auch hier die retrograde Amnesie verursacht hatte. Das Mädchen hatte ein Liebesverhältnis mit seinem herrschsüchtigen Vater, dem sie nicht entrinnen konnte. Die Mutter war entsprechend eifersüchtig. In der Not und Verzweiflung über den Haß der Mutter ergriff das Mädchen die Flucht nach vorne und suchte sich an einer Übertragungsfigur, in Gestalt der älteren Raumpflegerin, zu entlasten. In beiden Fällen waren übrigens durch eingehende Spezialuntersuchungen Giftwirkung oder anatomische Gehirnveränderung oder Schädel-Hirn-Verletzung als Ursache für die retrograde Amnesie ausgeschlossen worden.

Solche Anfälle von Depression, diesen Ausdruck verwandte übrigens schon *Kraepelin* (1856-1926) bei seiner bis heute klassischen Beschreibung der manisch-depressiven Erkrankung [113], zeigen unmißverständlich die gewaltige Wirkung des Affekts, der auch bei Selbstmordhandlungen gelegentlich zu beobachten ist. Auch hier löst er manchmal eine retrograde Amnesie aus, ohne daß dafür Gewalteinwirkungen oder Vergiftungen verantwortlich gemacht werden könnten.

Ein Landarzt, der mit Depressionszuständen aus persönlicher Erfahrung vertraut und auch von Selbstmordgedanken nicht frei war, wähnte sich auf dem Höhepunkt seines privaten und öffentlichen Erfolgs. Er fühlte sich glücklich und zufrieden mit dem, was er erreicht hatte. Zustände von Traurigkeit und Gefühle des nahen Todes lagen in seiner Erinnerung weit zurück.

Eines Morgens, mitten in der Woche, wachte er um halb elf Uhr übermüdet und völlig zerschlagen auf. Seine Frau war verreist, die Kinder schon in der Schule. Er machte sich eilig auf in die Praxis, um die Nachmittagssprechstunde zu halten. Er dachte nämlich, er hätte seinen gewohnten Mittagsschlaf gehalten und seine Uhr sei stehengeblieben. Die Sprechstundenhilfe bedeutete ihm überzeugend, es sei doch erst elf Uhr und er solle sich noch etwas hinlegen. Der Puls war auf ganz flache Ausschläge zurückgegangen und der Blutdruck auf 90/60 abgesunken.

Gegen Mittag ließ sich der Kollege wieder nach Hause fahren, nahm einen kleinen Imbiß zu sich und legte sich nochmals zum Schlafen hin. Die Sprechstunde fiel aus. Am frühen Abend war er wieder ganz da, und zu seinem großen Erstaunen fiel sein Blick auf drei leere Zehnerpackungen eines mittelschweren Schlafmittels im Papierkorb seines Arbeitszimmers. Er fand sofort des Rätsels Lösung, allerdings nur zum Teil. Denn wie er diese Tabletten eingenommen, wie er sie von ihrem angestammten Platz in der Glasvitrine seiner Bibliothek geholt hatte und wie alles vor und nachher abgelaufen war, hatte er mit keiner Spur mehr im Gedächtnis. Das letzte war die Erinnerung an ein harmonisches Abendessen mit seinen Kindern und ein frühes Zubettgehen vor 22.00 Uhr nach einem anstrengenden Arbeitstag.

Die Untersuchung ergab nachträglich, daß der gerade 50 Jahre alt gewordene Mann einem schweren Anfall von Depression ausgesetzt war, nachdem seine Frau allein in einen Winterurlaub gefahren war, der Sohn

Reisepläne für mehrere Wochen nach dem Abitur angemeldet hatte und seine Geliebte sich von ihm trennen wollte, um ihre finanziell ergiebige Ehe nicht zu gefährden. Bewußt genoß der Doktor seine durch lange Lebenserfahrung gewonnene Stärke, mit der er das alles ertragen zu können glaubte. Unbewußt verzweifelte er in restloser innerer Einsamkeit, die ihn mit schlafwandlerischer Sicherheit zu den Tabletten führte, von denen er einen sanften Ausweg aus allem Leid erhoffte und die seiner Verleugnungstendenz nachhelfen sollten.

Nach diesem Ereignis war die Depression für jeden erkennbar. Der Mann sah mitgenommen aus, fühlte sich um zehn Jahre gealtert, war bedrückt, seine Umgebung belastet zu haben, besorgt, sein Ansehen in den Berufsverbänden zu verlieren, bekam Angst vor weiteren schwachen Stunden und erlebte sich, durch einen Graben von seinen Mitmenschen getrennt, bereits auf der anderen Seite.

Schon immer sehr reflektiert und geübt im Umgang mit seinen Träumen, wurden ihm allerdings bald wesentliche Bereiche seiner Persönlichkeit mit den für ihn lebenswichtigen Ansprüchen und Bedürfnissen wieder zugänglich. Nacht für Nacht tauchten nacheinander alle für ihn wesentlichen Konfliktpersonen auf, und vor allem wurde auch seine gehemmte Aggression deutlich sichtbar. Mit der Ehefrau träumte er eine heftige, lautstarke Auseinandersetzung um die Kinder. Die Geliebte saß bei einem Festmahl und durchschnitt sich selbst öffentlich, fast rituell anmutend, Kehle und Halsschlagadern. Blutüberströmt diente die Frau im Traumbild als Projektionsfigur zur Entlastung seiner eigenen zerstörerischen Impulse. Mit dem Sohn gab es einen handfesten Boxkampf.

Aus der Durcharbeitung der Träume konnte er allmählich für seine weitere Lebensgestaltung Konsequenzen ziehen. Er lernte, sich mit seinen Intimbeziehungen weniger zu übernehmen und seinem sehr einfachen Liebesbedürfnis zur Erfüllung zu verhelfen. Später verlor er mehr und mehr seine Angst vor dem Sterben, sowohl vor dem eigenen wie vor dem seiner Patienten. Verlust und Trennung waren keine Katastrophen mehr. Die Lebensgefahr, in der er geschwebt hatte, hatte ihm den Tod näher gebracht und sein Vertrauen und seine Sicherheit in die Welt um diesen Bereich erweitert.

Aus meiner vielfältigen Erfahrung mit Selbstmordhandlungen ist mir dies der einzig erinnerte Fall mit retrograder Amnesie. Im Gespräch mit anderen Psychiatern erfuhr ich bisher von zwei weiteren Fällen. Aus der Literatur kenne ich keinen. Wohl gehören in diesen Zusammenhang die Fälle sogenannter unbewußter Selbstmordhandlungen, die vor allem im Straßenverkehr begangen werden und oft zu schweren Unfällen führen

[220]. Jedoch sind diese von Fällen retrograder Amnesie scharf zu trennen. Man darf annehmen, daß die letztgenannten häufiger vorkommen, als berichtet wird. Das verwundert nicht, wenn man einmal die Tendenz der Hemmung zur letzten, ungeschminkten Aufklärung von Selbstmordhandlungen als menschlich verständlich in Betracht zieht. Andererseits ist die Gewalt des Affekts sehr ernst zu nehmen, dessen bewußtseinstrübende oder gar bewußtseinsausschließende Wirkung der Psychiatrie bekannt, wenn auch unheimlich ist [85, 142, 228].

Frühkindliche Mutterentbehrung und die Depression

Warum führen Anfälle von Einsamkeit und Depression nun bei einigen so leicht auf den Weg der Selbstmordhandlung, bei vielen wiederum auch nicht? In einer 1976 erschienenen Arbeit stellt der in Genf arbeitende Psychoanalytiker *Haynal* wieder einmal mutig die banale Frage, warum wir nicht alle ständig unter Depressionen leiden, da wir doch von Geburt an dauernden Veränderungen, genauer gesagt, ständigen Trennungs- und Verlusterlebnissen, unterworfen seien [77]. Es ist in diesem Zusammenhang an die von Biologen – *Portmann* spricht vom extrauterinen Frühjahr [173] – und von Psychologen – *Mahler* spricht von Symbiose [127], *Balint* von Dualunion [13], *Spitz* von Dyade [214] – gleichermaßen hervorgehobene Besonderheit des ersten Lebensjahrs des Menschen zu erinnern. Gekennzeichnet ist es durch eine totale Abhängigkeit des Kleinkinds von der Mutter und eine Hilflosigkeit, die etwa um den 18. Monat allmählich in eine Selbstständigkeit übergegangen ist, mit der Fähigkeit, die Außenwelt getrennt von sich zu erkennen und wahrzunehmen.

Piaget [149] hat sich mit den psychobiologischen Entwicklungsprozessen beschäftigt, die für diesen Vorgang Voraussetzung sind. Der Anfang des menschlichen Lebens ist beherrscht von einem langsamen, aber ständigen Trennungsprozeß aus dieser symbiotischen Lebensgemeinschaft, von einem ständigen Verlusterleben und einer ständigen Enttäuschung. Die Entwicklung ist, so gesehen, zutreffend mit einem dauernden Trauerprozeß verglichen worden [77]. Es ist verwunderlich, daß die Menschen diesen überstehen und im allgemeinen nicht bei jeder neuen Trennung oder jeder neuen Enttäuschung alte Wunden wieder aufreißen und das Trauern jedesmal von neuem beginnt.

Die Psychoanalyse hat zur Erklärung des Gegenteils an ihrer klassischen Definition des Traumas festgehalten, indem sie das Verhältnis der Schwere einer belastenden Situation zu den Möglichkeiten der Verarbeitung ins Auge faßt. Von da aus wird dann auf die entsprechende Kränkung oder Verletzung geschlossen. So erklärt die Psychoanalyse, daß die „anaklitische Depression" des Kleinkinds [214] – die *Spitz* zwar von der eines Erwachsenen wegen noch nicht vorhandenem Über-Ich trennt, *Jacobson* [97] aber in Anlehnung an *Abraham* und *Rado* doch sehr verwandt dem erwachsenen Menschen in allen Lebenslagen vorkommt – oder die „depressive Position" des Kleinkinds, von deren beobachtbarem Vorhandensein Melanie *Klein* [106] inzwischen so ziemlich alle Experten überzeugen konnte, überwunden werden kann und nicht Brutstätte immer neuer Hilflosigkeit, Hoffnungslosigkeit oder Vereinsamung bleiben muß [77].

Ebenso mutig beantwortet *Haynal* [77] die eingangs gestellte Frage, wieso wir nicht alle depressiv werden, in deutlicher Weiterentwicklung der klassischen Psychoanalyse nicht mehr mit dem Hinweis auf eine unsichtbare Anlage, sondern vielmehr mit dem auf eine sehr konkrete, historische Person. Er meint und interpretiert die Erfahrungen aus psychotherapeutischen Behandlungen seiner Patienten, daß die historisch-biographischen Erfahrungen mit den Bezugspersonen darüber entscheiden, ob wir für Einsamkeit verwundbar bleiben oder Erlebnisse, dem Schmerz frühkindlicher Verluste und Trennungen ähnlich, nicht mehr als solche empfinden, sondern ohne Depression überstehen.

Freud hat 1908 in einer weniger bekannten Arbeit: „Der Dichter und das Phantasieren" [56] geschrieben, daß der Mensch sich nie endgültig durch Verluste berauben läßt. Er nimmt da einen Hinweis auf den Vorgang der Verinnerlichung vorweg, den er später 1917 in „Trauer und Melancholie" [59] genauer ausgeführt hat und den ich in zwei Arbeiten zum Thema Depression ausführlicher wiedergegeben habe [157, 162] Der Grundgedanke ist, daß man eine verlorene, geliebte Person im Inneren als Bild wiederaufrichten und damit oder davon leben kann. Was die Psychoanalyse in der ihr eigenen Kunstsprache mit „inneren Objekten" und „Introjektion" meint, betrifft die Alltagserfahrung, mit der man sich über eine verlorene Liebe hinweghilft, indem man die Erinnerung daran bei sich wachhält. Die meisten Menschen haben das gelernt und sind deshalb nicht dauernd depressiv, trotz schmerzlichem Alltag und enttäuschender Umwelt.

Die depressiven Menschen dagegen haben diese innere Sicherheit nicht, sie können nicht mit sich allein sein, haben innen nichts, sind von Gefühlen zwischen Liebe und Haß zerrissen, klammern sich an eine idealisierte Person, um sie bei der ersten Enttäuschung wieder total fallen zu lassen, haben einer Belastung oder Kränkung nichts entgegenzusetzen – weil sie die Sicherheit in der Anfangszeit ihres Lebens nicht erfahren haben, die einmal dagewesen sein muß, um sie zu verinnerlichen. Frühe Verluste geliebter Bezugspersonen markieren immer wieder die Lebensgeschichte depressiver Persönlichkeiten, soweit dieser genügend Aufmerksamkeit geschenkt wird [1]. Entscheidender ist noch das historisch-konkrete Verhalten der Bezugsperson, mit dem diese die Fähigkeit zur Verinnerlichung erlernbar machen kann oder nicht [187].

Haynal hat von „Antworten" oder „Gesten" der Mutter gesprochen, die eine Verbindung zwischen den inneren Wunschbildern und den äußeren Gegebenheiten herzustellen vermögen, damit die innere Welt nicht nur Phantasie bleibt, sondern tatsächlich Befriedigung und Lebensmöglichkeit verschafft. Dazu ist eine frühe Bezugsperson, meistens die Mutter, notwendig, die nicht nur äußerlich anwesend ist, sondern vielmehr mit ihren Gefühlen präsent und mit ihrem eigenen Leben reagiert. Bekannt sind die Folgen der inneren Abwesenheit bei manischen oder depressiven Phasen entsprechend erkrankter Mütter für ihre Kinder, die sich äußerlich an nichts halten können, so wenig wie später innerlich [214]. Nicht ohne Folgen bleiben auch gefühlsarme oder gefühlsunbeholfene Verhaltensweisen für die Umgebung, die da nie weiß, wie sie mit dem anderen dran ist, weil er gar nicht oder ganz unangemessen reagiert. Es entsteht kein sich dauernd ergänzendes Wechselspiel, in dem beide Seiten sich verändern und weiterentwickeln, sondern ein beziehungsloses Nebeneinander.

Was für die sogenannte „Schizophrenie" und die sogenannte „Neurose" durch einige Arbeitsgruppen zu untersuchen begonnen worden ist, nämlich die besondere Form der Interaktion und des Familienstils, in dem sich schizophrene oder neurotische Verhaltensweisen entwickeln, steht für das Zustandekommen des depressiven Affekts noch aus [5, 30, 63, 121]. Untersuchungen in solchen Familien, in denen Selbstmordhandlungen vorkamen, würden in der nächsten Zeit unser Verständnis dafür wahrscheinlich am meisten bereichern. Das Zählen der Soziologie müßte durch das Interpretieren der Psychologie eine sinnvolle Ergänzung finden. Jedenfalls wird in der Lebensgeschichte vieler, die als Ausweg aus bestimmten Lebenskrisen nur noch den Selbstmord sehen, häufig die Erfahrung geschildert, mit ihren Wünschen nicht positiv aufgenommen zu werden, ja überhaupt keine Antwort zu erhalten, sondern sogar Zurückweisung zu erfahren, so daß keine befriedigende Verinnerlichung möglich wird. Eine ständige Wut auf die dauernd enttäuschende Umwelt wird die Folge, erklärt den vertrauten Umgang mit der Aggressivität gegen sich selbst und andere, die *Haynal* [77] „einen Hilferuf ohne Hoffnung" genannt hat. Eine „vertrauensvolle Erwartung" (confident expectation, *Erikson* [43]) in die Zukunft, in andere Menschen, anders als total illusionistisch ist nicht eingetreten, und der Vorgang der Verinnerlichung hinterläßt eine böse Welt, voll Hilflosigkeit, Hoffnungslosigkeit und Verzweiflung, in der man sich nur umbringen kann.

Die Mutter eines meiner Selbstmordpatienten war eine ambitionierte Frauenrechtlerin der ganz frühen Anfangszeit. Aus preußischer Beamtenfamilie stammend, dazu der strengen Katholizität in der Diaspora Berlin ausgesetzt, war es für die Frau selbstverständlich, zu studieren, einen Akademiker zu heiraten und mehrere Kinder zu haben. Zwar wurde der Beruf vorübergehend aufgegeben, aber gelegentliche Schulungen, Kurse und einzelne Vortragsveranstaltungen blieben doch willkommen, Kontakt zu halten und die elitären Ziele der Weiterbildung zu verfolgen. War die Dame in bestimmten Vorlesungen doch die einzige ihres Geschlechts, vom Professor entweder direkt oder gar nicht angeredet, mußte sie nach glänzend bestandenem Examen für das Recht der Frauen gerade als Ehefrau und Mutter weiterkämpfen. Das führte zu häufigen äußeren Abwesenheiten.

Schwerer aber wog, daß die Frau innerlich nie ganz da war. Immer beschäftigt mit ihren Terminen und Manuskripten, ließ sie sich von den Kindern nicht stören, hielt sie auf Distanz, reagierte nie spontan. Die Kinder fanden an ihr keinen Halt, hatten viel Angst und waren nie sicher, ob die Mutter wiederkommen würde. Der Vater unterstützte die Öffentlichkeitsarbeit seiner Frau, war stolz darauf und kompensierte damit sein eigenes Schattendasein in einem wenig aufsehenerregenden Beruf. Die ganze Familie machte aus den Reisen der Frau im wahrsten Sinne einen „großen Bahnhof“, indem sie sie zu gegebener Zeit zum Zug begleiteten und auch alle zusammen wieder abholten – aber die Kinder trauten sich selbst nichts zu, denn sie hatten nicht gelernt, etwas zu riskieren im sicheren Wissen, zu einer festen Basis zurückkehren zu können. Die Mutter war ja nie für sie da.

Speziell der Sohn, der sich auch noch mit besonderen Erwartungen seines stimmungslabilen und jähzornigen Vaters auseinanderzusetzen hatte, blieb ganz ohne Orientierung und geriet immer wieder in Hoffnungs- und Hilflosigkeit, in denen er den verzweifelten Ausweg in den Selbstmord suchte. Er war Trennungen und Verlusten oder ähnlichen Situationen jeweils so hilflos ausgeliefert, weil er sie nie mit der Erfahrung durchleben konnte, daß diese keine endgültigen und totalen waren. Für ihn gab es immer nur katastrophale Zusammenbrüche, weil er ganz früh und dann auch später nie ein Zusammenleben erfuhr, das Sicherheit und Beständigkeit vermittelte. In seiner Geschichte war es einfach nie sicher und beständig. Ohne vertrauensvolle Erwartung in die Welt machte er dann mit dieser lieber Schluß.

Die Psychologie der Depression als Affekt ist der Psychologie der Selbstmordhandlung sehr verwandt. Es schien sinnvoll, noch einmal näher darauf einzugehen, um eine allmähliche Annäherung an beide Vorgänge zu finden und entscheiden zu lernen, wie die Überschneidungen liegen. Die Betrachtung der Depression als Affekt ist für dieses Vorgehen besonders günstig, spricht man doch von der Selbstmordhandlung auch als von einer Affekthandlung.

Die Ausgangsfrage, gibt es andere Auswege, ist nach den Beispielen und den theoretischen Überlegungen ehrlicherweise mit Nein zu beantworten. Bestimmte Lebenserfahrungen der genannten Art disponieren zur Selbstmordhandlung und geben diesem Ausweg sogar einen zwingenden Sinn. Unter der immer wiederkehrenden Erfahrung unerwiderter Liebe und nach immer wieder scheiternden Versuchen, diese Liebe doch noch zu bekommen, hat es einfach irgendwann einmal keinen Zweck mehr. Negative Erfahrung und gescheiterter Versuch führen sich in einem Teufelskreis vom negativen Anfang her immer wieder selbst herbei [93].

Die anderen Auswege sind nur scheinbar anders. Es war schon erwähnt worden, daß die Sucht mit der Selbstmordhandlung psychologisch sehr verwandt ist und als „protrahierter Selbstmord“ bezeichnet wurde [134]. In unserem Beispiel tauchte auch die Homosexualität auf als verzweifelter Versuch, durch das körperliche Angebot den anderen doch noch aus seiner Reserve zu locken. Der Jurastudent wollte vom Vater so geliebt werden wie die Mutter vom Vater, dessen Beruf er ergreifen wollte, mit dem ihn dieselben künstlerischen Interessen verbaden, mit dem er aber nie in einen warmen Gefühlsaustausch kam. Im homosexuellen Verkehr vollzog er diesen gewissermaßen symbolisch und blieb natürlich einsam. Von der Mutter ging auch nichts aus, was ihn anzog oder befriedigte, also konnte er nur versuchen, sich ihr anzugleichen, um in dieser Verschmelzung wieder einsam zu bleiben.

Menschen mit dieser oder vergleichbarer Einsamkeitserfahrung sind auf dem Ausweg in die Selbstmordhandlung, oder sie suchen sich ähnliche, grundsätzlich aber keine anderen Auswege. Der *wirklich positive andere Ausweg,* der einer anderen Gemeinsamkeit mit der mitmenschlichen Umwelt, scheint versperrt. Nun ist interessant, daß direkte Untersuchungen zum Thema Vereinsamung keinen sehr engen Zusammenhang zwischen Selbstmord und diesem Zustand ergeben haben. Es ist zu prüfen, ob dieser Befund dem gerade dargelegten widerspricht.

Seit 1950 etwa gibt es eine empirische Psychoanalyse, wenn man dies in Analogie zur empirischen Sozialforschung einmal so nennen will. Diese ist eng mit den Mamen *R. Spitz* [214] und *J. Bowlby* [27] verbunden. Die genannten Autoren haben in der Arbeit mit Kindern Gelegenheit gehabt, bestehende psychoanalytische Theorien über die Entwicklung des Menschen, insbesondere des Säuglings und Kleinkinds, zu überprüfen und zu bearbeiten. Dabei stellte sich insbesondere die Wichtigkeit der konkreten, historischen und biographischen Erfahrungen der Heranwachsenden mit ihren Bezugspersonen heraus, wie das oben schon angedeutet wurde. Die Forschungen über Vereinsamung knüpfen an die Arbeiten insbesondere von *Bowlby* an, weshalb sie der spezielleren Darstellung der Untersuchung über Einsamkeit vorangestellt werden. *R. Spitz* begann schon 1935 mit systematischen Untersuchungen an Säuglingen und Kleinkindern. Er veröffentlichte 1959 eine erste Kurzfassung seiner Ergebnisse und legte 1965 eine umfassende Darstellung vor, die 1967 in deutscher Übersetzung erreichbar wurde [214]. *Bowlby* [27] hat 1953 erste Untersuchungsergebnisse über die Folgen von „Mutterentzug“ für Säuglinge und Kinder veröffentlicht. Er arbeitete in London am *Tavistock Institut of Human Relations.*

Diese Direktbeobachtungen an Kindern während des ersten Lebensjahrs haben vor allem die Bedeutung der ersten Objektbeziehungen, wie das die Psychoanalyse nennt, herausgestellt. Es zeigte sich, wie der Säugling seine Umwelt erlebt, wie seine Beziehungen zu den ersten Bezugspersonen sind und welche Reaktionen auf diese Bezugspersonen eintreten. Dabei war schon in diesem ersten Lebensjahr zu beobachten, daß ein ausgeglichenes Verhalten der Kinder entscheidend von der Festigkeit der Beziehung zwischen Säugling und Bezugsperson abhängt. Schon während dieser Zeit im ersten Lebensjahr sind Depressionszustände im direkten Gefolge von Trennung, Vernachlässigung oder Gleichgültigkeit zu beobachten gewesen. Sie waren Ausdruck eines Objektverlusts und können als instabile Positionen den Objekten gegenüber gelten. Diese Depressionszustände lassen sich durch Entwicklung fester Objektbeziehungen, einer verläßlichen Bindung also, vermeiden.

Während des ersten Lebensjahrs ist im Laufe einer altersentsprechenden Entwicklung regelmäßig ein Zustand zu beobachten, der die Bedeutung der Verbindung zwischen Säugling und Bezugsperson erkennen läßt. *Spitz* hat mit 8-Monatsangst ein Geschehen beschrieben, in dem während einer ersten Stabilisierung einer Beziehung zwischen einem sich entwikkelnden Ich und einem anderen Du das Auftauchen einer dritten Person mit Angst beantwortet wird. Um die Zeit des 8. Lebensmonats entwickelt der Säugling aus einer vorwiegend symbiotischen, verschmolzenen Beziehung zur Mutter heraus eine distanziertere Beziehung, in der sich zwei Wesen gegenüber stehen. Das heranwachsende Individuum vermag die Bezugsperson in einer gewissen Eigenständigkeit wahrzunehmen und durch Nachahmung und Identifizierung in einen Austausch mit dem anderen Partner zu treten. Bald danach stellt sich die Fähigkeit ein, ja und nein zu verstehen, also zustimmende oder ablehnende Äußerungen des anderen wahrzunehmen und damit die Grundlage zum Sprechen zu schaffen. Diese neue Art der distanzierteren Beziehung im Anschluß an die frühere symbiotische Beziehung scheint ein beglückendes Erlebnis zu sein. Allerdings geht die Verselbständigung nicht ohne Schmerzen ab. Das äußert sich darin, daß die neue Fähigkeit und die neue Art der Beziehung zunächst an die Mutter gebunden bleibt. Nur sie kann der Säugling als andere ertragen und sich an ihr freuen.

Taucht ein Dritter auf, kommt es mehr oder weniger zu starken Angstreaktionen. Das läßt sich experimentell nachweisen, indem man sich Kindern in diesem Alter nähert und dann beobachtet, wie sie fremdeln, sich verbergen, strampeln, schreien oder weinen und so ihre Angst offen bekunden. Sie sind noch nicht in der Lage, jeden Menschen in der Umwelt in seiner Andersartigkeit anzunehmen, dafür ist die Fähigkeit zur Objektbeziehung noch nicht stabil genug. Das Erlebnis des Fremden und die Angstreaktion darauf erinnern stark an die Schwierigkeit depressiver Patienten, ihre Mitmenschen in ihrer Andersartigkeit zu erleben und gelten zu lassen. Bei den 8 Monate alten Kindern sind die sogenannten Objektbeziehungen zu Beginn einer Entwicklung noch unstabil, und man kann sich fragen, ob bei den depressiven Patienten die Fähigkeit zu einer stabilen Bindung ähnlich gefährdet ist.

Bemerkenswert ist, daß die sozusagen normale 8-Monatsangst unter bestimmten Bedingungen fehlen kann, und zwar dann, wenn der Säugling eine engere Beziehung zur Mutter oder einer entsprechenden Ersatzfigur gar nicht erst beginnen konnte. Dann muß ihm ein Fremder natürlich nicht ängstigen, weil er gar nicht mit einem Vertrauten konkurriert.

Von besonderer Bedeutung ist die Beobachtung, daß Kleinkinder neben Angstreaktionen bisweilen ausdrückliche Despressionszustände zeigen. *Spitz* [214] hat sie anaklitische Depression genannt. Es handelt sich dabei um die Tatsache, daß Kleinkinder depressiv werden, wenn ihnen über längere Zeit die gefühlsmäßige Zuwendung ihrer Bezugspersonen vorenthalten wird. Dies geschieht hauptsächlich im Zusammenhang mit Trennungen. Die Bezeichnung anaklitisch will zum Ausdruck bringen, daß das Bedürfnis nach Anlehnung an eine fütternde und beschützende Mutter nicht befriedigt wird. Diese Form der Depression tritt frühestens nach dem vierten Lebensmonat auf, nachdem eine gewisse Stabilität der Beziehung zwischen dem Säugling und der Mutter eingetreten ist. Wenn dann wegen Krankheit, Tod oder anderen schicksalhaften Ereignissen das Kind von der Mutter getrennt wird und Zuwendung zärtlicher Gefühle entbehren muß, wird das Kind weinerlich, scheu, teilnahmslos und auch gereizt. Nahrungsverweigerung, Schlaflosigkeit und Anfälligkeit für Erkältungs- und Infektionskrankheiten rücken diesen Zustand in die Nähe ernsthafter Störung des Erlebens und Verhaltens.

Nach 3 Monaten geht dieser Zustand in den einer „gefrorenen Starre“ über, in der kaum noch eine menschliche Regung bei dem Betroffenen wahrzunehmen ist. Bei weiterem Mangel an gefühlsmäßiger Zuwendung soll schließlich sogar der Tod eintreten. Nimmt diese Entwicklung nicht ein solch dramatisches Ende, sind schwere, teilweise irreparable Entwicklungsverzögerungen meßbar. Die Schädigungen und Störungen stehen in direktem Zusammenhang mit der Dauer der Trennung.

Die Trennung, die von den Kleinkindern erlebt wird, ist immerhin analog vergleichbar den Trennungen, denen der Mensch im Erwachsenenalter ausgesetzt ist. Zwar haben die Untersucher und Beobachter dieser Erscheinungen, die bei Kindern festzustellen sind, denen die Mutter ersatzlos entzogen wird oder die von äußerlich anwesenden Müttern keine Gefühlszuwendung erhalten, Bedenken mit der Vergleichbarkeit kindlicher und erwachsener Zustände. Insbesondere *Spitz* [214] hat immer wieder betont, daß die Persönlichkeit des Kindes gegenüber der eines Erwachsenen noch zu wenig entwickelt und ausdifferenziert sei, um echte Depressionszustände vor allem mit dem Inhalt von Schuldgefühlen erleben zu können. Dazu müßten erst Persönlichkeitsstrukturen wie Ich und Über-Ich vorhanden sein, was erst im späteren Leben der Fall sei.

Es war jedoch schon erwähnt worden, daß andere psychoanalytische Forscher, wie z. B. *Jacobson* [97], eine so scharfe Trennung zwischen kindlicher und erwachsener Persönlichkeit nicht mehr machen. Im Mittelpunkt der Depression des Erwachsenen steht das Erlebnis des Verlusts, und um dasselbe Erlebnis geht es auch beim Kleinkind.

Die Direktbeobachtungen an Kindern haben sehr deutlich gezeigt, mit welchen Reaktionen Verluste beantwortet werden. Weiter haben sie auch ein Licht darauf geworfen, wie Verluste unter Umständen verarbeitet werden können. *Spitz* hat beobachtet, daß Kinder zwischen dem neunten und fünfzehnten Lebensmonat unter Umständen ihren eigenen Kot aufessen, wenn sie starken Stimmungsschwankungen der Mütter ausgesetzt sind. „... Dort (im Säuglingsheim) gab es 16 solcher Fälle (Koprophagie- und Fäkalspiele); das sind etwa 10% der insgesamt bis zu jenem Zeitpunkt beobachteten Säuglingspopulation. Das koprophage Verhalten wurde zwischen dem 9. und 15. Lebensmonat festgestellt ..."

Unter diesen 16 Müttern (dieser 16 Säuglinge) zeigten 11 die klinischen Symptome der Depression, 2 von ihnen waren paranoisch, von den 3 übrigen ... wurde keine Diagnose gestellt ... Diese Stimmungen (der Mütter) reichten von extremer Feindseligkeit, verbunden mit Ablehnung, bis zur extremen Kompensation dieser Feindseligkeit in Form von Überbesorgtheit ... Die koprophagen Kinder zeigten den Affektzustand der Depression ..." ([214] S. 165). Aus diesem Zitat geht sehr überzeugend hervor, welche Rolle die historisch-konkrete Person der Mutter für die Entwicklung der Kinder spielt. Die hier geschilderten Mütter können keine stabile Beziehung ermöglichen. Sie schwanken den Kindern gegenüber zwischen heftiger Ablehnung und übertriebener Besorgtheit hin und her, dies jeweils über längere Zeiträume von Wochen oder Monaten.

Kinder von solchen Müttern oder entsprechenden Ersatzpersonen können deren gute und schlechte Seite gewissermaßen nie zusammenbringen, fallen von einem Extrem ins andere. Sie verlieren immer wieder die eine gute und die andere schlechte Seite und reagieren darauf in einer bestimmten Zeit der Entwicklung depressiv. In solchen extremen Fällen fallen die Kinder aber nicht nur durch ein depressives Aussehen auf, sondern gelegentlich auch dadurch, daß sie ihren Kot essen. Das erinnert an den Vorgang der Einverleibung eines verlorenen Liebesobjekts, mit dem die Auseinandersetzung innerlich weitergeht, wie die psychoanalytische Theorie der Depression die Behandlungsergebnisse bei Erwachsenen interpretiert hat. Solche Kinder führen den erwähnten Vorgang der Verinnerlichung gewissermaßen für jeden sichtbar vor, in dem der Kot als Symbol für die verlorene Mutter genommen wird.

In vielen Biographien depressiver Menschen, die sich auch sehr mit Selbstmordgedanken und Selbstmordhandlungen auseinandersetzen mußten, lassen sich Erfahrungen der genannten Art zwischen Mutter und Kind nachweisen. Wenn nach dem 6. Lebensmonat eine gewisse Stabilität der Beziehung zwischen Mutter und Kind nicht eingetreten ist, wird die Anfälligkeit für Angst, Depression, Kontaktstörung und Selbstmordneigung sehr hoch.

Vor allem *Bowlby* und sein Arbeitskreis haben sich über das Registrieren von Symptomen hinaus sehr um eine differenzierte Beschreibung des Verhaltens nach Trennungen bemüht. Sehr bekannt geworden ist seine Einteilung in ein *Stadium des Protests, dann* der *Verzweiflung* und *dann* der *Verleugnung,* die jeweils in Abhängigkeit der Zeit nach der Trennung beobachtet werden [27, 186].

Diese Direktbeobachtung an Kindern hat *Parkes* [146] zum Ausgangspunkt von Untersuchungen an Erwachsenen gemacht. Ihn beschäftigte die Frage, warum man die Auswirkungen von Verlust beim Erwachsenen nicht genauer studiere, wenn über entsprechende Situationen bei Kindern schon so viel sicheres Wissen vorliege. Außerdem nahm er seine Verwunderung über die Vernachlässigung der frühesten Erfahrungen von *Sigmund Freud* mit seiner berühmt gewordenen Patientin Anna O. zum Anlaß seines Forschungsprojekts mit Witwen. Verdankte doch *S. Freud* seine Erkenntnisse über Hysterie der Erfahrung mit Anna O., daß die schweren Krankheitssymptome mit der Krankheit und dem Tod des Vaters in unmittelbarem Zusammenhang standen [54]. Ganz am Anfang der Psychoanalyse war also schon einmal die Bedeutung von Verlusterlebnissen offenkundig, durch die Direktbeobachtung an Kindern wurde sie bestätigt, und es war nun endlich naheliegend, Menschen mit Verlusterlebnissen, d. h. nach dem Tod ihres Ehepartners, auf die Folgen und auf die Verarbeitungsweise hin zu untersuchen.

Bowlby hatte als Zentralbegriff, der alle Beobachtungen an getrennten Kindern decken sollte, *Deprivation* eingeführt. Gemeint war damit alles, was das Kleinkind nach dem Verlust der Mutter entbehren muß, oder all das, wovon es beraubt ist: Die zärtlichen Spiele, die mit dem Stillen verbundenen Intimitäten, die von der mütterlichen Nähe ausgehende Geborgenheit, das Wechselspiel zwischen Mutter und Kind beim Waschen, Anziehen und Ausziehen. Entbehrt werden müssen auch die aufmerksamen Reaktionen der Mutter auf das Schreien des Kindes, die freudige Zustimmung auf ein Lächeln und die Bewunderung der ersten Bewegungsversuche, mit denen das Kind die Mutter nun selbständig festhalten kann. Diese Fähigkeiten des Kindes, mit der Mutter in einen intensiven Austausch zu treten, sind störbar und können schnell verlorengehen. Experimentell nachgewiesen ist, daß das Lächeln des Säuglings schnell vergeht, wenn beständig nicht zurückgelächelt wird [187].

Noch nicht genau genug untersucht ist, was die sogenannte „Badezimmerbehandlung" für Folgen hat, von der frühere Generationen meinten, es bestärke die Selbständigkeit des Kindes, wenn man es unentwegt schreien lasse, bis es von selbst wieder aufhöre. Heute befürchtet man eher, die Kleinkinder auf diese Weise schädlichen Angstzuständen auszusetzen. Die Schädlichkeit von Trennungen bei Kindern bis zum vollendeten 3. Lebensjahr ist abhängig von der Dauer der Trennung, vom Zeitpunkt der Trennung, von Ersatzpersonen für die fehlende Mutter, von der Vertrautheit der früheren Umgebung und dem jeweiligen körperlichen Zustand des Kindes. Die Entbehrung eines festen Bezugspunkts, von dem aus das Kind sich mit der Welt vertraut machen kann im Vorgehen und Zurückkehren, kann „Urvertrauen" [43] nicht entstehen lassen. Unter solchen Umständen der Trennung bleiben fremde Personen immer bedrohlich und findet das Kind nicht zu sich selbst.

Der Partnerverlust

Parkes vermutete, daß ähnliche Deprivationsfolgen im Erwachsenenalter nach Trennung und Verlust zu beobachten sein müßten, weil auch spätere Bindungen unter Erwachsenen eine Ähnlichkeit mit der primären Bindung zwischen Mutter und Kind hätten. Er untersuchte in je nach Ort oder Klinik oder Methode bezeichneten Studien Hinterbliebene auf ihr Befinden und Verhalten:

– Die *Harvard*-Studie betraf 68 Witwen und Witwer aus Boston unter 45 Jahren. Diese Personen wurden 3 Wochen, 6 Wochen und 14 Monate nach dem Tod des Ehepartners interviewt und die Ergebnisse mit denen einer Kontrollgruppe von Verheirateten gleichen Alters verglichen ([146], S. 36/37).

- Die *London*-Studie betraf 22 Londoner Witwen unter 65 Jahren, die während des ersten Jahres nach dem Tod des Ehemanns 5mal interviewt wurden ([146], S. 34).
- Die *Bethlem*-Studie betraf 21 verwitwete Patienten des Bethlem und Maudsly Hospitals in London, die durchschnittlich innerhalb von 2 Monaten nach dem Tod des Ehepartners in psychiatrische Behandlung gekommen waren ([146], S. 42).
- Die *Krankenblatt*-Studie ermittelte aus 3245 Krankengeschichten von zwei psychiatrischen Abteilungen 24 Patienten (2,9%) nach Tod des Ehepartners, der die Betreffenden etwa 1 Jahr nach diesem Ereignis noch zu einer psychiatrischen Behandlung nötigte ([146], S. 38/40).

Die Untersuchungsergebnisse waren überraschend und wurden Ausgangspunkt verschiedenartigster Überlegungen:

Die *Krankenblatt*-Studie zeigte, daß bei 30 der 94 Patienten mit Verlust die psychische Erkrankung 6 Monate nach dem Tod der Bezugsperson aufgetreten war, was der Wahrscheinlichkeit nach nur in 5 Fällen zu erwarten gewesen wäre. Weiter zeigte sich, daß bei 28% der verwitweten psychiatrischen Patienten die Diagnose reaktive oder neurotische Depression gestellt wurde, bei den Verheirateten aber nur bei 15%. Die Studie zeigte schließlich, daß bei vielen die seelische Erkrankung in der Unfähigkeit zur Überwindung des Verlusts bestand.

- Die *Harvard*-Studie ergab, daß Verwitwete anfällig sind für Depressionen, emotionale Störungen, Unruhe, Schlaflosigkeit, Unsicherheit und zu Betäubungsmitteln, Alkohol und Nikotin neigen im deutlichen Unterschied zum Zustand vor dem Verlust und im deutlichen Unterschied zu den verheirateten Kontrollpersonen. Eine Zunahme körperlicher Beschwerden, wie Kopfschmerzen und andere, ergab sich in dieser Studie nicht im Gegensatz zu den Untersuchungen anderer Autoren. Viermal mehr als die Verheirateten waren die Verwitweten dieser Studie innerhalb von 14 Monaten nach dem Tod des Partners im Krankenhaus oder suchten Hilfe bei Pfarrern, Psychiatern oder Sozialhelfern. Der Hausarzt wurde in beiden Gruppen gleich wenig um Hilfe angegangen, was mit dem besonderen Versicherungssystem in USA zusammenhängen kann.
- Die „*London*“- und *Bethlem*-Studie ergaben einen deutlich verschlechterten Gesundheitszustand bei Verwitweten mit vermehrten Besuchen beim Arzt. Dem wurden vor allem Gefühle der Angst, Depression und Schlaflosigkeit geklagt und eine Verschlechterung bereits bestehender

Krankheitszustände vor allem aus dem rheumatischen Formenkreis. Parallel damit ergab sich eine Zunahme von Reizbarkeit und Zorn während der Interviews innerhalb des ersten Jahrs nach Partnerverlust.

Schließlich konnte in anderen Untersuchungen an 4486 verwitweten Männern noch gezeigt werden, daß die Sterblichkeitsrate während der ersten 6 Monate nach Verlust der Frau um 40% höher lag als bei verheirateten Männern der gleichen Altersgruppe. Dabei lagen die Frequenz von Herzinfarkt und anderen Gefäßveränderungen des Herzens bei Verwitweten mit 67% noch höher.

Die hier referierten Ergebnisse lassen aufhorchen auf den Einfluß von intensiv erlebter Trauer auf Gesundheitszustand, seelisches Befinden, Krankheitsauslösung und sogar vorzeitigen Tod. Gelegentlich wird für diese Aufmerksamkeit auch auf die mögliche Bedeutung ähnlicher intensiver Gefühlserschütterungen, wie z. B. Hoffnungslosigkeit oder Hilflosigkeit, hingewiesen.

Überraschenderweise hatte der leider viel zu oberflächlich immer wieder als Materialist kritisierte, in Wahrheit aber sehr sensible, weitblickende Naturforscher *Charles Darwin* [33] schon einmal 1872 sich über die Hilflosigkeit geäußert: „. . . Jede Trauer läßt in uns die Erinnerungen an die Hilflosigkeit-Urerfahrungen, an die ersten Trauerprozesse erwachen . . .“. Das könnte ein moderner Psychoanalytiker geschrieben haben oder jemand, der heute aus der Sicht der medizinischen Psychologie Krankheit als Wiederauflage früherer Lebenserfahrungen zu verstehen sucht. Das Zitat steht jedoch in einem Buch über „The expression of the emotions in man and animals“ aus dem Jahre 1872 des genannten Autors. 1964 erschien eine gekürzte Ausgabe in deutscher Übersetzung [33].

Aus der Gegenwart erschien vor etwa 10 Jahren eine Arbeit, in der Frauen mit dem Gefühl der Hilflosigkeit und Hoffnungslosigkeit nach Verlust beschrieben wurden, bei denen der untersuchende Psychiater daraufhin annahm, sie würden in nächster Zeit an Unterleibskrebs erkranken. In 71% der Fälle traf diese Voraussage zu [196].

Das stark gefühlsbetonte Erlebnis des Verlusts hat also offenbar Folgen, die wir uns früher so ohne weiteres nicht ausgemalt hätten. Weit entfernt sind wir auch heute noch davon, endgültig alles zu dieser Frage geklärt zu haben, vor allem zur Frage des unmittelbaren Zusammenhangs zwischen Verlust und seinen Folgen. Es wäre unzulässig zu sagen, Hoffnungslosigkeit und Hilflosigkeit würden Krebs erzeugen, wie in den Humanwissenschaften, zu denen die Medizin sich auch zählen sollte, überhaupt nicht damit gerechnet werden kann, daß Vorgänge nach dem einlinigen Prinzip von Ursache und Wirkung verlaufen. Daß Gefühle aber entscheidende Faktoren beim Zustandekommen bestimmten Befindens und Verhaltens sind, wird immer deutlicher.

Aus den Beobachtungen der Auswirkungen von *Verlust* bei Verwitweten wurde nun ein ähnliches Deprivationssyndrom abgeleitet und ähnliche Stadien der Verarbeitungen unterschieden, wie sie *Bowlby* für die Trennungserlebnisse bei Kleinkindern vorgeschlagen hatte. Die Erscheinungen der ersten Zeit nach Verlust bei Erwachsenen überschreibt *Parkes* mit *Alarm* und meint damit die unspezifischen Körperreaktionen der Unruhe, die einem allgemeinen Erregungszustand als Reaktion auf Streßsituationen folgen. *Cannon* prägte den Begriff der „Notfallreaktion", und bekannt geworden ist das „allgemeine Adaptationssyndrom" von *Selye* [29, 207], mit dem sich das Individuum auf extreme Belastungen oder Gefahren einstellt, um zum Handeln von Flucht oder Angriff gerüstet zu sein.

Parkes findet, daß seine Verwitweten den Verlust als Gefahr erleben, insofern die veränderte Welt zunächst keine Sicherheit und Geborgenheit mehr bietet. Es fehlt der Gesprächspartner, es fehlt der Intimpartner, es fehlt der Ernährer, um nur einige wichtige Bereiche zu nennen. Die darauf folgende, alarmierende Erregung fand der Untersucher in der Ruhelosigkeit seiner Klienten, die Irritation des vegetativen Nervensystems in Störungen der Körperfunktionen wie Appetit, Schlaf, Herztätigkeit, Atmen und die psychische Veränderung in diesem Stadium in Angst und Wut.

Die Vorstellungen über die Auswirkungen von Streß auf den Menschen werden gegenwärtig mehr auf dessen besondere Lebenssituation zugeschnitten, wenn z. B. *Caplan* [30] 1961 und 1964 mit dem Begriff Krise genauer fassen wollte, was menschlicher Streß ist. Er beschäftigte sich mit besonderen Situationen, in denen der Mensch nicht an gewohnte Erfahrungen und Handlungsmuster anknüpfen kann, sondern neue Lösungen suchen muß. Auf diese Herausforderung und Gefahr der Veränderung reagieren die meisten mit zunächst unspezifischen Spannungszuständen, Körpersensationen und einem Zweifel, schnell die neue Situation zu akzeptieren oder an der alten festzuhalten, einer Unentschlossenheit zwischen Annäherung und Rückzug. Die Entscheidung darüber hängt vor allem von Dauer und Intensität der Krise ab und von den persönlichkeitseigenen Möglichkeiten der Belastbarkeit. Der Zweifel *im Stadium Alarm* ist Grundlage der *nächsten Stufe,* der Verarbeitung von Verlust. Sie wird *Suche* genannt.

Im *Stadium der Suche,* das *bald nach Verlust und Alarm zu beobachten ist* und das eine Entsprechung bei getrennten Kindern in Sehnsucht und Protest hat (s. S. 86), zeigen sich „Anfälle von Gram". Immer wieder steigen Erinnerungen an den Toten auf, die ihn herbeizuholen trachten und außerdem jegliches Interesse an anderen Menschen unmöglich machen. Die Beschäftigung mit dem Toten, mit seinen Sachen, mit seinem Grab, mit seinem früheren Lebensraum beherrscht die ganze Person und vermag ihn auf dem Weg von Sinnestäuschungen sogar wieder zum Leben zu erwecken – wie es manche Verwaisten der erwähnten Studien geschildert haben. Viele konnten in dieser Phase den Tod so wenig realisieren und phantasierten sich immer wieder mit dem Geliebten zusammen, in dem sie für ihn den Tisch mit deckten oder das Bett richteten, wie Patricia *Highsmith* das in „Der süße Wahn“ so ungemein packend geschrieben hat. Manche sannen auch über die Möglichkeit nach, durch Selbstmord sich mit dem Toten wieder zu vereinigen. Aus der *London*-Studie versuchte es aber nur eine, was der Untersucher auch auf die soziale Desintegration im Sinne von *Durkheim* (s. S. 34) zurückführt, die durch Verlust eintritt. Insgesamt ist diese Phase ein ungeheures Leiden, insofern auch der süßeste Wahn irgendwann an der Unerbittlichkeit des Todes zerbricht.

Eine Milderung, wie das nächste Stadium genannt wurde, kann eine „wirkliche Nähe“ mit dem Toten bringen, die durch Verinnerlichung verlorener Objekte (s. S. 41) zustande kommen kann. Dieser Vorgang wird durch intensive Auseinandersetzung mit dem Toten im Traum sehr begünstigt. Träumende Verwitwete litten weniger. *Waller* [230] hat in den 50er Jahren die Bedeutung von „Verlustträumen“ herausgearbeitet und *Hadfield* [76] zur gleichen Zeit die Hilfe der Träume zur Problemlösung. Bei Trauernden findet die klassisch-psychoanalytische Auffassung von Traum als „Wächter des Schlafs“ [55] oder Garant eines psychobiologischen Gleichgewichts [222] eine eindrucksvolle Bestätigung. Eine allerdings nur scheinbare Milderung tritt auch gelegentlich ein bei Verleugnung der Realität des Todes, Abtrennung des Gefühls vom Gedanken oder Hineinstürzen in Arbeit, um abzulenken oder sich zu betäuben. Diese Art von vorübergehenden Abwehrstrategien scheinen den guten Sinn zu haben, Zeit zu gewinnen, bis man in der Lage ist, sich ernst mit der neuen Lage auseinanderzusetzen. Dies scheint auf die Dauer die einzige Möglichkeit, die „Trauerarbeit“ [59] zu einem guten Ende zu führen.

Im Prozeß der Trauerarbeit treten im Wechsel *Zorn* und *Schuld* während des ersten Jahrs nach Verlust auf. *Zorn* oder der *Protest* bei Kindern über oder gegen etwas, was man nicht wahrhaben will, der sich dann auch leicht gegen die eigene Person richten kann. Der depressive Rückzug mit Aggressionsverlust, begleitet von Schuldgefühlen über die gehabte Aggressivität oder früher verweigerter Liebe dem toten Partner gegenüber, bleibt ebenfalls nicht aus. Sie ist auf Grund der Untersuchungen bei Verwaisten mit ärztlicher behandlungsbedürftigen psychischen Störungen häufiger. Die Ambivalenz zwischen Wut und Depression, Aggression oder Flucht, Annäherung oder Rückzug war übrigens in vielen Fällen mit einer ambivalenten Beziehung zum verstorbenen Partner früher verbunden.

Schließlich endet die „Trauerarbeit" mit dem Versuch, wieder man selbst zu sein und neues, eigenes Leben aufzubauen. Der Tote wird nicht vergessen, sondern behält eine verinnerlichte Existenz nach geglückter Introjektion. Der Hinterbliebene findet eine neue Identität, nachdem er frühere Identifikationen mit dem verlorenen Geliebten aufgeben lernte und auch nachträglich zum Schutz vor dem Schrecken des Todes nicht mehr auf Identifikationen mit dem anderen zurückgreifen muß. Er kann nun wieder an die eigene Identität denken.

Die Untersuchung über Vereinsamung ist ein weiterer Beitrag der empirischen Psychoanalyse zur Überprüfung früherer klassischer Theorien dieser Wissenschaft. Die Lektüre von *Parkes* erinnert einmal sehr stark an die Ergebnisse der Direktbeobachtung an Kindern, zum anderen an das, was *S. Freud* 1917 in „Trauer und Melancholie" über Trauerarbeit geschrieben hat. Dort beschäftigte der Begründer der Psychoanalyse sich auch mit dem Verlusterlebnis als Ausgangspunkt zur Erklärung depressiver Verstimmungen. Vor allem untersuchte er die Frage, unter welchen Umständen Trauer nach gewisser Zeit vergeht und unter welchen Umständen es nicht möglich ist, nach Rückzug aller Interessen von der Außenwelt auf sich selbst nach geraumer Zeit wieder Gefühle für andere Menschen zu haben. Die in dieser grundlegenden Arbeit zur Depression ausgedachte „Trauerarbeit" ist fast ein halbes Jahrhundert später, einem Zug der Zeit folgend, an Trauernden im Vergleich zu Nichttrauernden untersucht und weitgehend bestätigt worden. Die grundsätzlichen theoretischen Annahmen konnten aufrechterhalten werden, Einzelheiten wurden genauer und differenzierter herausgearbeitet, wie das in den vorangegangenen Abschnitten geschildert wurde. Eine wichtige Ergänzung fand der schon früh geprägte Begriff „Trauerarbeit" durch „Besorgnisarbeit", womit die Bemühungen gemeint sind, mit denen Menchen sich auf den nahen Tod eines z. B. kranken Angehörigen vorzubereiten versuchen [98]. Sie hat einen gewissen Einfluß auf das Gelingen der Trauerarbeit, die nach dem befürchteten Verlust einsetzt.

Die ausführlichere Schilderung dieser wichtigen, neueren und ungewöhnlichen Untersuchungen bringt die Ausgangsfrage wieder näher in den Blick, warum es für viele Menschen keinen anderen Ausweg aus bestimmten Lebenskrisen gibt als eine Selbstmordhandlung und warum Einsamkeit dazu eine gefährliche Disposition schafft. Es war schon erwähnt worden, daß *Parkes* bei seinen Vereinsamten wenig Selbstmord*handlungen* gefunden hat,z. B. in der *London*-Studie nur einmal. Andererseits waren depressive Verstimmungen und Selbstmord*gedanken* zahlreich, und insofern ist dieses Untersuchungsergebnis kein Widerspruch zu der Auffassung, daß Vereinsamung eine notwendige Vorbedingung zur Selbstmordhandlung ist; – man darf Selbstmordgedanken und Selbstmordhandlungen in diesem Zusammenhang einmal als verschieden starke Ausprägung von Todeswünschen werten. Die andere Frage, die auch schon einmal angeschnitten war, warum wir nicht alle nach Trennungen depressiv, vereinsamt und schließlich lebensmüde werden, bekommt im Lichte der genannten Untersuchung eine neue Bedeutung.

Es ist nicht sicher bekannt und systematisch untersucht, in welchem Ausmaß Verlust und Einsamkeit „krank machen". Es gibt auch keine verbindliche Vereinbarung darüber, was als krankhaftes Erleben oder Verhalten bezeichnet werden soll. Es gibt nur die Feststellung, daß im allgemeinen die Trauerarbeit ein Jahr nach dem Verlust abgeschlossen ist ohne tiefgreifendere Nachwirkungen.

Von dieser Norm weicht ein gewisser Prozentsatz ab, nach *Parkes* wird er als gering bezeichnet. *Gorer* [67] gibt ihn auf Grund einer Untersuchung bei 80 zufällig ausgewählten Verwaisten mit 11% an. Es gilt weiter die Feststellung, daß die nicht abgeschlossene Trauerarbeit oft zu psychiatrisch-ärztlicher Behandlung führt und daß im Mittelpunkt der Schwierigkeiten anhaltende Depressionen, Schuldgefühle, Selbstvorwürfe, Wutanfälle, Selbstmordgedanken und hypochondrische Körpersymptome stehen. Bei den Gruppen, die *Parkes* [146] untersucht hat, waren eine ganze Reihe Verwaister, bei denen im Anschluß an Partnerverlust eine behandlungsbedürftige, psychiatrische Krankheit auftrat. Namentlich Schuldgefühle komplizieren die Lage und die doppelte Tendenz, einerseits die Trauerabeit hinauszuzögern (Verleugnung), also gar nicht erst anzufangen, andererseits am Verlorenen festzuhalten (Trennungsangst), also nicht aufgeben zu wollen. Abhängig ist das vor allem von der Art der Beziehung zum verlorenen Partner, von der Fähigkeit, Bindungen als sicher zu erleben, von der Notwendigkeit, sich auf den Partner verlassen zu müssen, ihn zu brauchen und von der Verflechtung der sozialen Rollen, d. h. des Übergangs gesellschaftlicher Verpflichtungen vom Verlorenen auf den Überlebenden.

Manche Untersucher erklären mit dem letzten Umstand die stärkere Betroffenheit der Frauen von abnorm langen und intensiven Trauerreaktionen und Depressionszuständen. Sie nehmen an, daß die Frauen Rollen übernehmen müssen, auf die sie nicht vorbereitet sind [176].

Die anderen als Einflüsse geltend gemachten Faktoren betreffen, wie schon früher erwähnt, die biographisch-historischen Erfahrungen. Bei Menschen, die in sensiblen Phasen ihres Lebens oft Trennungserlebnissen ausgesetzt waren, reißen alte Wunden wieder auf. Menschen, denen der Partner endlich alles bedeutet hat, was sie früher nie erfahren konnten, fallen in alte Einsamkeit zurück. Menschen, die nie Selbstachtung gelernt haben, stürzen wieder in schlimmste Zweifel. Menschen schließlich, die nicht das Vertrauen gelernt haben, wer weggeht, kommt auch wieder („Bindungssicherheit"), erleiden einen Zusammenbruch. Dieser wird weiter begünstigt:

- wenn vor dem Verlust schon dauernd andere Belastungen auszuhalten waren;
- wenn keine Gelegenheit vorhanden war, sich auf den Tod vorzubereiten;
- Krebskranken wird in manchen Kliniken Gelegenheit gemeinsamen Aufenthalts im Krankenhaus gegeben, um sich gemeinsam auf den Tod des einen vorbereiten zu können [146, S. 167 ff.];
- wenn der Tod jung und plötzlich, also nicht natürlich oder naheliegend, eintritt;
- schließlich wenn der gesellschaftlichen Umstände wegen Trauer nicht gezeigt werden darf, man sich der Tränen schämen muß.

Diese Beobachtungen wurden vor allem an Einzelschicksalen angestellt und werden in den nächsten Jahren in größerem Umfang und an Gruppen mit ziemlicher Wahrscheinlichkeit bestätigt werden können. Es zeichnet sich schon jetzt die Tendenz ab, daß die Frage, warum nicht alle Menschen auf Trennung mit Depression reagieren und wir nicht alle, dauernd mehr oder weniger Trennungen ausgesetzt, traurig sind, klar die Antwort fordert – weil wir jeweils sehr verschiedene Lebenserfahrungen mit unseren näheren oder ferneren Mitmenschen haben.

Die diesem Abschnitt voranstehende Überschrift, „Gibt es andere Auswege", hat damit auch eine Antwort gefunden. Für Menschen mit ganz bestimmten Lebenserfahrungen gibt es in ganz bestimmten Lebenssituationen, die an früher erinnern, keinen anderen Ausweg. Lebenssituationen, in denen die Welt versinkt, kein Bezug mehr dazu da ist, kein Bezug mehr zu einem geliebten Menschen, kein Bezug mehr zu sich selbst, nur noch das Gefühl des Verloren- und Verlassenseins den Menschen mit sich selbst verbindet, die innen aufgebaute Welt der Erinnerungen und Erfahrungen kein Leben mehr verspricht, lassen nichts anderes übrig als dieses mit Gewalt zu beenden, – wenn nicht Hilfe kommt. Wird aber Hilfe gesucht? Wer sind diese Helfenden und Hilfesuchenden, und für wen wird Hilfe angeboten?

4. Für wen wird Hilfe angeboten?

Die Antwort auf die in der Überschrift dieses Abschnittes gestellte Frage scheint einfach, und sie ist es im gewissen Sinne auch. Wer Hilfe sucht, dem wird Hilfe angeboten. Doch enthält diese so einfache Formulierung zwei Voraussetzungen, die der Klärung bedürfen. Es ist nämlich nicht selbstverständlich, wer diejenigen sind, die Hilfe suchen und ebenso wenig selbstverständlich ist, ob denen auch wirklich Hilfe angeboten wird.

Beschäftigen wir uns zunächst mit denen, die Hilfe suchen. Die Zahl derer, die nach einem Selbstmordversuch sagen, mit ihrer Rettung einverstanden zu sein, war schon mit etwa 80% angegeben worden (s. S. 7). Auf der anderen Seite wird diese Rettung auch als Anmaßung empfunden [8,9]. Was ist nun? „Sind es viele oder die meisten oder alle, die mit ihrem Nicht-leben-Können wahrhaftig nicht auf eine bizarre, interessante Weise glücklich sind, näher an irgendwelchen Wahrheiten dran, sondern denen es vielmehr ungeheuer elend geht und denen das Wort ‚*Krank*‘ dieses Kranksein an der Welt eben auch nicht leichter macht“ – wie mir eine empathisch-sensible Schriftstellerin ungefähr mit diesen Worten einmal schrieb. „Ist daher die seit längerer Zeit so schicke, modische Verachtung für alle, die es mit dem Helfen ernst nehmen, ärgerlich, weil alles existentielle Entschlußfassen da nicht hinpaßt, wo man einem noch völlig entrückten und völlig rätselhaft unerreichten jüngeren Mädchen gegenübersitzt, das zwei Tage vorher einen Selbstmordversuch unternommen hat, noch ganz aus dieser Welt herausgenommen.“ Sind solche Menschen vielleicht doch wirklich Hilfesuchende, denen es gar nicht um Freiheit oder Unfreiheit geht und die infolgedessen Helfen auch nicht als Anmaßung einer Anpassung fordernden Gesellschaft empfinden [168, S. 22]?

Betrachten wir diese Situation versuchsweise einmal psychologisch inhaltlich, denn die genannten Zahlen der 80% einverständlich Geretteten (s. S. 7) oder der 80% Vorankündigungen (s. S. 7) oder der häufig so angelegten Selbstmordversuche, daß sie noch rechtzeitig entdeckt werden können, sind mehr von außen beweiskräftig. Die inhaltlich-psychologische Nacharbeitung des Geschehenen überzeugt dagegen mehr innerlich.

Der vor 1938 aus Wien nach London emigrierte Psychiater und Psychoanalytiker *Erwin Stengel* [215] hat jeder Selbstmordhandlung die Appellfunktion bescheinigt, und heute wird jede Selbstmordhandlung gerne als Hilfeschrei an die Umwelt gekennzeichnet [46]. Das würde bedeuten, alle Lebensmüden suchen Hilfe, und sie haben Anspruch auf ein entsprechendes Angebot.

Statistiken wie Einzelschilderungen widersprechen dem. Der aus dem obengenannten Prozentsatz von 80% bleibende Rest von 20% kann nicht ohne weiteres so untergebracht werden, als wenn er auch gern gerettet worden wäre, es aber nur nicht sagen könne. Außerdem trifft man immer wieder auf Darstellungen, die einen ganz eindeutigen Willen zum Sterben erkennen lassen. Auf S. 6 war die Frau erwähnt worden, der nach dem elften Versuch der Tod gelungen war und die vorher ihre Helfer immer wieder angefleht hatte, sie endlich in Ruhe zu lassen (s. S. 6). *Sylvia Plath'* Gedicht, „Madame Lazarus", in dem sie sich mit einer Katze vergleicht, die neunmal stirbt, bevor es vorbei ist, und die dieses Sterben als eine Kunst empfindet, die sie besonders schön kann, verdient auch ganz ernst genommen zu werden. Ganz deutlich wird in dem Gedicht, daß hier jemand sterben will und Hilfe als Behinderung empfindet. Ob das Sterben dann ein Akt der Freiheit, der Selbstverwirklichung ist, läßt sich aus der Sicht von Medizin und Psychologie nur schwer sagen. Beobachtet werden kann und die Erfahrung lehrt, daß Menschen das Leben nur noch als Belastung empfinden, es ablegen und sich zur Ruhe legen wollen. Hilfe ist dann unmenschlich und so problematisch wie im Zusammenhang mit dem Wunsch nach dem Gnadentod bei unheilbarer Krankheit [40].

Aber es gibt auch die anderen, die sagen, ich wußte mir nicht mehr anders zu helfen, die also ganz deutlich Hilfe fordern. Die Sozialwissenschaft und insbesondere die Kommunikationswissenschaft beschreiben Problemlösungsversuche und Problemlösungsverhalten. Gemeint sind damit Strategien, die Menschen anwenden, um aus Konfliktsituationen herauszukommen. Die Psychologie und die medizinische Psychologie haben dies übernommen und beschreiben typische Konfliktmodelle mit den dazugehörigen oder daraus folgenden Handlungsmustern. Damit sollen oft vorkommende Lebenssituationen ins Auge gefaßt und das sich daraus ergebende Handeln verständlich werden. Es ist außerordentlich fruchtbar, die Selbstmordhandlung als Problemlösungsversuch und Problemlösungsverhalten zu betrachten. Dann wird die Antwort auf die Frage, wer sucht denn wirklich Hilfe, leicht. Man ist dann nicht mehr darauf angewiesen, jemanden zu fragen, ob er Hilfe sucht. Läßt sich eine Selbstmordproblematik als Problemlösungsversuch erkennen, wird Hilfe indirekt gewünscht. Sie würde dann darin bestehen, einen dahinterliegenden Konflikt aufzudecken und an dessen Lösung mitzuarbeiten. Gelegentlich war schon angedeutet worden, daß es vielfach bei Selbstmordhandlungen um Partner- und Berufskonflikte geht, also um solche zwischen dem Betroffenen und der Umwelt. Das ist sozusagen die äußerlich sichtbare Seite. Die innere Seite der Konflikte betrifft entweder mehr einen Aggressionskonflikt oder einen narzißtischen Konflikt. Der Schauplatz ist der Betroffene selbst, auf dem gegensätzliche Gefühle wie Liebe und Haß oder wie idealer Wunsch und reale Befriedigung miteinander im Widerstreit liegen.

Es wäre eine lohnende Aufgabe, im Rahmen verschiedener Konfliktmodelle, die nicht wie die letztgenannten der Psychoanalyse entstammen, die Selbstmordhandlung zuzuordnen und zu bestimmen. Daraus ergibt sich vielleicht auch noch eine Reihe anderer Lösungsstrategien als nur psychotherapeutische. Ein solcher Versuch würde aber den Zusammenhang der vorliegenden Darstellungen zu sehr zerreißen und müßte einmal gesondert vorgenommen werden. Eine sorgfältige Aufmerksamkeit auf die Arbeit der Kommunikationswissenschaft und speziell die der Konfliktforschung ist aber, wie schon erwähnt, sicher für die vertiefte Erkenntnis der Selbstmordhandlung förderlich [167].

Wer Hilfe sucht und dem sie möglicherweise auch angeboten wird, sind nicht nur die „glücklich“ Geretteten oder die es vorher ankündigen oder die einen Konflikt zu lösen suchen, sondern ganz einfach auch die, die sich direkt um Hilfe bemühen. Diese Menschen gibt es. Es ist nicht so, daß Selbstmordgedanken und Überlegungen an den Tod immer nur heimlich in aller Stille entstehen und ausgetragen werden. Es war schon darauf hingewiesen worden, daß etwa 80% aller Selbstmordhandlungen vorher in irgendeiner Weise angekündigt werden (s. S. 51). Aber noch direkter werden Wünsche um Hilfe laut, wenn z. B. jemand, sich krank fühlend, dem Arzt seine Selbstmordgedanken klagt und von ihm Befreiung von diesem Symptom erwartet. Ebenso häufig begeben sich auch Menschen in Krankenhausbehandlung, sogar auf geschlossene Stationen, um sich vor sich selbst zu schützen. Manche, die an ihre Selbstmordproblematik gewöhnt sind und damit umzugehen gelernt haben, sorgen dafür, in kritischen Zeiten nicht allein zu sein. Sie gehen zu Freunden oder verlassen die Familie nicht, bis die Selbstmordabsichten nicht mehr so quälend sind und das Alleinsein keine akute Gefahr mehr bedeutet. Das Telefon spielt für viele eine große Rolle, nicht nur in Form von anonymen Anrufen bei der Telefonseelsorge oder anderen Beratungsstellen, sondern auch als Brücke zu Verwandten oder Bekannten, die direkt um Hilfe gebeten werden [182, S. 2199].

Solche direkt geäußerte Hilfsbedürftigkeit wird leicht vergessen, weil öffentlich bekannter die Fälle werden, die zwangsweise wegen Selbstgefährdung in die geschlossene Abteilung eines psychiatrischen Krankenhauses eingewiesen werden oder bei denen ganz unbemerkt von der Umgebung nach vollzogener Tat ein Abschiedsbrief von langer Qual Zeugnis gibt, die sich nicht zu einer Bitte um Hilfe erleichtern konnte. Erinnert man sich in diesem Zusammenhang noch einmal an die „Appellfunktion" jeder Selbstmordhandlung [215] oder an den „Hilferuf an die Umwelt" [46], den jede Selbstmordhandlung darstellen soll, wird der Kreis derer, die Hilfe suchen, sehr groß, und der zweite Til unserer Frage, für wen wird Hilfe angeboten, bekommt eine negative Antwortrichtung.

Es kann nicht davon ausgegangen werden, daß alle, die Hilfe suchen, diese auch bekommen. Die Zahl derer ist eben doch zu groß. Darüber hinaus wird es sich oft als unmöglich erweisen, dem Selbstmordgefährdeten in seinen kritischen Augenblicken Hilfe zu stellen, weil man entweder darüber nicht orientiert wurde oder weil es fast unmöglich ist, denjenigen zu finden, der in richtiger Weise dem die Hilfe bringt, der ihrer bedarf. Auch sind diejenigen, die helfen wollen und helfen könnten, nicht immer geeignet, entweder aus einer aktuellen Stimmung heraus oder von ihrem gesamten persönlichen Lebensverständnis her. Schließlich steht das öffentliche Bewußtsein zwischen dem Wunsch nach Hilfe und dem Angebot, insofern Sterben und sogar Sterben von eigener Hand ungeliebte Bezirke sind, die man meidet und denen man gerne ausweicht. Es gibt keine speziellen Ausbildungsgänge für Selbstmordverhütung, und die Wissenschaft beginnt erst allmählich, aus Selbstmordverhütung ein Spezialgebiet zu machen. Kostenträger für entsprechende Aktivitäten sind schwer zu gewinnen.

Daß genügend Lebensüberdrüssige Hilfe suchen, machen Zahlen von *Ringel* [182] deutlich, die von *Farberow* [45] und *Simon* bestätigt werden. Danach haben in entsprechenden Untersuchungsgruppen mehr als 50% derjenigen, die durch Selbstmord endeten, Wochen oder Tage vorher einen Arzt aufgesucht. In Wien und in Los Angeles zusammen waren 23% der Suizidanten eine Woche, weitere 21% einen Monat vor dem Selbstmord beim Arzt zur Behandlung oder Konsultation gewesen. Dabei handelte es sich nicht um Fachärzte für Psychiatrie, sondern um Allgemeinärzte, was zeigt, daß der Selbstmord ein sehr viel allgemeineres Problem ist als ein psychiatrisches [45, 91].

Das geht auch sehr deutlich aus Untersuchungsergebnissen von *Linden* [123] hervor. Ohne an dieser Stelle die alte und unfruchtbare Diskussion wieder neu entfachen zu wollen, wie ernst ein Selbstmordversuch gemeint ist, sollen einige Interpretationen der Selbstmordhandlung durch den genannten Autor nicht unerwähnt bleiben. Ausgehend von dem Versuch, die Selbstmordhandlung psychologisch zu verstehen, ihren Bedeutungsgehalt zu erfassen oder ihre Struktur, wie er das nennt, entdeckte er interessante Zusammenhänge. Bei Selbstmordversuchen, die nachträglich analysiert wurden, fand er nur 7,5%, bei denen die Rettung ein Produkt des Zufalls war. In den anderen Fällen war der Selbstmordversuch so angelegt oder hatten sich die Lebensmüden so verhalten, daß die Rettung mehr oder weniger wahrscheinlich sein mußte. Dabei fanden sich eine Reihe von Personen, die nach der Einnahme einer hohen Menge von Schlaftabletten den Selbstmordversuch von sich aus abbrachen und einen Arzt aufsuchten. Diese Personen gaben an, plötzlich von einem ganz vitalen Angstgefühl überfallen worden zu sein. In der erwähnten Untersuchung ergab sich, daß nur etwa ein Drittel von ihnen Selbstmordhandlungen vorher planvoll überlegt hatten und daß sich dadurch die Rettungschancen auch vergrößern. Darin läßt sich vielleicht besonders deutlich ein Problemlösungsversuch erkennen, dessen Ausgang offen bleiben soll.

Dazu gehört auch, daß bei den von *Linden* untersuchten Patienten zwei Drittel höchstens einen Tag vor der Suizidhandlung sich mit Suizidgedanken trugen. Nur 20% beschäftigten sich länger als eine Woche mit entsprechenden Plänen. Daß die Zeit zwischen Entschluß und Durchführung sehr kurz ist, war schon erwähnt worden. Bei zwei Drittel der Fälle fand *Linden* [123], daß Suizidhandlung im Verlauf der nächsten Stunde ausgeführt wird, nur bei 1,5% dauerte das Zögern länger als einen Tag. Das Ergebnis wird so interpretiert, daß wohl längere Zeiten mit Suizidgedanken zugebracht werden, aber ein unmittelbarer Anlaß dann die Gedanken zur Tat bringt.

Besonders wichtig in dem Zusammenhang ist das Ergebnis, das bei dem erwähnten Personenkreis 57% zwar die Suizidhandlung allein ausgeführt haben, jedoch in örtlicher und zeitlicher Nähe anderer Personen. Auch dadurch erhöhen sich die Rettungschancen. Nur wenige Menschen verlassen die gewohnte Umgebung, bzw. wenn es sich um einen Selbstmordversuch handelt. Bei gelungenen Selbstmorden ist die Zahl derer, die die gewohnte Umgebung verlassen, mit 20% wesentlich höher.

In der genannten Untersuchung wird der Begriff der informativen Verhaltensweisen geprägt. Gemeint ist damit alles an verbalen oder anderen Äußerungen, was auf einen Selbstmordversuch hinweist. Die Zahl dieser informativen Verhaltensweisen wird mit 56% angegeben, wobei die ausdrückliche Mitteilung mit 39% rangiert. Das widerspricht nicht den früher mitgeteilten Ergebnissen, daß etwa 80% aller Selbstmordhandlungen vorher angekündigt werden. In der hier referierten

Untersuchung werden nur ganz sichere informative Verhaltensweisen gezählt. Nachgelassene Briefe fanden sich bei Selbstmordversuchen in 10% der Fälle, bei gelungenen Selbstmorden in 20% der Fälle. Das wird so gedeutet, daß nachgelassene Briefe Ausdruck einer langen Beschäftigung mit dem Selbstmord sind und infolgedessen bei gelungenen Selbstmorden in größerer Zahl vorliegen. Bei gelungenen Selbstmorden ist dementsprechend auch die informative Verhaltensweise mit 37% niedriger, weil sie eine Reihe von Möglichkeiten zur Rettung ausschließt.

Wie stark die kommunikative und an die unmittelbare Umgebung gerichtete Botschaft der Selbstmordhandlung ist, geht aus Zahlen über die Sozialbeziehungen der Lebensmüden hervor. Interessant ist, daß von dem untersuchten Personenkreis 60% in sozialen Beziehungen lebten, also Bezugspersonen hatten, an die sie sich direkt oder indirekt wendeten. In dem Zusammenhang bekommen die informativen Verhaltensweisen natürlich einen besonderen Sinn. Bei den Wiederholungsfällen, die mit 22% angegeben werden, treten die informativen Verhaltensweisen und die Arten der Durchführung von Selbstmordhandlungen, die eine Rettung wahrscheinlich machen, immer mehr in den Hintergrund. Es läßt sich das so weiterdenken, daß mit jedem weiteren Selbstmordversuch die Resignation größer wird und der direkte Wunsch nach Hilfe immer geringer. Bei gelungen Selbstmorden haben 33% schon vorher einen oder mehrere Selbstmordversuche unternommen.

Die Zahlen der referierten Untersuchungen diskriminieren die Selbstmordhandlung keineswegs, sondern machen eine Seite von ihr deutlich, die nicht unmittelbar sichtbar ist, sondern die man als hinter dem manifesten Inhalt des Geschehens aufsuchen kann. Es gibt also empirisches Material, das die Deutung, die *Stengel* [215] schon früher gegeben hat, jede Selbstmordhandlung habe einen Appellcharakter, unterstützen. Warum soll eine Selbstmordhandlung diesen Appellcharakter nicht haben, muß man fragen. Ist es denn verboten, um Hilfe zu bitten, oder ist dies nicht vielmehr ein sehr menschlicher Zug, dem wir untereinander viel unbefangener folgen sollten? Abgesehen also von den Lebensmüden, die direkt kommen und Hilfe verlangen, dürften viele, die den Selbstmordversuch in bestimmter Weise anlegen, als solche betrachtet werden, die Hilfe wollen.

Es darf also davon ausgegangen werden, daß sehr viele Lebensmüde Hilfe wünschen. Von daher erscheint es sinnvoll, in einem letzten, wieder vierfach unterteilten Hauptabschnitt die Helfenden zu untersuchen sowohl auf ihre Person hin wie auf ihre Organisation. Das mag gleichzeitig eine Hilfe sein für die in diesem Abschnitt angesprochenen Betroffenen.

Kennen sie die Helfenden besser, finden sie vielleicht eher den Weg zu ihnen und umgekehrt. Eine Hilfe dazu soll auch das im Anhang zu findende Verzeichnis von Organisationen und Beratungsstellen sein, die sich mit Selbstmordverhütung beschäftigen, und eine Liste der Telefonseelsorgestellen in der Bundesrepublik Deutschland.

III. Die Helfenden

1. Wer tut etwas gegen Selbstmord?

Historischer Überblick

Am Ende des letzten Abschnitts war auf ein Verzeichnis im Anhang dieses Buches verwiesen worden, das Organisationen und Beratungsstellen aufführt, die sich mit Selbstmordverhütung beschäftigen. Dabei fällt auf, daß sehr viele Laiengruppen auf diesem Gebiet tätig sind und nicht so sehr die Medizin hier den Vorrang hat. Ein Pfarrer war es, der 1895 in New York die erste Telefonseelsorge einrichtete, nachdem eine sterbende Frau ihn in ihr Hotelzimmer gerufen hatte und ihm sagte, sie hätte nicht Selbstmord begehen müssen, wenn sie ihn am Abend vorher schon gesprochen hätte. In dieser Einrichtung wurden bisher weit über 50 000 Menschen beraten und betreut. In London war es 1953 *Reverent Varah,* der die „Samaritans" organisierte. Die Arbeit dieser Laien, unterstützt und beraten von Psychiatern, hat wesentlich zur Senkung der Selbstmordrate in England um ein Drittel beigetragen. Telefonseelsorgestellen, von den Kirchen getragen, gibt es heute auf der ganzen Welt. In Deutschland verteilen sich 64 solcher Stellen über das Bundesgebiet. Sie helfen zwar in allen schwierigen Lebenssituationen, in denen sie um Hilfe angegangen werden und sind nicht auf Selbstmordverhütung spezialisiert. Dieser Anteil der Arbeit macht sogar nur weniger als 10% aus. Trotzdem leistet die Telefonseelsorge einen wesentlichen Beitrag zur Selbstmordverhütung [10, 226, 227].

Wesentliche Initiativen gingen ebenfalls von den Kirchen aus, wenn es um Einrichtungen sog. Lebensmüdenfürsorge oder Lebensmüdenberatung ging. Dies sind Stellen, die sich ausschließlich mit Selbstmordverhütung befassen und meist ärztlich geleitet sind. Die erste Einrichtung dieser Art stammt aus dem Jahre 1948, als *Ringel* seine „Ärztliche Lebensmüdenfürsorge" eröffnete, die im Jahre 1977, nach fast 30 Jahren also, als staatliches Institut der österreichischen Regierung weitergeführt wird. Seitdem ist die Zahl der Selbstmorde in Österreich von 32 auf 20 pro 100 000 zurückgegangen und passieren in Wien nur noch 22 Selbstmorde gegenüber 34 pro 100 000 Einwohner früher. Die Zahl der Wiederholungen von Selbstmordversuchen ist von 20% auf 7% abgesunken [182].

Es ist zwar nicht absolut sicher, daß diese Verbesserung der Statistik der Lebensmüdenfürsorge zuzuschreiben ist. Man muß auch andere Einflüsse berücksichtigen: Berühmt geworden ist das Beispiel steigender Selbstmordraten in Schweden. Der Nachkriegspräsident der USA, Eisenhower, führte sie auf die sozialistische Staatsform zurück, andere Moralapostel auf die Freigabe des Alkohols, der gleichzeitig in Norwegen, einem Land mit sehr wenig Selbstmorden, verboten wurde. Unberücksichtigt blieb bei solchen Deutungen die Tatsache, daß zur Zeit des Anstiegs der Selbstmorde in Schweden eine starke Landflucht eingesetzt hatte. Seit langem ist aber die Selbstmordrate in den Städten sehr hoch, so daß dieser Zusammenhang viel wahrscheinlicher ist. Trotz der Vorsicht, die dieses parallele Beispiel gebietet, darf eine direkte Wirksamkeit der Selbstmordverhütung bei den oben angeführten veränderten Zahlen angenommen werden.

In Deutschland ergriff *Thomas* 1956 in Berlin die Initiative zur Gründung einer Lebensmüdenberatung, die nun über 20 Jahre außerordentlich intensiv Selbstmordverhütung betreibt und darüber laufend berichtet [223, 224].

Im Jahre 1969 begann die *„Arche“* in München von sich reden zu machen, die als sogenanntes Selbstmordverhütungszentrum gedacht ist. Ein Rechtsanwalt in München stellte eine Gruppe mit einem Psychiater, einem ärztlichen Psychotherapeuten, einem psychologischen Psychotherapeuten und einem psychotherapeutisch ausgebildeten Sozialarbeiter zusammen und organisierte die finanzielle Sicherung durch Verträge mit den Kirchen, den Krankenkassen und kommunalen Verbänden. Die Arbeitsgruppe half Lebensmüden durch Krisenintervention und Kurzpsychotherapie, war zunächst 24 Stunden Tag und Nacht erreichbar, was später von der Telefonseelsorge derselben Stadt übernommen wurde. Außer dieser Zusammenarbeit ergab sich eine solche mit den Intensivstationen von zwei großen Krankenhäusern.

Die *„Arche“* übernimmt als Modell das sog. Selbstmordverhütungszentrum (suicide prevention center), das in den USA erstmals 1958 in Los Angeles eröffnet wurde und heute zu den wichtigsten Einrichtungen dieser Art auf der Welt zählt. Sein Leiter *Farborow* ist auch durch zahlreiche wissenschaftliche Untersuchungen hervorgetreten [45, 46, 181], ebenso wie sein Kollege *Motto* als Leiter einer ebensolchen Einrichtung in San Franzisko. Die Idee dieser Zentren ist, Ärzte, Psychologen, Soziologen, Priester, Sozialarbeiter und Laien an der Selbstmordverhütung zu beteiligen, um möglichst lebensnah, bürgernah oder gemeindenah, wie die Fachsprache sich ausdrückt, arbeiten zu können. So soll der Mensch in seinem Lebensraum erreicht werden, wo man schneller auf seine Nöte trifft, als wenn er erst ein Krankenhaus aufsuchen muß und wo man am Ort der Tat gewissermaßen direkter an die verursachenden Begleitumstände kommt.

Solange noch von Institutionen die Rede ist, bevor die darin arbeitenden Menschen geschildert werden, ist noch an zwei Gesellschaften zu erinnern, die sich die Selbstmordverhütung zum Zweck der Mitgliedschaft gemacht haben. In Wien gründete *Ringel* 1960 die Internationale Gesellschaft für Selbstmordverhütung (IASP), deren Ehrenpräsident er heute noch ist. In München wurde 1972, unterstützt von *Ringel* und der damaligen Geschäftsführerin der IASP *Vera Aigner,* die Deutsche Gesellschaft für Selbstmordverhütung (DGS) ins Leben gerufen durch *Rupp,* den damaligen Geschäftsführer der *„Arche"* und einige Psychiater wie *Bökker, Feuerlein, Heinrich, Henseler, Hippius* und *Pohlmeier,* der gegenwärtig auch Präsident dieser Vereinigung ist. Diese Gesellschaften haben zum Ziele, alle auf diesem Gebiet Tätigen zusammenzuführen, Erfahrungsaustausch zu ermöglichen, die Öffentlichkeit zu informieren, Forschung zu fördern und Selbstmordverhütungszentren zu institutionalisieren. Beide geben Mitteilungsblätter heraus, die IASP die *„Vita",* die DGS die „Suizidprophylaxe". Es werden Tagungen veranstaltet, um die genannten Ziele zu verwirklichen, und von beiden wird eine systematische Mitgliederwerbung zu dem gleichen Zweck betrieben. Der Einfluß der Gesellschaften ist nicht gering: Die internationalen Kongresse der IASP finden in der Fachwelt starke Beachtung, und der DGS ist es gelungen, durch zwei ihrer Vorstandsmitglieder, nämlich *Böcker* und *Feuerlein,* einen Abschnitt über die Bedeutung der Selbstmordverhütung in den Bericht zur Lage der Psychiatrie für die Bundesregierung einzubringen [166].

Die Menschen in diesen Institutionen und Organisationen kommen aus den verschiedensten Lebens- und Berufsbereichen. Stark vertreten sind Psychologen und Sozialarbeiter. Einen wesentlichen Anteil an der Arbeit haben auch Priester und Soziologen. In manchen Einrichtungen arbeiten Laien (volunteers), die eine menschliche und soziale Aufgabe in der Selbstmordverhütung sehen. Sie werden für diese Tätigkeit ausgebildet und darin durch berufsmäßige Selbstmordverhüter (professionals) beraten. Die Mediziner stehen in bestimmten Sinne nicht an erster Stelle in der Selbstmordverhütung. Zwar hat jeder Arzt und jedes Krankenhaus immer wieder und auf verschiedenste Weise mit entsprechenden Fällen zu tun. Aber eine Profession der Medizin ist die Selbstmordverhütung zumindest noch nicht lange.

Medizin und insbesondere Psychiatrie hatten lange Zeit Schwierigkeiten mit dem Problem. In der ersten Hälfte dieses Jahrhunderts gab es aus dem Bereich der Psychiatrie drei wesentliche Monographien zum Selbstmord, die schon erwähnt worden sind: *Gaupp* 1905, *Weichbrodt* 1937 und *Gruhle* 1940. Darin wird die Selbstmordverhütung sehr pessimistisch betrachtet als eine menschliche Pflicht, aber als eine erfolglose Angelegenheit. Die sozialen Umstände zu ändern oder die dem Selbstmord zugrunde liegenden Krankheiten zu heilen, wurde als wenig aussichtsreich betrachtet und weitgehend der Resignation das Feld überlassen. So verwundert auch nicht, daß immer wieder die Versuchung auftauchte, beim Selbstmord auch gar keine Veranlassung zum ärztlichen Eingreifen zu sehen. Immer noch kann man hören, wer sterben wolle, solle es doch tun. In dem Wunsch danach komme deutlich zum Ausdruck, daß jemand sein Leben nicht mehr lebenswert finde, und vielleicht sei es das ja auch wirklich nicht mehr. Deshalb wird oft bezweifelt, daß es vernünftig oder gar gerechtfertigt sei, Selbstmord zu verhindern.

In der Zeit des Nationalsozialismus kam dann noch die Belastung einer Weltanschauung hinzu, daß die nordische Rasse das Glanzprodukt einer besonderen Auslese sei. Andere Rassen und andere Menschen wurden an diesem Ideal gemessen und verfielen dem Urteil zu unwertem Leben. 6 Millionen Juden wurden nach diesem Prinzip getötet und das Leben vieler psychiatrischer Patienten vernichtet. Die Lebensmüdigkeit und ihre Konsequenzen bekamen einen dementsprechenden moralischen Beigeschmack und die Bemühung um Selbstmordverhinderung ebenfalls.

Erschütternd ist das Gutachten, das der Arzt *Gottfried Benn* 1940 für das Oberkommando der Wehrmacht in Berlin erstattet hat. In dem Gutachten sollte er sich zu der Frage äußern, ob für die Hinterbliebenen von Soldaten, die Selbstmord begangen hatten, ein Versorgungsanspruch bestehe. In den Fällen, bei denen krankhafte Ursachen zum Selbstmord geführt haben, bejahte *Gottfried Benn* damals den Versorgungsanspruch. Am Schluß des Gutachtens macht er eine allgemeine Bemerkung zu dem Thema Selbstmord und indirekt auch Selbstmordverhütung, die von dem damaligen Zeitgeist unmißverständlich Zeugnis gibt: „. . . Es kann kein Zweifel sein, daß die meisten Selbstmörder zu den gefährdeten und labilen Typen gehören, deren Fortpflanzung nicht unbedingt wünschenswert nach dem Ideal der heutigen Staatsbiologie ist. Die Selbstmörder werden nicht in allen, aber in den meisten Fällen zu der Bilanz des Bionegativen gehören, also in der Richtung der Entartung und der Substanzauflösung liegen. Man könnte daher im Selbstmord sehr wohl einen rassischen Eliminationsprozeß erblicken, und insofern wird man den Selbstmord keineswegs von vornherein als unmoralisch, weder im individuellen noch im volkhaften Sinne bezeichnen können . . .“ [17].

Daß in solcher Atmosphäre – und diese Äußerung braucht nicht als vereinzelt abgetan zu werden – keine Selbstmordverhütung gedeihen kann, ist leicht verständlich. Es muß dann als degeneriert und überzüchtet gelten, wer dem natürlichsten Selbsterhaltungstrieb und Lebenstrieb nicht mehr folgen kann. Die freche Verachtung von Vitalität, Kraft, Fortschritt, Erfolg und Freude verdient umgekehrt dann nur geringschätzige Beurteilung und weiter kein Interesse.

Die Lage der Medizin und der Psychiatrie hat sich nach dem Zweiten Weltkrieg grundlegend gewandelt. Es kann kein Zweifel daran aufkommen, daß natürlich immer, zur Nazizeit und vorher, Ärzte in ihrer Praxis und in den Krankenhäusern, vor allem auch in den oft so unsachlich kritisierten psychiatrischen Anstalten, in ganz selbstverständlicher Mitmenschlichkeit ihrem ärztlichen Eid, zu heilen und Leben zu retten, nachgegangen sind. Im vorliegenden Zusammenhang soll das gar nicht bestritten werden. Es geht jedoch hier um die Feststellung, daß sich die Medizin öffentlich erst nach dem Zweiten Weltkrieg intensiver um die Selbstmordverhütung gekümmert hat. Die wieder stärker mögliche Orientierung am internationalen Stand der Wissenschaft und die Rückkehr vieler Psychoanalytiker aus der politischen Emigration hatten zu einer zunehmenden Psychologisierung der deutschen Medizin geführt. *Mitscherlich* und *v. Weizsäcker* organisierten 1948 den 1. Internistenkongreß nach dem Kriege mit dem Leitthema der psychosomatischen Medizin und fanden dabei ein ungewöhnlich starkes Echo.

Heute besteht nach Einführung der neuen Approbationsordnung die Möglichkeit, in den Pflichtfächern medizinische Psychologie, medizinische Soziologie und Psychotherapie/Psychosomatik den Medizinstudenten vom Anfang der Ausbildung an mit den psychosozialen Seiten von Krankheit und Gesundheit vertraut zu machen. Dadurch sind ganz ohne Frage viel bessere Voraussetzungen zur Selbstmordverhütung gegeben, auf die eine vorwiegend naturwissenschaftlich, biologisch orientierte Medizin nicht ausreichend genug vorbereitet hat. Ganz eindeutig gingen die starken Impulse zur Selbstmordverhütung nach dem Kriege von psychologisch orientierten Psychiatern aus: *Ringel* ist Psychotherapeut, *Thomas* ebenfalls, *Henseler* und viele andere. Auch die Initiativen der Klinik in *Basel,* die von der Depressionsforschung ausgingen, haben einen deutlichen psychologischen Hintergrund. In den entsprechenden Arbeitsgruppen sind ebenfalls sehr viele psychotherapeutisch ausgebildete Ärzte tätig. Dort wird der Selbstmordhandlung als einem Symptom der Depression nachgegangen und außer nach biologischen Hintergründen sehr stark die psychologische Motivation untersucht [103, 181].

So kommt es, daß sich seit dem Zweiten Weltkrieg in Deutschland die Medizin und insbesondere die Psychiatrie vermehrt und erfolgreich um den Selbstmord bemüht. Dem Beispiel von *Ringel* folgend, der mit wissenschaftlichen Untersuchungen an vielen hundert Patienten seine praktische Arbeit untermauert hat, sind auch in Deutschland nach dem Krieg eine Reihe wesentlicher Arbeiten zu diesem Thema entstanden. Einen wichtigen empirischen Beitrag mit Vorlage und Interpretation von Statistiken lieferte *Böcker* [25]. Mehr phänomenologisch-deskriptiv bereicherte *Feuerlein* unser Wissen um die parasuizidale Pause, eine Zäsur, die jemand durch eine Selbstmordhandlung in sein Leben einführt, um neu beginnen zu können. Außerdem hat *Feuerlein* über die Verwandtschaft zwischen Sucht und Suizid gearbeitet [49, 50, 51]. *Lungershausen* [126] nahm sich des Problems des Selbstmords bei Jugendlichen, insbesondere bei Studenten, an. Einen viel beachteten Beitrag lieferte *Henseler* von psychodynamischer Seite, der an über 50 Fällen die Selbstmordhandlung als eine narzißtische Krise interpretieren konnte. Er zog daraus Konsequenzen für die Psychotherapie der Selbstmordhandlungen, die weithin Anerkennung gefunden haben [85]. Diese Interpretation ist eine wesentliche Erweiterung des klassischen psychoanalytischen Ansatzes, der vor allem die Rolle der Aggression und Depression bei der Selbstmordhandlung bearbeitet. Dieser Ansatz scheint immer noch sehr fruchtbar und praktisch bedeutend, wie das in eigenen Arbeiten begründet zu werden versucht wird [157, 158, 159, 160].

Die heutige Situation

Thomas, [223, 224] publizistische Tätigkeit war schon erwähnt worden. Diese und manche andere Arbeiten beginnen die peinliche Lücke der drei Monographien vor dem Krieg (s. o.) allmählich zu füllen. Sie zeugen von einem verstärkten Einsatz der medizinischen Forschung in Deutschland, der sich auch praktisch umsetzt. In allen psychiatrischen Einrichtungen gibt es Ärzte, die sich mit Selbstmordpatienten besonders beschäftigen. Sehr viele größere internistische Krankenhäuser haben einen regelmäßigen psychiatrischen Konsiliardienst, bei dem mit Patienten nach Selbstmordversuchen der Neuanfang, eventuelle Behandlungsmöglichkeiten erörtert werden und gelegentlich auch eine therapeutische Nachbetreuung begonnen wird. Ambulatorien oder psychotherapeutische Beratungsstellen werden ebenfalls vorwiegend von Ärzten besetzt, die sich besonders mit solchen Problemen befassen. Jedoch ein von der Medizin eingerichtetes Zentrum für Selbstmordverhütung gibt es in Deutschland noch nicht. Die Lebensmüdenberatung, die *Thomas* in Berlin als Arzt und Psychotherapeut leitet, ist eine private Initiative, die sich aus eigenen Mitteln trägt. Die „*Arche*" in München ist keine medizinische Einrichtung.

Bei der Frage, wer tut etwas gegen Selbstmord, ist festzustellen, daß die

Ärzte nach dem Zweiten Weltkrieg sehr aufgeholt haben. Die Zahl der medizinischen wissenschaftlichen Arbeiten zu diesem Thema ist nach dem Krieg im Steigen begriffen. Die Zahl der Ärzte, die in den verschiedensten Institutionen Selbstmordverhütung durchführen, ist ebenfalls stark angestiegen. Die Gründung einer eigenen Deutschen Gesellschaft für Selbstmordverhütung (DGS) wurde ebenfalls vorwiegend von Psychiatern getragen. Andererseits darf nicht übersehen werden, daß bei den großen Fortbildungsveranstaltungen für Ärzte Selbstmordverhütung nicht behandelt wird, daß auch in der Ausbildung und Weiterbildung Suizidologie nicht angeboten wird. Das gilt weitgehend auch für die Psychotherapeutenausbildung. Eigene Abteilungen oder gar Lehrstühle für Suizidologie an den Universitäten gibt es ebenfalls nicht. *Ringel* hebt besonders hervor, daß die Antrittsvorlesungen von *Pohlmeier* [165] in Göttingen und *Böhme* [26] in Heidelberg 1976 erstmals das Thema in die offizielle Universitätsöffentlichkeit brachten.

Die Rolle der Intensivstation

Eines besonderen Einsatzes der Medizin bei der Selbstmordverhütung muß noch gedacht werden: der Intensivpflege. Die Arbeit der Intensivstationen ist zwiespältig. Auf der einen Seite werden dort die aufsehenerregendsten Fortschritte der modernen Medizin ausgenützt und kommen sterbenskranken Unfallpatienten, Herzinfarktpatienten und eben auch Selbstmordpatienten zugute. Durch ständig angeschlossene Beatmungsgeräte und die Zufuhr lebensnotwendiger Substanzen werden bedrohliche Zustände teilweise bei langer Bewußtlosigkeit zu überbrücken versucht. Die Intensivpflege besteht darin, daß Tag und Nacht eine Pflegeperson den Patienten betreut, die Apparaturen überwacht und den Patienten nicht aus dem Auge läßt.

Diese bewunderungswürdige und aufopfernde Arbeit ist nicht problemlos. Einmal stellt sie übermenschlich hohe Anforderungen an die Personen, die dort arbeiten und die sich oft überfordert fühlen. Fortbildung und Weiterbildung wird in erhöhtem Maße von Schwestern und Pflegern der Intensivstationen in Anspruch genommen, weil sie sich nicht tragfähig genug fühlen für das Maß an Verantwortung und Belastung, das sie zu tragen haben.

Der ständige Umgang mit Todkranken und Sterbenden, gebrochen im direkten Zugang zum Menschen durch eine hochtechnisierte Medizin, bringt die betreffenden Personen oft in äußerste Schwierigkeiten. In entsprechenden Kursen, zu deren Durchführung gerade die medizinische

Psychologie gern angegangen wird, kann man oft hören, daß man nicht länger als drei Jahre auf diese Weise arbeiten könne und daß die dauernde Konfrontation mit dem Tod einem selbst das Sterben nahe lege. Eine 40jährige Krankenschwester sagte mir nach einem Selbstmordversuch, sie könne nicht mehr auf der Station arbeiten, die „Ansteckungsgefahr" sei für sie zu groß. Der Mangel, der empfunden wird, ist ganz deutlich die Unfähigkeit, sich mit Tod und Sterben auseinanderzusetzen, den Tod in sein Leben zu integrieren. Auf diese die Medizin überhaupt betreffende Unfähigkeit muß später noch einmal genauer eingegangen werden.

Selbstmordpatienten haben auf Intensivstationen eine Sonderstellung. Dort aufgenommen nach schweren Vergiftungen oder starken Blutverlusten, steht zunächst die Wiederbelebung im Vordergrund. Dann kommt aber das Problem der Lebensunlust, das zum Selbstmordversuch geführt und mit dem die Intensivmedizin nicht umzugehen gelernt hatte. Gelegentlich habe ich gehört, daß Unmut aufkommt, weil ein Selbstmörder doch nur einem richtig Schwerkranken ein Bett wegnimmt. Es wird auch manchmal laut, daß ein so intensiver und teurer Aufwand für einen, der doch gar nicht mehr leben wolle, nicht gerechtfertigt sei, sich nicht lohne. Das Hauptproblem entsteht aber bei der Frage, wie es weitergehen soll, ob die ganze Mühe wirklich zum Nutzen und Glück des Betroffenen gedient hatte.

Eine ungewöhnlich dramatische und tragische Geschichte dieser Art aus jüngster Zeit hat mir diese Schwierigkeit wieder sehr deutlich zum Bewußtsein gebracht: Eine fast 40jährige Frau lebte mit einer 7jährigen Tochter in einem kleinen Dorf in Niedersachsen. Aus Schlesien stammend, kam sie nach den Kriegswirren nach Bayern und arbeitete als Hilfe in einem Altersheim. Ohne spezielle Berufsausbildung hatte sie dort für viele Jahre ihr Auskommen und durch die Heiminsassen auch ausreichenden sozialen Kontakt. Während ihre Geschwister schnell in den Genuß sozialen Fortkommens gelangten, heiraten konnten und finanziell gute Positionen einnahmen, blieb die Frau allein.

Erst mit 30 Jahren lernte sie beim Tanzen durch ihre Geschwister einen Schuster kennen, faßte zu ihm Vertrauen und bekam bald von ihm ein Kind. Nach Entdeckung der Schwangerschaft heiratete der Mann die Frau, nahm sie zu sich in den kleinen dörflichen eigenen Betrieb und hatte eine kurze, glückliche gemeinsame Zeit mit ihr. Noch ehe das Kind geboren war, starb er über Nacht an einem Herzinfarkt.

Die Frau brachte das Kind allein zur Welt, mußte bald eine Stelle in einer Knopfwarenfabrik annehmen, und im Dorf und in der Verwandtschaft hatte sie einen schweren Stand. Zunehmend wurde sie gedrückt, zurückgezogen, vergrübelte sich und gab eines Tages ihrem Kind einen Schlaftrunk mit einer hohen Dosis Tabletten, trank anschließend selbst das Gift und öffnete sich in der Badewanne die Pulsadern.

Zunächst fand sie niemand. Ein durch beunruhigte Nachbarn herbeigerufener Hausarzt dachte zuerst an ein Verbrechen und fand nicht sich, sondern die Polizei zuständig. Dann wurde aber doch eine Überführung der Frau in die Intensivstation der nächstgelegenen Universitätsklinik durch Hubschrauber veranlaßt – bei dem Kind war nur noch der Tod festzustellen. Annähernd drei Monate schwebte die Frau zwischen Leben und Tod. Immer wieder kam es zu schweren Krisen, die allen Beteiligten die Rettung aussichtslos erscheinen ließen. Schließlich gelang sie doch.

Aber dann kam das Problem der Zukunft. Die Frau wußte nicht, daß ihr Kind tot war. Sie wähnte es bei den Großeltern, vermied aber in einer dunklen Ahnung konkrete Fragen und schöpfte auch keinen Verdacht aus den spärlichen Besuchen der Eltern ohne Kind. An die ganzen Ereignisse, die zu dem schweren Krankheitszustand geführt hatten, fehlte ihr natürlich jede Erinnerung. Sie wußte nur noch, daß sie im Betrieb und mit den Eltern ihres verstorbenen Mannes wieder einmal Streit gehabt und schon manchmal an Selbstmord gedacht hatte. Keiner wußte recht, wie man ihr den Verlust des Kindes mitteilen sollte. Vor allem auch nicht, daß sie ein Strafverfahren wegen Mord oder Totschlag zu gewärtigen hatte. Das Dorf und die Verwandten hatten ohnehin schon ihr Urteil gefällt und sich deutlich von ihr abgesetzt, so daß sie einer völlig vereinsamten Zukunft ohne Mann, ohne Kind und ohne Freunde entgegensah, unterbrochen höchstens von einer länger dauernden Gefängnisstrafe.

Mehreren Ärzten und Pflegern dieser Intensivstation kam natürlich manchmal der Gedanke, ob die Frau nicht lieber noch am Ort der Tat gestorben wäre und ob die hochkomplizierte Technik der Medizin hier wirklich zum Segen eines Menschen geworden war.

Das gegenwärtig wieder stark diskutierte Problem der Euthanasie soll hier nicht näher erörtert werden, wenngleich es in den Bereich von Selbstmord und Selbstmordversuch auf verschiedenste Weise hineinreicht. Das Sammelwerk von *Eser* [44] informiert darüber sehr orientierend und kompetent. Für unseren Zusammenhang ist festzuhalten, daß die Intensivmedizin einen gewichtigen Platz in der Selbstmordverhütung einnimmt, wenn es um die erste Hilfe geht. Die dort tätigen Ärzte und Hilfskräfte riskieren einen hohen Einsatz, allerdings ist er nicht problemlos. Das geschilderte Schicksal der Frau macht deutlich, in welche fast unlösbare, schicksalhafte Situationen der Fortschritt Menschen bringen kann.

Ein noch schwerer wiegender Notstand der Intensivmedizin im Zusammenhang der Selbstmordverhütung ist die fehlende Möglichkeit zur Bearbeitung der psychosozialen Konfliktsituation, die zum Selbstmordversuch geführt hat. Die sogenannten Konsiliardienste, die eingerichtet werden, um während der medizinischen Behandlung die aktuellen Lebensprobleme zu besprechen und eventuell eine psychiatrische Einordnung zu klären, reichen dazu meistens nicht aus. Sie werden auch vorwiegend dazu benutzt, durch den Psychiater die Frage weiterer Selbstgefährdung klären zu lassen und die Verantwortbarkeit einer Entlassung aus der Klinik. Gelegentliche Angebote einer Weiterbearbeitung für die Zeit nach Beendigung der medizinischen Behandlung können oft auch nur wenig ausrichten.

Die Frage, wie [233] eigentlich ein Selbstmordversuch das Leben verändert und wie die Umgebung darauf reagieren soll und auch der Betreffende selbst, wird später noch genauer zu behandeln sein. Es wird mit unterschiedlicher Stellungnahme diskutiert, ob die mangelhaft kritisierte Nachbetreuung überhaupt notwendig und sinnvoll ist.

In dem Abschnitt mit der Überschrift, wer tut etwas gegen Selbstmord, war zunächst nur einmal die bewundernswerte Tätigkeit der Intensivmedizin zu erwähnen. Nähere Informationen über die speziellere Arbeit dieses Teils der Medizin vermittelt *Ibe* [94] und im erweiterten Sinne auch *Gaus* [65, 94, 231]. Aus Berlin kam 1972 ein umfassenderer Bericht, insbesondere die Selbstmordproblematik in einem Reanimationszentrum betreffend: Dort ergab sich immerhin die hohe Zahl von 34% Behandlungen nach Suizidversuchen, eine durchschnittliche Verweildauer von 2 Tagen, eine Wiederaufnahmerate aus demselben Grunde von 26% und die Einleitung einer fachpsychiatrischen Klinikbehandlung von 20% [68]. Auch dieser Bericht endet mit der Feststellung, daß Selbstmordverhütung nach der Reanimation erst anfängt und stellt entsprechende Forderungen. Deshalb sei die differenziertere Erörterung spezieller Formen und Strategien der Selbstmordverhütung Inhalt der folgenden Abschnitte.

2. Wie wird gegen Selbstmord gearbeitet?

Im folgenden Abschnitt wird es weitgehend darauf ankommen, Methoden der Selbstmordverhütung zusammenzustellen und zu beschreiben. Wie im vorigen Abschnitt nicht lückenlos alle Institutionen und Personengruppen aufgeführt wurden, erhebt auch dieser Abschnitt keinen Anspruch auf Vollständigkeit. Vor allem wird er in der Gewichtung erkennen lassen, daß der Autor durch eine bestimmte Ausbildung eine bestimmte Einstellung und Erfahrung gewonnen hat, die ihm entsprechende Bevorzugungen statthaft erscheinen lassen.

Es sei an das Ende des letzten Abschnitts angeknüpft, nämlich an die Arbeit der Intensivmedizin. Dort geht es, wie man das gerne nennt, um erste Hilfe oder Entgiftung. In letzter Zeit ist die Arbeit der Intensivstationen mehrfach durch das Fernsehen einer breiteren Öffentlichkeit bekanntgeworden, besonders auch im Zusammenhang mit Selbstmordpatienten. In Deutschland hat vor allem *Wilma Kottusch* [111] mit „Nicht leben – Nicht sterben" Aufsehen erregt. *Ringel* (mündliche Mitteilung) propagiert diese Art der Information in der Hoffnung, die Öffentlichkeit so für die Arbeit der Selbstmordverhütung zu interessieren. Er teilte mündlich mit, daß die Zahl der Selbstmorde und Selbstmordversuche in Wien und Österreich nach entsprechenden Ausstrahlungen sich nicht verändere, wie überhaupt heute meist die Ansteckungsgefahr durch die Massenmedien gering eingeschätzt wird.

Gleichwohl gibt es warnende Stimmen. *Phillipps* [147, 148] vom Soziologischen Institut der Universität San Diego in Kalifornien stellte vor Jahren schon ein Ansteigen der Selbstmordrate fest, unmittelbar nach einem in der Öffentlichkeit bekannt gemachten Selbstmord. Er prägte dafür den Begriff „Werther Effekt" [147]. Die 23 auf den Titelseiten der fünf großen kalifornischen Tageszeitungen mit Schlagzeilen vermerkten Selbstmorde aus den Jahren 1966-1973 hatten jeweils eine Steigerung der Verkehrsunfälle um 9% zur Folge. Der Autor interpretierte diese Verkehrsunfälle als sogenannte maskierte Selbstmorde [148]. Nach dem politischen Selbstmord des Prager Studenten *Pallach* war die Steigerungsrate entsprechender Selbstmordhandlungen in Kalifornien annähernd 30% [148]. *Henseler* [87] wiederum hat nach Sendungen im Fernsehen und nach Vorträgen keine Veränderung der Selbstmordszene feststellen können. Er hat durch entsprechende Mitteilungen die Diskussion um diese Frage noch einmal sehr angeregt [87]. Sie bedarf dringend der Weiterführung, da in den USA namhafte Forscher wie *Motto* [137, 138] und der schon erwähnte *Phillipps* [148, 148] den Einfluß der Zeitungen und, allgemeiner gesagt, der Suggestion im Gegensatz zu kontinentalen Auffassungen für sehr hoch erachten. Die Arbeit des letzteren war schon erwähnt worden. *Motto* [138] stellte nach einem Zeitungsstreik, durch den keine Selbstmordnachrichten mehr an die Öffentlichkeit gelangten, ein Absinken der Selbstmordrate unter den Frauen fest. Solche Berichte sind vorsichtig auszuwerten, aber sie verdeutlichen ein Problem und stimmen nachdenklich, ob unter Umständen auch Selbstmord gefördert werden kann, indem durch Informationen Bedürfnisse geweckt werden, die der Befriedigung öffentlicher Träger der Selbstmordverhütung dienen.

Diese Problematik sei jedoch noch einmal zurückgestellt. Vielmehr soll jetzt zurückgeblendet werden auf die positive Tätigkeit der Intensivmedizin bei der Selbstmordverhütung. Das Problem dieser Tätigkeit besteht darin, daß sie der Selbstmordhandlung nicht als einem psychosoziosomatischen Geschehen gegenübertreten kann. Nach der Magenspülung, nach der Entgiftung, nach der Wiedererlangung des Bewußtseins ist im strengen Sinne die Aufgabe der Intensivmedizin erfüllt. Andererseits fangen aber die Aufgaben der Selbstmordverhütung dann erst an.

Während der akuten intensivmedizinischen Maßnahmen ist der Betreffende meist nicht in der Lage, über seine Probleme zu sprechen. Die Behandelnden umgekehrt sind mit gerade diesen akuten Maßnahmen beschäftigt und ebensowenig zu solchen Gesprächen in der Lage. Darüber hinaus fehlen ihnen meistens die notwendigen Voraussetzungen an Erfahrung und Wissen im Umgang mit Lebensmüden. Oft wird von im intensivmedizinischen Bereich Arbeitenden geklagt, man müsse wohl mit den Kranken reden, wisse aber nicht wie. Außerdem sei die Zeit von zwei bis drei Tagen, welche die Patienten meist nur auf den Intensivstationen zubringen, zu kurz, um einen vertrauensvollen Kontakt herzustellen. Schließlich sei auch die ganze Atmosphäre einer solchen Station nicht dazu angetan. In einem Raum mit mehreren in Lebensgefahr Schwebenden könnten keine fruchtbaren Gespräche zustande kommen. Andererseits wird deren Notwendigkeit empfunden.

Es wird berichtet, daß Patienten nach dem Aufwachen sehr gerne reden. Oft wird auch vermutet, daß viele Patienten nicht so häufig wiederkommen würden, wenn über ihre Probleme ausführlich hätte gesprochen werden können. In Fortbildungskursen für Pflegepersonal, die an der Universität Göttingen von der Pflegeleitung organisiert werden, mit dem Ziel, vor allem Inhalte der medizinischen Psychologie und medizinischen Soziologie zu vermitteln, wird regelmäßig die Betroffenheit deutlich, die die Wiederaufnahme eines gerade Entlassenen auslöst. Es wird gefragt, wie es sich vermeiden ließe, daß ein gerade vom Selbstmord Geretteter nach Überweisung in ein anderes Krankenhaus zwei Stunden später mit lebensgefährlichen Messerstichen im Herzen wieder die ganze Apparatur in Gang setze, oder warum es bestimmte Patienten gäbe, die regelmäßig wiederkämen, oder wie denn wohl den Entlassenen zumute wäre, die noch vor wenigen Tagen sterben wollten und deren Lebensverhältnisse sich doch wohl kaum geändert hätten. Das Personal auf diesen Stationen ist auch seelisch und menschlich aufs äußerste belastet und stellt

Fragen, auf die es noch keineswegs nur befriedigende Antworten gibt. Einige Lösungsversuche seien daher jetzt näher ins Auge gefaßt.

Fast allgemein üblich geworden ist es, daß Intensivstationen mit Psychiatern zusammenarbeiten, die als Konsiliarärzte mit den Selbstmordpatienten sprechen. Dabei geht es vornehmlich um die Einordnung der Selbstmordhandlung als Symptom einer bestimmten psychiatrischen Erkrankung, meist einer der verschiedenen Formen der Depression und deren Behandlungsbedürftigkeit. Das andere Interesse gilt der Feststellung der gegenwärtigen Lebenssituation, auf deren Hintergrund die Selbstmordhandlung entstanden ist und der Wahrscheinlichkeit, ob weitere Selbstmordgefahr besteht und in nächster Zeit ein weiterer Selbstmordversuch zu erwarten ist. Die Funktion der Konsiliarärzte ist weitgehend die der Entlastung von Verantwortung. Die Internisten wollen nicht entscheiden, was weiter mit ihren Patienten nach Selbstmordversuch geschehen soll, und delegieren diese Entscheidung an den Psychiater. Dieser Prozeß beinhaltet natürlich eine Menge unreflektierter Voraussetzungen über die Zuständigkeit der Psychiatrie, persönliche Kompetenzen, Einstellungen zum Kranken, Rollenverständnis, Aufgabenverteilung, worauf später noch einmal näher einzugehen sein wird.

Nachbetreuung

Im vorliegenden Zusammenhang ist eine Frage besonders drängend, ob nämlich ein Mensch nach einem Selbstmordversuch außer der körperlichen Wiederherstellung eine irgendwie sonst noch geartete Nachbetreuung braucht. Über diese gerade angeschnittene Frage wird gestritten. Die Zahl der Wiederholungen von Selbstmordversuchen wird ziemlich übereinstimmend mit 25% angegeben [84]. Es gibt kaum Untersuchungen darüber, ob eine Nachbetreuung diese Wiederholungen zu verhindern vermöchte und welche Form diese Nachbetreuung haben müßte. Gelegentlich werden Zahlen angegeben und zur Orientierung herangezogen, die etwas über die Bereitschaft zur Nachbetreuung bei den Patienten internistischer Krankenabteilungen aussagen. So ist von *Blunk* [24] über eine Intensivstation in Hannover zu erfahren, daß auf dieser Station der Anteil von Selbstmordversuchen im Jahr 12% ausmacht und daß davon 24% jegliche weitere Behandlung oder Betreuung ablehnen. Die anderen übernahm der Hausarzt mit 56%, die restlichen 30% wurden von Kliniken oder Fachärzten für Psychiatrie behandelt [24]. Das könnte zu der Überlegung veranlassen, die Patienten am besten in Ruhe zu lassen und nicht viel vom Vergangenen zu reden.

Dem steht entgegen, daß Patienten unmittelbar nach ihrer körperlichen Besserung sehr gesprächsbereit sind und erst allmählich dazu übergehen, den Selbstmordversuch vergessen zu wollen und zu verdrängen. Ob das mit der Ungeschicklichkeit der Durchführung von Erstgesprächen zusammenhängt, ist offen. Genauso wäre es denkbar, daß das allgemeine Unbehagen dem Selbstmord gegenüber von den Betroffenen selbst geteilt wird und entsprechende Abwehrstrategien hervorruft. Gegenwärtig kann man zu dieser Frage wohl nur einen theoretischen Standpunkt einnehmen, bis die Sammlung empirischer Befunde zu diesem Thema, die augenblicklich von *Sonneck* [212] intensiv betrieben wird und hoffentlich auch andere Forscher anregt, größer und gesicherter ist.

Einige bereits vorliegende katamnestische Untersuchungen, wie sie in einer neueren Arbeit von *P. B. Schneider* [201] zusammengestellt wurden, sagen über die Behandlungsbedürftigkeit im strengen Sinne auch nichts aus, weil systematisch keine behandelten und unbehandelten Fälle ohne weiteres zusammengestellt werden können. Die von den Autoren selbst durchgeführte Untersuchung betraf 372 Personen, die durchschnittlich 30 Jahre vorher einen Selbstmordversuch unternommen hatten. Dabei zeigte sich, daß diese Gruppe eine erhöhte Sterblichkeit allgemein und eine erhöhte Sterblichkeit durch Selbstmord gegenüber der Gesamtbevölkerung hatte [201]. Auch daraus wird gefolgert, man müsse eine intensivere Nachbetreuung organisieren. Ob aber diese erhöhte Sterblichkeit nicht zwangsläufig ist und vermeidbar wäre, läßt sich nicht sicher sagen. Interessant ist in dieser Arbeit noch ein Nebenbefund, daß mit Ausnahme einer Gruppe der untersuchten Patienten die psychopathologische Entwicklung der noch nach dem Selbstmordversuch lebenden Personen günstig war. Dieser Befund ist noch sehr interpretationsbedürftig und gibt Anlaß zu sorgfältiger Diskussion, um nicht voreilig daraus zu folgern, Menschen mit Selbstmordhandlungen seien seelisch gesund.

So wird demzufolge mehr aus theoretischen und ethischen Gründen gefordert, Selbstmordpatienten müßten nachbetreut werden, ohne daß dies z. Z. empirisch genug abgesichert wäre. Das war schon erwähnt worden. Der eine Schwerpunkt entstammt theoretischen Überlegungen der Psychoanalyse und wird besonders ausdrücklich von *Henseler* [85] und etwas anders gewichtet von *Ringel* [182] vertreten: Von der psychoanaltischen Theorie aus gesehen, entspringt die Selbstmordhandlung einer Konfliktsituation. Die klassische Theorie betont stark den Aggressionskonflikt. Unter dem Einfluß der neueren Narzißmustheorie legt *Henseler* [86] mehr Wert auf den narzißtischen Konflikt, und als Schüler von *Adler* stellt *Ringel* vor allem den sozialpsychologischen Konflikt in den Vordergrund. Allen gemeinsam ist die Folgerung, ein Konflikt müsse bearbeitet und einer Lösung zugeführt werden, sonst bleibe er als Ursache neuer Selbstmordimpulse ständige Quelle der Beunruhigung und Gefahr. Das ist logisch konsequent zu Ende gedacht unter den mit guten Gründen gemachten Voraussetzungen – nur eben noch nicht bewiesen.

Modelle der Nachbetreuung

Der andere Schwerpunkt entstammt ethischen Überlegungen des gesunden Menschenverstands und wird von Angehörigen verschiedener Berufe in der Selbstmordverhütung vertreten: Man geht davon aus, es sei einfach widersinnig, einen Lebensmüden nach einem Selbstmordversuch unvorbereitet oder, besser gesagt, unnachbereitet an den Ort des Geschehens zurückzulassen. Aus diesem Gedanken werden verschiedene Organisationsformen der Nachbehandlung gefolgert: In Deutschland haben am meisten von sich reden gemacht das Modell an den städtischen Kliniken in *Darmstadt* und jetzt neuerlich in *Dortmund* [232, 246].

Wedler [232] berichtet von Darmstadt, daß die Patienten nach einem Suizidversuch innerhalb der medizinischen Klinik nach der akuten Entgiftung sofort auf eine Allgemeinstation verlegt werden. Dort wird ein persönlicher Kontakt zum Patienten hergestellt, um so günstige Voraussetzungen für die anschließenden Gespräche zu bekommen. Es sind mehrere Einzelgespräche vorgesehen, die der Klärung vorhandener Problemkomplexe dienen sollen. Die Mitpatienten im Krankenzimmer werden bewußt eingesetzt zur Ermöglichung der Wiederaufnahme sozialer Kontakte. Die Umgebung solcher internistischen Stationen soll „problemneutral“ und als „soziales Übungsfeld“ geeignet sein.

Später können die Patienten nach Selbstmordversuch an Gruppengesprächen teilnehmen. Solche Gruppengespräche sind auch noch nach der Klinikentlassung zugänglich. Es wird angenommen, daß die Möglichkeit zur öffentlichen Erörterung persönlicher Probleme entlastend wirkt und neue Möglichkeiten der Problemlösung sichtbar macht. Noch in der Klinik wird mit Hilfe des dort tätigen Personals Kontakt zu den Behörden aufgenommen, da die Patienten meistens zum erfolgreichen Umgang mit Ämtern nicht in der Lage sind. Die Ärzte der Klinik werden durch Fortbildung und persönliche Beratung zur Selbstmordverhütung angeleitet und darauf vorbereitet. Die Einzel- und Gruppengespräche werden von zwei in psychotherapeutischer Ausbildung befindlichen Internisten durchgeführt. Auch Schwestern und Pfleger können an Fortbildungsseminaren teilnehmen.

Eine Sozialarbeiterin betreut vornehmlich den Außenkontakt. Auch nach der Klinikentlassung bleiben die Patienten noch in Kontakt mit der Klinik. Es war schon erwähnt worden, daß sie an Gruppengesprächen weiter teilnehmen können. Auch die in der Stadt tätigen Psychologen, Ärzte, Juristen, Theologen und Laienkräfte, insbesondere auch die Telefonseelsorge, bleiben mit der Klinik durch sogenannte Fallbesprechungen über die Patienten in Verbindung.

Diese Art der Nachbetreuung hat insofern Modellcharakter, als Psychiater und Psychotherapeuten vornehmlich dort zur Durchführung der Einzel- und Gruppengespräche benützt werden, nicht aber so sehr zum Konsiliargespräch im engeren Sinne, wo es um eine psychiatrische Diagnose und die Abschätzung weiteren Suizidrisikos geht. Damit soll eine zu enge Deutung der Selbstmordhandlung als psychische oder psychiatrische Krankheit vermieden werden, die unter Umständen die Eigenaktivität des Patienten behindert. Für die Zukunft ist eine Erweiterung des Mitarbeiterkreises und die Errichtung einer ambulanten Ergänzungseinrichtung in Form einer psychosozialen Kontaktstelle vorgesehen. [232].

Noch stärker wird beim *Dortmunder Modell* eine weiterführende Behandlung nach Klinikentlassung angestrebt. Man geht davon aus, daß die Patienten nach der akuten Entgiftung auf der Intensivstation etwa noch eine Woche auf einer Allgemeinstation bleiben. In dieser kurzen Zeit würde es möglich sein, soviel Kontakt und Vertrauen aufzubauen, daß die weitere Konfliktlösung draußen zu Ende kommt. Dazu ist die Einrichtung einer Fachabteilung für spezielle psychologische Medizin, verbunden mit einer sogenannten Ermächtigungsambulanz, vorgesehen. Beide Einrichtungen bilden eine Einheit, die von einem Facharzt für Psychiatrie und Psychotherapie geleitet und verantwortet wird. Der Arbeitsgruppe gehören außerdem klinische Psychologen, Sozialarbeiter und entsprechend vorgebildete Pflegepersonen an. Eine spezielle Funktion hat der Seelsorger, der ganz ausdrücklich auf die Möglichkeit einer Krisenbewältigung aus der Sicht des christlichen Glaubens aufmerksam machen soll. Alle Mitarbeiter führen die Gespräche verhaltenstherapeutisch und gesprächspsychotherapeutisch orientiert. Auch diesem Modell liegt die Idee zugrunde, die direkt nach der Intensivbehandlung angefangenen Kontakte auszubauen und nicht an die Psychiater oder die Hausärzte zu delegieren, vielmehr umgekehrt diese zum Patienten zu holen, grundsätzlich aber die Weiterbehandlung selbst zu übernehmen [246]. Beide Modelle respektieren beim Patienten unter Umständen eine Weigerung zur Nachbetreuung. Außerdem werden im Falle ihres Zustandekommens unbedingt der Konfliktpartner und die Familie in die Arbeit miteinbezogen [213].

Sicherlich bestehen anderenorts ähnliche Konzepte, und es wird dort ähnlich gearbeitet. Die beiden genannten Initiativen haben sich unter besonderen Umständen stärker profiliert, als eine engere Zusammenarbeit mit psychiatrischen Fachkrankenhäusern aus lokalen Gründen schwer möglich war und die Innere Medizin eigene Wege gehen mußte. Dies kann grundsätzlich eine wegweisende Entlastung der Psychiatrie sein, die sich besonders auch aus der Mehrdimensionalität der Selbstmordhandlung nahelegt.

Ohnehin liegen in medizinischen Kliniken mehr psychiatrische Fälle, als gemeinhin angenommen wird. So hat *Köhler* [108] vor Jahren ausgerechnet, daß in den Krankenhäusern der Stadt Essen im Jahre 1966 3300 Patienten mit psychischen Störungen behandelt wurden im Vergleich zu 2561 Patienten, die in demselben Jahr in den psychiatrischen Fachabteilungen der Stadt ärztliche Hilfe fanden. Die nichtpsychiatrischen Krankenhäuser haben also 30% mehr psychiatrische Patienten behandelt als die Psychiatrie selbst [108]. Der Prozentsatz der psychischen Auffälligkeiten in den nichtpsychiatrischen Krankenhäusern schwankte zwischen 10,2 und 22,4%. Nur 8% davon erhielten eine psychiatrische Beratung, den Rest mußten die Internisten selbst übernehmen. Der Anteil der Selbstmordversuche an diesen Patienten mit psychischen Störungen ist in dieser Untersuchung etwa 15% gewesen (16% Vergiftungen, aber nicht alle Vergiftungen sind Selbstmordversuche). Davon konnten 21% einer psychiatrischen Behandlung zugeführt werden, die restlichen 79% blieben ebenfalls wieder den Internisten und Chirurgen überlassen [107]. Der Untersucher zieht daraus den Schluß, es müßten mehr psychiatrische Fachabteilungen in den Allgemeinkrankenhäusern eingerichtet werden.

Ebenso naheliegend ist aber auch die umgekehrte Denkbewegung, nämlich die nichtpsychiatrische Medizin für die psychologischen, psychosomatischen und psychosozialen Probleme ihrer Patienten zu interessieren und zu deren Lösung auszubilden. Auf Neuerungen in dieser Richtung wird noch einzugehen sein.

Speziell die Selbstmordverhütung sollte sich dabei aber vor einem antipsychiatrischen Affekt hüten. So sehr die Multidimensionalität der Selbstmordhandlung immer wieder nicht genug betont werden kann, so wenig sinnvoll ist es andererseits zu glauben, Selbstmordpatienten kein psychiatrisches Konsiliargespräch oder keine psychiatrische Behandlung mehr zumuten zu können oder ein psychiatrisches Krankenhaus gar für eine ungeeignete Quelle zur Schaffung neuer Probleme zu halten. Die Zuständigkeit eines Psychiaters für einen Menschen gar um so geringer zu erachten, je selbstmordgefährdeter er ist, ist unverantwortlich zynisch und unglaublich rückständig (mündliche Mitteilung). Hat doch auch die Psychiatrie heute durch neue Ausbildungs- und Behandlungskonzepte und interdisziplinär gewonnene Erkenntnisse entsprechender Untersuchungen eine nie dagewesene Chance zur Öffnung nach einer vielschichtigen Wahrnehmung der Probleme ihrer Patienten, die sie auch zu nutzen beginnt und im Falle der Selbstmordverhütung nicht zu verspielen braucht.

In den hier angeführten Modellen sind ja denn auch Psychiater als unentbehrlich erachtet. Sie sollten dort aber nicht bei hoffnungsvollen Ansätzen neuer Formen der Zusammenarbeit zu untergeordneten, üblerweise notwendigen Hilfskräften werden, sondern vielmehr die gleiche Berechtigung haben wie ein Sozialarbeiter. Das Problem der Gleichberechtigung und der Solidarität ist kein spezielles der Psychiatrie. Jede andere Berufsgruppe kann daran genauso scheitern und wird dieser Gefahr nur entgehen, wenn jeder einzelne sie als dauernd bestehend erkennt [177].

Konfliktbewältigung und Alternativen

Nach Schilderung der mehr auf gute Organisation und Zusammenarbeit beruhenden Selbstmordverhütung in den Kliniken sei nun auf die inhaltliche Arbeit eingegangen. Da taucht zunächst die Frage auf, welches Ziel die Selbstmordverhütung hat, genauer gesagt, ob man aus einem Menschen nach einem Selbstmordversuch einen glücklichen Menschen machen will oder zur Aufbesserung der Statistik nur den nächsten Selbstmordversuch zu verhindern sucht. Solange die Selbstmordhandlung immer noch nicht genügend „von innen", wie es *Günther Kuhnert* [118] in einer Buchbesprechung zu *Amery* zitiert, verstanden ist, wird es schwer sein, entsprechend eindeutige Konzepte zu entwickeln.

Wo gegenwärtig der seelische und soziale Konflikt als vornehmliche Verursachungen einer Selbstmordhandlung angenommen werden, wird diesen Konflikten vor allem nachgegangen. Dabei ist die übereinstimmende Auffassung festzustellen, daß man Menschen nach Selbstmordversuchen wirklich nachgehen muß, weil sie zu eigenen Initiativen nicht geneigt sind. Ein schon einmal stattgefundener Selbstmordversuch stellt einen Risikofaktor für die Zukunft dar. Die erhöhte Sterblichkeit war schon erwähnt worden [25, 201]. Es sei auch nochmals angeführt, daß nach einer Untersuchung von *Hendin* [83] gelungenen Selbstmorden bis zu 60% Selbstmordversuche vorausgegangen waren, und daß über die schon erwähnten 25% Rückfälle hinaus weitere 40% zwar keinen Selbstmordversuch mehr wiederholen, aber in einen gefährlichen „suizidalen Status" der Verzweiflung kommen [45]. Man kann also die nachgehende Intensität der Selbstmordverhütung verstehen, natürlich immer unter der Voraussetzung, leben sei besser als sterben.

Ist man einmal bei einem Menschen nach einem Selbstmorversuch angelangt, kommt als nächstliegende und gebräuchlichste Methode der Arbeit *das Gespräch* in Frage. In Gesprächen wird zu ergründen versucht, welche Umstände zum Selbstmordversuch geführt haben und wie die Zukunft aussieht. Auf die spezielle Form der Gesprächspsychotherapie, wie sie im Anschluß an *Rogers* [189] hier in Deutschland durch *Tausch* entwickelt worden ist [128, 189], soll nicht näher eingegangen werden. Es möge der Hinweis genügen, daß mit dieser Methode in der Selbstmordverhütung sehr viel gearbeitet wird und sie den großen Vorteil hat, anderen zugänglich gemacht werden zu können und in überschaubarer Zeit erlernbar zu sein. Es ist daher sinnvoll und wünschenswert, daß viele in der Selbstmordverhütung Tätige sich in Gesprächspsychotherapie ausbilden lassen.

An die klassische Psychotherapie mit Selbstmordpatienten knüpft besonders *Ringel* an. Er legt großen Wert darauf, den psychischen und sozialen Konflikt aufdeckend zu bearbeiten. Als Grundlage dazu dient ihm ein persönliches Vertrauensverhältnis zum Patienten. Dessen Bindung an die Person des Gesprächspartners soll dem Lebensmüden neue Sicherheit geben und eine Brücke aus seiner Vereinsamung zur Welt darstellen. Zweifellos beginnt in einer solchen psychotherapeutischen Beziehung das Leben wieder mehr Inhalt zu bekommen und kommen eine Menge Probleme ihrer Lösung näher.

Diese starke persönliche Bindung hat aber auch ihre Gefahren, insofern das Verhältnis der beiden Beteiligten störanfällig ist. Es ist sehr schwer, über längere Zeit in einer solchen Lebensmüdenfürsorge gleichbleibend stabil und ausgeglichen zu bleiben. Wenn der Klient irgendwelche Schwächen oder Unsicherheiten an seinem Helfer wahrnimmt, kann ihn das in Schwierigkeiten bringen und orientierungslos machen. Wenn er sich so an den Helfer gebunden fühlt, daß er ihm zuliebe dies oder jenes tut oder nicht tut, kommt er in eine fatale Unfreiheit. Er sollte sich nicht wie durch ein Versprechen an seinen Helfer wie an einen Beschützer gebunden fühlen. Das würde ein Vertrauensverhältnis in ein Abhängigkeitsverhältnis verwandeln. Es wäre denkbar, daß ein so gegebenes Versprechen dazu benutzt wird, sich an dem Helfer wegen mangelnden Verständnisses zu rächen, ihn für zu geringen Einsatz zu bestrafen oder zur Erreichung persönlicher Vorteile unter Druck zu setzen.

Umgekehrt kann das Versprechen für den Betreffenden selbst zu einem gefährlichen Druck werden, den der Helfer seinerseits für einen Erfolg der Arbeit auszunützen versucht, unter dessen Unerfüllbarkeit und ständiger Forderung er aber erneut zu leiden beginnt. Versagensgefühle und Schuldgefühle können auftauchen, der letzte Ausweg wird unter Umständen wieder verlockend. Besonders deutlich kommt das in Situationen zum Ausdruck, wo Trennungen notwendig werden. Wenn in einem durch Versprechen bedingten Abhängigkeitsverhältnis Termine nicht eingehalten werden können oder länger dauernde Abwesenheiten sich ergeben oder die Zusammenarbeit einmal ein Ende finden muß, fühlt sich der Betreute leicht wieder hilflos, alleingelassen, enttäuscht, ohne Orientierung. In solche Abhängigkeitsbeziehung geraten, wollen Patienten gelegentlich mit auf die Reise gehen oder Telefonnummern haben, unter denen man erreichbar ist, oder Postanschriften, wo sie hinschreiben können. Beendigungen von Therapien werden oft unmöglich, weil sie von ständig neuen Selbstmorddrohungen begleitet werden.

Ein Kollege klagte einmal, er habe seit Monaten kein ruhiges Wochenende mehr und könne in seiner Freizeit mit der Familie nichts mehr unternehmen. Eine Patientin drohte ihm jeden Freitag abend in der letzten Psychotherapiestunde der Woche, sie werde sich umbringen, wenn er zu Hause nicht telefonisch erreichbar wäre. Tatsächlich kontrollierte sie ihn den ganzen Samstag und Sonntag über und verschärfte die Spannung dieser Beziehung zu einem unerträglich werdenden Machtkampf. Als der Kollege allmählich merkte, daß er aus seiner eigenen unbewältigten Abhängigkeit von seiner Mutter einmal der Frau nichts abschlagen konnte, zum anderen er diese Frau auch brauchte, um sich an deren Abhängigkeit für mangelnde Bestätigung zu trösten, entkrampfte sich die Lage. Er konnte wahrnehmen, daß er durch seine eigene innere Situation das Verhalten der Patientin förderte. In der weiteren Arbeit wurde er selbständiger und bekam den Mut, wieder sein eigenes Leben zu führen. Die Frau ihrerseits wurde ebenfalls selbständiger und lernte, ohne ihn und ohne Erpressung auszukommen [nach 32].

Vertrauensvolle Gespräche sind nützlich, Abhängigkeitsbeziehungen dürfen dadurch nicht entstehen. Die Abnahme von oder Verpflichtung auf Versprechen führt fast zwangsläufig dazu und ist daher nicht empfehlenswert.

Die sehr stark analytisch ausgerichtete Psychotherapie, wie sie repräsentativ von *Henseler* in der Selbstmordverhütung angewandt wird, betont ganz besonders den Gesichtspunkt einer partnerschaftlichen Übertragungsbeziehung, wie man das in Abgrenzung zur Abhängigkeitsbeziehung nennen könnte. Auch in dieser Form der Psychotherapie ist die Grundlage ein vertrauensvolles Gespräch, bei dem der Helfende aber nicht so sehr Einfluß nehmen, sondern mehr verstehen lernen will, wie es innerlich und äußerlich zur Selbstmordhandlung gekommen ist. Meist wird gleich zu Anfang eine andere Art Versprechen gegeben und seitens des Therapeuten versichert, daß er den anderen nicht mit Gewalt am Leben erhalten wolle. Vielmehr möchte er ergründen, warum es nicht mehr ginge. *Henseler* [88] berichtet immer wieder eindrucksvoll von dem Fall einer Frau, die nur unter der Bedingung zu einer Psychotherapie kam, daß es ihr freistünde, sich umzubringen, wenn es nicht mehr anders möglich sei. Das Arrangement bewährte sich und führte nach krisenvollen Abschnitten zu einer befriedigenden Lösung.

Ein solches Vorgehen könnte wie eine trickreiche, fast hinterlistige Strategie wirken, entspricht in Wirklichkeit aber ganz dem psychoanalytischen Ansatz, dem Patienten durch dessen eigene Einfälle und Einsichten zur Lösung seiner Probleme zu verhelfen und zur Weiterentwicklung. *Freud* [54] hatte ja gerade die Hypnose deshalb verlassen zugunsten seiner Methode der freien Assoziation, weil es nicht detektivisch um das Hervorholen von Erinnerungen ging mittels einer raffinierten Technik, sondern um die Wiedervereinigung des Verdrängten mit der Gesamtheit der Persönlichkeit. Diese Aussöhnung unverbundener Teile kann nur der Betreffende selbst leisten. Helfen kann ihm dabei nur jemand, der nicht rät oder suggestiv einwirkt, sondern in „gleichschwebender Aufmerksamkeit" einen langsamen Prozeß der Ich-Entwicklung indirekt fördert [61].

Von der Narzißmustheorie ausgehend und den Selbstmord als narzißtische Krise verstehend, werden für *Henseler* [86] die narzißtischen Kränkungen seiner Patienten besonders wichtig und die Fähigkeiten des Ich, allmählich soviel Stärke zu gewinnen, solchen Kränkungen des Alltags gegenüber besser gewappnet zu sein. Die Übertragungsbeziehung ist für dieses Unternehmen insofern besonders bewährt und geeignet, als der Hilfesuchende ganz vollwertig angenommen wird und der helfende Therapeut sich anbietet als Medium seiner eigenen Erfahrungen, die er allmählich korrigieren lernt. In der letzten Zeit ist keine zutreffendere Formulierung für den psychotherapeutischen Prozeß gefunden worden als die der „... corrective emotional experience ..." durch *Alexander* [6]. Dieser Lernprozeß ist auch für die Lösung von Konflikten einer Selbstmordhandlung günstig, und die Deutungsarbeit des Therapeuten mag dabei die Unterstützung zu einem glücklichen Ausgang sein.

Einen anderen Schwerpunkt bei der Psychotherapie mit Suizidpatienten setzen manche, die noch mehr an klassischen Erfahrungen von *Freud* [59] und *Abraham* [12] orientiert sind. Nach dieser älteren Auffassung entspringt die Selbstmordhandlung einem Aggressionskonflikt, und die Aggression wendet sich zur Tatzeit gegen die eigene Person. Wenn dieser Aggressionskonflikt sichtbarer ist als der narzißtische Konflikt, liegt es nahe, vor allem diesen der Bearbeitung zuzuführen. Die Übertragungsbeziehung hat dann vor allem die Funktion, daß der Hilfesuchende seine Aggression kanalisieren lernt, indem der Therapeut sich als Zielscheibe zur Verfügung stellt. Wenn in dieser Übertragungsbeziehung erlebt werden kann, wem die Aggression eigentlich gilt, und das in der Übertragung mit dem Therapeuten durchgearbeitet wird, verliert die Aggression außerordentlich an Gefährlichkeit und kann allmählich dem Gesamtgefüge der Persönlichkeit nutzbar gemacht werden [136, 159, 161].

Von den Bedingungen dieser spezielleren Psychotherapie wird im nächsten Abschnitt noch eingehender zu reden sein. Hier war sie nur erwähnt im Rahmen einer Aufzählung verschiedener Psychotherapieformen, die das Gespräch zum Mittelpunkt haben. Dabei ist noch nachzutragen, daß die Dauer der Gespräche und ihre Häufigkeit unterschiedlich gehandhabt werden und von der jeweiligen Situation stark abhängen. Meist ist es nicht sinnvoll, daß die Gespräche 50-100 Minuten Dauer überschreiten. Das von *E. Balint* [11] propagierte Rezept 5 Minuten pro Patient eignet sich zur Klärung einer Selbstmordsituation kaum. Dagegen können Gespräche von 20 oder 30 Minuten unter Umständen schon einen Kontakt in Gang bringen, der dem Hilfesuchenden neue Möglichkeiten eröffnet, an denen er weiter interessiert bleibt [11].

Das gleiche gilt für die Häufigkeit der Gespräche. Eine Reihe von 5 oder 10 Sitzungen kann Schwerpunkte sichtbar machen, um die es geht und auf die besonders zu achten ist. Die Wahrnehmung dieser Schwerpunkte verhilft oft zu einer guten Orientierung. Andere Situationen erfordern länger dauernde regelmäßige Behandlungsverläufe mit mehreren Wochenstunden, über längere Zeit bis zu 150 oder 200 Stunden. Doch die Kurztherapie mit von vornherein begrenzter Stundenzahl und Bearbeitung nur des speziellen Selbstmordkonflikts ist häufig ausreichend. Es sollte sorgfältig geprüft werden, ob eine Durcharbeitung der ganzen Kindheit notwendig und eine Regression überhaupt wünschenswert ist [219].

Heizer [82] hat über Gruppenpsychotherapie mit Suizidpatienten berichtet. Die Arbeit bezieht sich vor allem auf die Zeit während des Klinikaufenthalts. Im allgemeinen wird eine längere Arbeit mit Suizidpatienten in Gruppen ebenso wie mit Depressiven skeptisch beurteilt, weil sich die Trauer lähmend auf alle auswirkt und keine Arbeit ermöglicht [143]. Etwas anderes ist die Teilnahme von Suizidpatienten oder depressiven Patienten in verschieden zusammengesetzten Gruppen. Dort können Konflikte und Probleme sich gegenseitig kompensieren.

Ähnliche Schwierigkeiten bestehen auch noch bezüglich der Verhaltenstherapie, die allerdings ja nur noch sehr indirekt auf dem Gespräch aufbaut. Das Problem „gelernte Hilflosigkeit“ umzulernen ist nicht ohne weiteres lösbar, ebensowenig den Lebensraum zu lebenserhaltenden Strategien umzustimmen. Vielleicht werden aber doch der verhaltenswissenschaftlichen Forschung einmal Techniken beschert, mit denen sie die unheilbringenden Umgangsformen, die zum Selbstmord führen, ändern kann [93].

Medikamente

Auf der Suche nach Methoden, wie gegen Selbstmord gearbeitet wird, darf die Medikamentenbehandlung nicht unerwähnt bleiben. Es ist naheliegend und wird immer wieder empfohlen, Selbstmordtendenzen als Symptom einer Depression entsprechend zu behandeln. Die sogenannten Antidepressiva, vorwiegend trizyklische Verbindungen, gehören seit 1957, seit *Kuhn* [117] das Imipramin in seiner Wirksamkeit entdeckt hat, zum festen Bestand der psychiatrischen Krankenbehandlung. In dem Maße, in dem sich Depressionszustände bessern lassen, treten auch Selbstmordgedanken und Selbstmordimpulse in den Hintergrund. Aber streng genommen haben alle Antidepressiva nur indirekt einen antidepressiven Effekt. Sie wirken antriebssteigernd oder hemmend und tragen so unmittelbar zur Stimmungsaufhellung bei; einen speziell und sicher wirkenden Saft gegen die Traurigkeit oder die Lebensunlust gibt es nicht [154]. So wird denn auch von erfahrenen Psychiatern immer wieder betont, daß die Medikamente im psychologischen Umfeld gegeben werden müssen und nicht per se wirken. *Hippius* [92] hat das Symposion über „das depressive Syndrom“ 1970 sehr stark danach ausgerichtet, ebenfalls das von *Schulte* und *Mende* [204] über Melancholie hatte diesen Schwerpunkt.

Kielholz [102] und *Poeldinger* [152] sowie auch die Basel benachbarte Psychiatrie in Zürich am Burghölzli werden nicht müde, Psychopharmaka in der Hand des Psychiaters als Unterstützung oder gar Vorbereitung einer Psychotherapie zu empfehlen. Es werden immer wieder Bedenken laut, Psychopharmaka isoliert zu geben, was auch den häufig von linksideologischen Gedanken bestimmten jungen Gruppen entgegenzuhalten wäre. Wenn diese gern gegen „chemische Zwangsjacken“ polemisieren und statt dessen Gesellschaftsveränderung fordern, so polarisieren sie das Problem unzulässig. Niemand denkt ernstlich daran, Lebensüberdruß mit Pillen überwinden zu wollen, darin die einzige echte Hilfe zu sehen. Im Zusammenhang bestimmter psychiatrischer Ausnahmezustände andererseits sind die Psychopharmaka eine wertvolle Bereicherung der Möglichkeiten, wie man gegen Selbstmord arbeiten kann. Das gilt insbesondere für alle Formen der Depressionszustände [152].

Da die Lithiumtherapie, die vielleicht den größten Fortschritt der letzten 15 Jahre in der Psychiatrie darstellt, sehr gezielt die manisch-depressive Erkrankung betrifft [202], wird hier bei allgemeineren Überlegungen zur Selbstmordverhütung nicht darauf eingegangen. Die Verringerung der Phasenanzahl oder ihre Abschwächung durch diese Substanz kommt natürlich auch dem Symptom der Selbstmordgedanken und der Selbstmordimpulse zugute. Doch ist die Gruppe der manisch-depressiven Kranken mit unter 1% der Gesamtbevölkerung so klein, daß sie im vorliegenden Zusammenhang nicht weiter erörtert werden soll. Ebensowenig soll auf die Grenzfrage eingegangen werden, wie auf nicht-therapeutischem Wege versucht wird, doch mit Pillen oder anderen chemischen Substanzen über Lebensunwillen hinwegzukommen. Gemeint sind hier nicht die Psychopharmaka in der Hand des Arztes, sondern Drogen in der Hand der Dealer und Alkohol. Das Problem Sucht und Suizid ist schon erwähnt und in Einzeldarstellungen erörtert worden [184]. Hier soll das nur als untauglicher Versuch, wie gegen Selbstmord gearbeitet wird, erwähnt und auf ein anderes dringendes Problem der Volksgesundheit aufmerksam gemacht sein. Die Drogen- und Alkoholszene ist nur indirekt Gegenstand der Selbstmordverhütung im Sinne von Überschneidungen. Da der Anteil der Drogensüchtigen und der Alkoholsüchtigen unter den Selbstmordhandlungen sehr hoch ist, ist die Bekämpfung dieser Suchten natürlich indirekt auch Selbstmordverhütung, aber eben nur indirekt.

Zunehmend wird auch öffentlich gegen Selbstmord gearbeitet. Von der Gründung entsprechender Gesellschaften war schon die Rede. Auch die Organisation von Tagungen, bei denen Fachleute sich austauschen und Laien fragen, sind ein entsprechender Beitrag. Oft finden Lebensmüde nach solchen Veranstaltungen den Mut zu einer entsprechenden Frage, die der Anfang zu einem weiterhelfenden Kontakt ist. In den angelsächsischen Ländern werden auch Werbeaktionen nicht verschmäht, in denen man mit abschreckenden Plakaten arbeitet wie gegen Rauchen und Trinken. *Foux* und *Varah* berichteten auf dem 8. Internationalen Kongreß für Selbstmordverhütung 1975 in Jerusalem davon.

Jetzt wurde auf dem 9. Kongreß 1977 in Helsinki diskutiert, ob die Einrichtung einer nationalen Suizidverhütungswoche, wie sie die amerikanische Association für Selbstmordverhütung (AAS) im Mai 1975 veranstaltet hat, zu einer internationalen Woche ausgedehnt werden kann und soll. Die Idee ist, durch Informationen der Öffentlichkeit mehr Verständnis und Interesse an der Selbstmordverhütung zu wecken und dadurch dem Lebensmüden die Rückkehr zu erleichtern, schließlich auch die Arbeit der Selbstmordverhütung finanziell zu unterstützen.

In größerem Umfang ist noch nicht bekannt, wie wirksam diese Art ist, gegen Selbstmord zu arbeiten, was man ja aber bei jeder Methode fragen muß, denn die Zahlen bleiben bis auf die Einschnitte 1948 (s. S. 105) und 1953 (s. S. 105) ziemlich gleich. Die Zahl der vollendeten Suizide ist immer schon sehr konstant gewesen und bei Selbstmordversuchen betreffen die Veränderungen den Anstieg bei Jugendlichen. Über die Wirksamkeit der Selbstmordverhütung insgesamt muß später noch genauer geredet werden, insbesondere auch über die der einzelnen Techniken und die Bedingungen von denen das abhängig ist.

Institutionelle Selbstmordverhütung

Abschließend ist nochmals auf Organisationsformen einzugehen, weil gegenwärtig unter dem Einfluß der Sozialwissenschaft viel von veränderter Umwelt erhofft wird. Weil viel darauf hindeutet, daß die sozialen Konflikte den Hauptanteil am Zustandekommen der Selbstmordhandlung hätten, meint man auch, viel organisieren zu müssen. In den USA ging die Amerikanische Association für Selbstmordverhütung mit gutem Beispiel voran und gründete bisher fast 200 Selbstmordverhütungszentren. In Deutschland haben sich nach der Arche 1969 in München eine Reihe von Initiativgruppen aufgetan, die *Heinrich* [81] 1976 tabellarisch zusammengestellt hat, die inzwischen um einige erweitert sind. Im Anhang dieses Buches ist versucht worden, die Zusammenstellung auf den neuesten Stand zu bringen. Die Idee dieser Aktionsgruppen ist, durch Zusammenfassung von Angehörigen verschiedener Berufe den Lebensmüden vielfältige Ansprache zu ermöglichen und den Problemen jeweils fachmännisch nachgehen zu können. Der Bericht zur Lage der Psychiatrie für die Bundesregierung vom November 1975 nimmt auch Bezug auf diese Institutionen und empfiehlt deren Unterstützung.

Häfner [73], der seit Jahren neuere Entwicklungen der Psychiatrie in den USA genauer verfolgt, mißtraut dieser Art gemeindenaher Psychiatrie. Aus Amerika selbst kommen kritische Stimmen: „Durch die Einrichtung von Suizidverhütungszentren haben wir eine erhebliche Bereicherung unserer Kenntnisse über die zu einem Suizid führenden Problem erhalten. Wir besitzen aber dennoch keine eigentlichen Tatsachen dafür, ob sich die Anzahl von Suiziden in Gebieten mit einem Zentrum durch die Benutzung des Telefondiensts allein verringert hat. Tatsache ist, daß nur ein kleiner Prozentsatz der Anrufe mit einem Suizid zusammenhängt. Es scheint so zu sein, daß Personen, welche schwerst suizidgefährdet sind, eine Verbindung mit solchen Zentren nicht suchen . . .“ [105]. Diese kritische Bemerkung bezieht sich vor allen Dingen auf vollendete Suizidversuche.

Vielleicht wird in einigen Jahren die Situation der Selbstmordverhütung doch besser sein. In der Tat kann man argwöhnen, daß dem Selbstmordproblem organisatorisch beigekommen werden soll, indem man Arbeitsplatzbereinigung macht, Konfliktfelder entschärft, finanzielle Probleme löst, Kontakte stiftet und dergleichen. Sicherlich ist eine Änderung der persönlichen Verhältnisse oder einfach eine Anpassung an unveränderte Gegebenheiten und eine entsprechend geänderte Einstellung dazu ein Schritt weiter. Aber damit sind doch nicht alle Probleme gelöst.

Diese Gefahr der Veräußerlichung sehend, können solche Initiativen, wie sie hier genannt wurden, sicher hilfreich wirken. Das intensive und tiefergehende Gespräch sollte jedoch dabei nie aus dem Blickfeld geraten und immer wieder dringend gesucht werden. Interessant ist denn auch, daß die Selbstmordverhütungszentren im engeren Sinne sich zunehmend mit Drogen- und Alkoholproblemen befassen, wo es vielleicht mehr zu organisieren gibt und auch Trainingsprogramme in Gruppen notwendiger sind als Gespräche.

Schließlich ist es nicht verwunderlich, daß Selbstmordverhütungszentren und ähnliche Einrichtungen stark mit der Telefonseelsorge zusammenarbeiten, eine Einrichtung, die auf ganz eigene Weise das Gespräch zum Mittelpunkt ihrer Arbeit macht. Bei der *Arche* in München wird der Telefondienst von der Telefonseelsorge übernommen, umgekehrt werden viele Klienten von dort an die Selbstmordverhütung weitergeleitet. Der SOS-Dienst – das Selbstmordverhütungszentrum in Helsinki – ist eine Weiterentwicklung des sog. „dienenden Telefons“, das 1964 zuerst aufgemacht wurde und inzwischen 11 Einrichtungen im Land verteilt hat [3].

Telefondienste und Beratungsstellen werden eben oft von Lebensmüden angegangen; erinnert sei hier an die segensreiche Einrichtung von Schülernotdiensten nach Zeugnisverteilung. Aber der Anteil von Lebensmüden in den Beratungsstellen ist doch geringer, als man erwarten würde. Im Durchschnitt sind etwa 7% der Anrufer bei Telefonseelsorgestellen Selbstmordgefährdete. Die Telefonseelsorge arbeitet also mit ihren Telefongesprächen sehr aktiv gegen Selbstmord und nimmt in der Selbstmordverhütung einen festen Platz ein, ihre Haupttätigkeit erstreckt sich aber auf ein viel weiteres Gebiet von Krisen.

In Deutschland ist ein weit verbreitetes Netz von Telefonseelsorgestellen von 64 inzwischen tätig. Auch darüber versucht ein Verzeichnis im

Anhang nach dem jetzigen Stand zu informieren. Gerade die deutsche Telefonseelsorge sucht sehr stark den Bezug zur Selbstmordverhütung. Sie ist auch in der Deutschenresellschaft für Selbstmordverhütung aktiv tätig, und die Zusammenarbeit beider Organisationen ist intensiv, vor allem auf Initiative der Berliner Telefonseelsorge, deren Leiterin *Balaszeskul* z. Z. auch Präsidentin des Internationalen Verbandes für Telefonseelsorge (IFOTES) ist [10]. Selbstmordverhütung ist nicht Aufgabe der Psychiatrie und Medizin allein [91].

„Suizidologie“

Man könnte noch eine indirekte Methode anführen, wie gegen Selbstmord gearbeitet wird, das ist die wissenschaftliche. Der Bericht zur Lage der Psychiatrie beklagt das Fehlen der Suizidologie in Deutschland. Gemeint sein kann damit wohl nur das Fehlen einer systematischen Forschung und eigener Abteilungen und Lehrstühle, die dieses Problemfeld untersuchen. Andererseits zeugt das Literaturverzeichnis dieses Buchs doch von einem verstärkten Interesse der Wissenschaft an diesem Bereich seit dem Krieg, das auch manche Früchte zeigt. Manche auch hier zum Teil referierte Erkenntnisse haben die praktische Selbstmordverhütung wesentlich beeinflußt. Die Forderung nach mehr Forschung ist natürlich berechtigt, allerdings ebenso die nach einer gemeinsamen Planung, was man eigentlich wissen will und muß, um Hilfsbedürftigen helfen zu können.

Wie gegen Selbstmord gearbeitet wird, hängt letztlich von den Menschen ab, die das tun. Die Intensivmedizin, die Psychiatrie, die Psychologie, die Soziologie, die Organisation schaffen jeweils Umstände und stellen Hilfesmittel bereit, unter denen Selbstmordverhütung sich entwikkeln und wirksam werden kann. Damit umgehen und tun müssen das Menschen. Das gilt insbesondere auch im Hinblick auf gesellschaftsverändernde Überlegungen zur Selbstmordverhütung, wie sie auf Seite 38 problematisiert wurden. Der Abschnitt I,3 über Soziologie hatte deutlich gemacht, daß wir zu wenig wissen über gesellschaftliche Einflußgrößen auf die Selbstmordhandlung, als daß sich daraus Rezepte zur Verbesserung ableiten ließen.

Wohl weiß man, daß die Gruppe ein Schutz gegen Selbstmord sein kann, wenn so viele Einzelne, Alte, Geschiedene sich in ihrer Isolation umbringen. Wie die Gruppe aber beschaffen sein muß, daß sie die Geborgenheit nicht an die Bedingung eines Normendrucks knüpft, der das Gewissen mit gefährlichen Schuldgefühlen belastet, und wie das machen, ist ein nicht zu lösendes Problem. Wir haben Grund zur Annahme, daß eine extrapunitive Aggressionsverarbeitung Selbstmordgefahr mindert. Ob man deshalb den Kern von Großstädten auflösen soll, oder die Kleinfamilie, die auf einem inneren und äußeren Raum keinen Auslauf hat, ist nicht zu entscheiden.

Wie schließlich ein Klima zu schaffen ist, in dem der Mensch angstfrei, ohne Schuldgefühle, ohne Einsamkeit, ohne Aggressionshemmung aufwachsen und leben kann und den Selbstmord nicht nötig hat, kann nur utopischen Spekulationen überlassen bleiben – leider! Unser Gesellschaftssystem und viele andere erfüllen diese Bedingungen weiß Gott nicht, und es ist eben sehr fraglich, ob überhaupt Systeme mit solchen Bedingungen herzustellen wären. Gesellschaftsveränderung orientiert sich so leicht an Utopie und wird dadurch gefährlich. Mit so allgemeiner Gesellschaftsveränderung wird jedenfalls nicht gegen Selbstmord gearbeitet, weil zu wenig Wissen vorhanden ist darüber, welche Einflußgrößen verantwortlich zu verändern wären und ob nicht wie beim Haupt der Medusa noch schädlichere in vermehrter Zahl wieder auftreten würden.

Bei der Vielschichtigkeit der Selbstmordhandlung ist die Bedeutung der gesellschaftlichen Faktoren zu schwer zu berechnen, als daß daraus ganz konkrete Konsequenzen gezogen werden sollten. Das heißt nicht, kein waches Auge zu haben auf Schadstellen der Gesellschaft, wo Isolation, Einsamkeit, Unterdrückung, Überforderung leicht gedeihen können, wie z. B. in Gefängnissen, Schulen, manchen Arbeitsplätzen oder Gruppen. Aber da ist dann konkrete Arbeit sinnvoll in der konkreten Situation einer Schule beispielsweise oder eines Betriebs oder jetzt der Bundeswehr. Sie macht eine entsprechende Untersuchung und versucht, Mißstände abzuschaffen, aber nicht gleich die ganze Armee. Gesellschaftsveränderung ist wohl nur so konkret an bestimmten Situationen vertretbar, nicht an Systemen, von denen niemand das beste kennt, wenn es das überhaupt gibt.

Die Reform an den Hochschulen, beginnend mit den sogenannten 68er Unruhen, ist ein schönes Beispiel dafür. Das Ergebnis sind ganz konkrete Veränderungen in ganz konkreten Bereichen – nicht eine Abschaffung oder totale Verwandlung [72]. So konkret gesellschaftsverändernd zu arbeiten, stünde der Selbstmordverhütung gut an, wachsam zu bleiben für Schulen vor allem und Erziehungspraktiken, für Integration Vereinsamter, für ganz konkrete Gruppenbildungen, in denen Lebensmüde wieder Hoffnung finden – die Hauptlast wird auf dem einzelnen Selbstmordverhüter liegen bleiben. So fordert der Bericht zur Lage der Psychiatrie denn auch vor allem anderen Schulung, Ausbildung und Vorbereitung Einzelner für den Umgang mit Lebensmüden. Reden wir also in den letzten beiden Abschnitten von denen persönlich, die gegen Selbstmord arbeiten, ihren Motiven, ihren Schwierigkeiten und eigenen Nöten.

3. Persönliche Eigenschaften der Helfenden

Wenn es unter dem allgemeinen Titel des III. Hauptabschnitts um die Helfenden geht und nun von deren persönlichen Eigenschaften die Rede sein soll, teilt man am besten ein, welche Eigenschaften werden ihnen nachgesagt (a), welche Eigenschaften haben sie tatsächlich (b) und welche Eigenschaften sollten sie haben (c). Dann schließt sich der 4. und letzte Abschnitt mühelos an. Dann bedeutet Hilfe für die Helfenden nämlich, wie sie diese Eigenschaften erwerben können.

Sind die Motivationen lauter?

Selbstmordverhüter werden oft als ganz suspekt eingeschätzt. Man hört, die wollten Karriere machen, die woanders nicht gelingt. Gott sei Dank gäbe es noch ein unbeackertes Feld, in dem man eine Aufgabe finden könnte. Verbreiteter ist noch die Skepsis, wie denn jemand das aushalten könnte, dauernd mit einem solchen Problem und mit solchen Menschen umzugehen. Die dauernde Beschäftigung stecke doch an [241], und wahrscheinlich spielten die doch selbst alle mit dem Gedanken. Das allgemeine Gerede über die Verrücktheit der Psychiater breitet sich auch hier aus. Von der Hand zu weisen sind solche Gedanken nicht.

Stolze [218] hat sich gerade mit der Frage der eigenen Suizidalität bei den Selbstmordverhütern beschäftigt und ihren Stellenwert zu erarbeiten versucht, wie man die eigene Problematik etwa nutzbar machen kann. Daß Ärzte eine höhere Sucht- und Suizidrate haben als andere Berufsgruppen, ist auf S. 52 schon erwähnt worden. Darunter sind natürlich auch Psychiater und auch solche, die sich spezieller mit dem Problem Selbstmord befassen. Wir wissen das aus eigenen Reihen und daß das nicht nur Psychiater betrifft, sondern auch unprofessionelle Helfer. Die Bewertung dieser inneren Situation soll im Unterabschnitt (b) versucht werden, wenn es um die tatsächliche Eignung zur Selbstmordverhütung geht, soweit man sie bestimmen kann.

Jetzt ist schon zu sagen, daß die Abschätzigkeit der Urteile über diesen möglichen Zusammenhang ganz lieblos und unangemessen ist und die Neugier nach den Hintergründen wiederum dieser Überheblichkeit weckt. Das wird auch noch einmal im Zusammenhang mit dem Phänomen zu erörtern sein, daß die Wissenschaft sich erst nach dem Zweiten Weltkrieg ernsthaft mit dem Problem auseinandergesetzt hat, vor allem auch, was die empirische Suizidforschung betrifft [25, 86, 179, 180].

Man kann auch so hingefetzte Reden hören, es müsse immer Leute geben, die sich einer aussichtslosen Sache verschreiben. Selbstmord könne man eben nicht verhüten, es sei denn als Symptom einer Krankheit indirekt, aber viele wollten das eben nicht einsehen und müßten gerade deshalb auf der Welle eines sozialen Engagements taumeln, weil sie sich mit einer exakten Medizin nicht identifizieren könnten. Die Aussichtslosigkeit mache den ganz besonderen Reiz aus.

Das Gerede geht auch so, daß Selbstmordverhüter so etwas Besserwisserisches hätten und herablassend seien, daß sie wie Propheten durch die Lande zögen. Da der Selbsterhaltungs- und Lebenstrieb alles regiere, könnten sie Lebensmüden eben nur dringend raten, sich nicht zu töten. Sie spielten sich auf zum Vorsprecher und Fürsprecher der Klienten, nähmen denen alles ab, eingeschlossen eigene neue Möglichkeiten, die sie sich selbst erfinden, aber nicht gestatten würden, weil es nicht in das Problem des Selbstmordverhüters paßt. Eine Symmetrie zwischen Betreuer und Betreuten komme nicht zustande. Eine Überfürsorglichkeit mache jede Initiative zunichte.

Selbstmordverhüter seien Betschwestern und Heilsarmisten und suchten eine Freizeitbeschäftigung. Deshalb könne nie eine richtige Wissenschaft und eine richtige systematische Arbeit daraus werden, und was nicht streng wissenschaftlich sei, könne man nicht gelten lassen. Aus sozialem Engagement könne man eben keinen Beruf machen.

Und schließlich seien Selbstmordverhüter herrschsüchtig, nützen die Lebensmüden durch überstarke persönliche Bindung an sich aus, um ihre eigene Einsamkeit zu vertreiben und das Gefühl zu haben, gebraucht zu werden.

Solche Redensarten, die man mehr hört als geschrieben sieht, so daß sie zitierfähig würden, werfen drängend die Frage auf, welche Motivation denn jemanden wirklich zur Selbstmordverhütung führt, und das muß man zunächst einmal theoretisch ruhig überlegen. Wie das ganze Gebiet der Selbstmordverhütung neu und sehr im wechselnden Aufbruch ist, wird auch solchen Fragen nur zögernd nachgegangen.

Seit Jerusalem, dem 8. Internationalen Kongreß für Selbstmordverhütung und Krisenintervention 1975, ist dieses Problem durch *Weis* öffentlich bloßgestellt worden. In einem der letzten Vorträge schreckte er ein schon reichlich ermüdetes Publikum durch provozierende Hinweise auf die möglichen gesellschaftlichen Hintergründe der Selbstmordverhütung hoch. Wird Selbstmordverhütung so propagiert aus schlechtem Gewissen gesellschaftlichen Mißständen gegenüber, werden die Zahlen als Schandfleck empfunden, der schleunigst zu beseitigen ist, oder braucht die Selbstmordverhütung gar diese Zahlen zu ihrer eigenen Legitimation, werden die selbst zu Lebensmüden, wenn keine Klienten mehr kommen? In der Tat ist interessant, und das war der Ausgangspunkt von *Weis* [237], den er sehr ernsthaft in dem Sammelband von *Eser* [44, 237] weiter ausgeführt hat, daß in den USA, gemessen an den vielen, fast 200 neu eingerichteten Krisenzentren, die Selbstmorde nicht abnehmen und die Selbstmordversuche nur geringfügig schwanken. Werden die Zentren gar nicht aufgesucht von den Betroffenen, oder erreichen diese Zentren mit ihrer Individualhilfe die gesellschaftlichen Faktoren gar nicht oder arbeiten sie indirekt so, daß die Zahlen sich gar nicht verringern können? Deckt die Soziologie der Selbstmordverhütung deren Eigennutz auf und nicht deren helfendes Engagement?

Weis benennt unter „Eigendynamik der Institutionalisierung" die Unmöglichkeit der Selbstmordverhütung, sich in Frage zu stellen. Sie haben so viele Anrufe, Beratungen, Gerettete, daß es sie nicht mehr kümmert, wenn die Zahl der geglückten Selbstmorde gleich bleibt. Die Selbstmordverhüter werden in Anspruch genommen wie ein sozialer Dienst, die Wirksamkeit wird dann zweitrangig. Er bringt den makabren Vergleich, daß Gefängnisse zur Resozialisierung eingerichtet worden sind, umgekehrt die Resozialisierung jetzt aber zur Begründung der Aufrechterhaltung der Gefängnisse mißbraucht wird.

Die zweite Wunde, die *Weis* [237] offenlegt, ist die von Angebot und Nachfrage. Wenn jetzt so viele Selbstmordverhüter den Suizid vom Dunkel der Heimlichkeit befreien, ihn verstehen, ihn behandeln, ihn unnötig machen, andere Lösungen anbieten, aufklären und darüber sprechen, werden sie ein Verhalten bei der Bevölkerung einüben, das sie unentbehrlich macht. Dann müssen nämlich Leute dasein, an die man sich wenden kann. Wenn das alles gar nicht so schlimm ist, muß man mit denen über all diese Dinge sprechen. Das Angebot zur Problemlösung gerät in Widerspruch zur Problemschaffung [237]. Das sind sehr nachdenklich stimmende und ernst zu nehmende organisationssoziologische Überlegungen und solche der Institutionalisierung.

Ob Selbstmordverhütung sich also nicht nur dem freien Willen des Einzelnen gegenüber legitimieren muß, sondern auch noch gegenüber ihrem Eigennutz selbst, bleibe dahingestellt, – solange seine Voraussetzung nicht ausdiskutiert und gesichert ist. *Weis* sagt als Soziologe im

Anschluß an *Durkheim* [37], die Selbstmordziffer sei eine „Rate gesellschaftlicher Pathologie" und deshalb nicht veränderbar.

Wir haben oben auf Seite 105 Bedenken geäußert, ob das so einfach ist. Das schon erwähnte Beispiel der *Samaritans* ermutigt zu diesen Bedenken. In England und Wales gab es 1953 12,2 Selbstmorde pro 100 000 der Bevölkerung, und seit Einführung der *Samaritans* in 15 Städten ist die Rate jetzt etwas unter 8. Gewiß haben die *Samaritans* besondere Methoden, haben Bekanntheit, Werbung mit Plakaten, mit Fernsehen zur teuersten Sendezeit, Mitarbeit von bewußt unausgebildeten Laien, die unverbildet dem Ratsuchenden ihre Hilfe anbieten und dies auf dem absoluten Prinzip der Freiwilligkeit tun – nicht wie in USA, wo der Anrufer unter allen Umständen geholt wird, und wenn es 40 Minuten dauert, bis amtlich seine Telefonnummer und sein Aufenthaltsort ermittelt worden ist. *Holland* kennt dieses Verfahren auch, überläßt an Ort und Stelle aber dann doch dem Klienten die Wahl mitzukommen [141]. Ob also alle diese Besonderheiten der *Samaritans* das Geheimnis dieses offensichtlich erfolgreichen Arbeitens ist, bleibt dahingestellt. Jedoch mit der „Rate gesellschaftlicher Pathologie" scheint es dann doch nicht so weit her zu sein, wenn anders man annehmen wollte, die *Samaritans* hätten die englische Gesellschaft verändert [226, 227].

Üble Nachrede der eigenen Gefährdung, Unterstellung unlauterer Motive der eigenen Karriere, Eigennutz der Institution sind so die bedenklichsten, aber auch nachdenkenswerten Anwürfe, die gegen Selbstmordverhüter vorgebracht werden. Wie sind sie nun wirklich, bzw. was kann man darüber sagen?

Welche Eigenschaften besitzen die Selbstmordverhüter tatsächlich?

Welche Eigenschaften die Selbstmordverhüter tatsächlich haben, ist schwer zu sagen, weil es meines Wissens keine repräsentativen Befragungen darüber gibt. So kann man sich nur auf das stützen, was man durch die Zusammenarbeit mit anderen kennengelernt hat, während der unmittelbaren Zusammenarbeit innerhalb der täglichen Gruppe und in der gelegentlichen Zusammenarbeit bei Tagungen.

Zunächst ist einmal daran zu denken, daß die Selbstmordverhüter aus verschiedensten Berufsgruppen kommen: es sind Mediziner, Psychologen, Soziologen, Pädagogen, Theologen, Sozialarbeiter und Laien. Auf Tagungen ist nicht zu übersehen, daß die Sozialarbeiter und Laien ein besonders Gewicht haben. Daraus ziehen manche den Schluß, Selbstmordverhüter hätten die Eigenschaft, immer neue Aufgaben zu suchen und nicht bei einer Sache bleiben zu können. Die Sozialarbeit befriedigte nicht so recht, strebe nach mehr, und da käme die Selbstmordverhütung gerade recht. Bei den Theologen sei das ähnlich: Seelsorge befriedige heute auch nicht mehr so richtig, und so biete Selbstmordverhütung sich auch günstig an. Tatsächlich kann man oft feststellen, daß Selbstmordverhüter auf der Suche nach einer Aufgabe sind, die sie voll befriedigt und die sie wirklich interessiert.

Es gibt wenige, die diesen Bereich nach kürzerer Beschäftigung wieder verlassen. Das bedeutet also, daß Selbstmordverhüter, wenn sie einmal ihre Aufgabe gefunden haben, eine große Beständigkeit und hohen Einsatz bei ihrer Arbeit zeigen. Das gilt übrigens auch für diejenigen aus den anderen Berufsgruppen, die auch erst nach längerer Zeit eine Identität finden, dann aber ebenfalls sehr nachdrücklich. Ein Blick auf das diesem Buch angeführte Literaturverzeichnis läßt das bei einigen in der Wissenschaft Tätigen ganz deutlich erkennen.

Eine weitere Eigenschaft ist der meist hohe Einsatz, mit dem Selbstmordverhüter ihre Arbeit tun. Das wird auch oft beargwöhnt, indem man Prophetie und Kreuzzung befürchtet. Diese Eigenschaft des hohen Engagements hat tatsächlich oft die Gefahr des Umschlags in Ideologie und Betriebsamkeit. Das mag damit zusammenhängen, wie Selbstmordverhüter den Selbstmord bewerten. Bei aller Verschiedenartigkeit ist allen gemeinsam, daß sie den Selbstmord ablehnen, ganz entschieden und grundsätzlich. Das klingt banal, insofern unter anderen Umständen niemand Selbstmordverhüter würde.

Bei einer freieren Einstellung zum Tod ließe sich aber auch eine andere Motivation zur Selbstmordverhütung denken, jedoch findet sie sich nicht durchgängig. So wird Selbstmordverhütung manchmal ein Kampf oder ein Feldzug. Andererseits ist die hohe Einsatzbereitschaft, wenn sie nicht zur Tugend von Kreuzfahrern wird, eine notwendige Bedingung, die mühsame Arbeit mit Lust zu tun. Beiläufig betreibt niemand Selbstmordverhütung.

Der Anstoß zur Übernahme einer Aufgabe und zu hohem Einsatz ist oft eine Konfrontation mit dem Selbstmord unmittelbar im eigenen Lebensraum des Freundes- oder Bekanntenkreises. Erschreckt von den Todesgedanken eines nahestehenden Menschen und dem unmittelbaren Erleben der Konsequenz von Lebensüberdruß, läßt viele die Überlegung nicht mehr los, weiter zu erforschen, was dahingersteht und wie dem Problem anders abzuhelfen sei. Der Versuch, eigene Probleme von Depression und Selbstmord auf professionelle Weise zu lösen, ist auch gelegentlich ein Grund, sich in der Selbstmordverhütung zu betätigen

– nach mancher Erfahrung nicht der schlechteste. Er gewährleistet eine Vertrautheit mit dem Problem, die Angst und Befangenheit nicht aufkommen läßt, was für den Umgang mit Lebensmüden von großer Wichtigkeit ist. Die Gefahr für die Selbstmordverhüter, die ein eigenes Problem mit ihrer Arbeit zu lösen versuchen, ist, die anderen zu benützen und nicht ihnen wirklich zu helfen. Sie verwechseln vielleicht ihr eigenes Problem mit dem des anderen, sehen eigene Wünsche und Gefühle im anderen und nicht dessen wirkliche innere Situation. Das verhindert gelegentlich den anderen wirklich distanziert wahrzunehmen. Diese notwendige Distanz muß aber nicht verlorengehen und kann gegebenenfalls gelernt werden.

Schmidbauer [197, 198] hat den Angehörigen helfender Berufe, zu denen die Selbstmordverhüter ja auch zählen, ein sogenanntes „Helfersyndrom" bescheinigt. In Ausbildungsseminaren hatte er festgestellt, daß die Teilnehmer selbst an ausgeprägter Hilflosigkeit litten, die sie mit dem Helfenwollen für andere überdeckten. Er erklärte das damit, daß die Anghörigen helfender Berufe in ihrer frühen Kindheit Störungen durchgemacht hatten, die sie nie verarbeiten konnten, die später im Beruf aber durchbrachen. Er zitiert eine englische Untersuchung, die zeigt, daß die Selbstmordiziffer bei 25- bis 39jährigen Ärzten mit 26% aller Todesfälle 3mal so hoch ist wie in der vergleichbaren Normalbevölkerung, wo sie 9% ausmacht [225].

Eine andere Untersuchung zeigte, daß bei einer Gruppe von 47 Medizinstudenten 30 Jahre nach Beginn des Studiums 34% eine psychotherapeutische Behandlung durchgemacht hatten, 17% in Nervenkliniken waren, 47% sich in Eheschwierigkeiten befanden und 36% süchtig waren – dies alles in deutlichem Gegensatz zu einer Kontrollgruppe von Studenten anderer Fächer [66].

Schmidbauer meint, daß Helfer sehr strenge Anforderungen an sich stellen, die es ihnen verbieten, sich eigene Schwächen einzugestehen. Dadurch überforderten sie sich selbst beständig und brächen eben oft zusammen [210]. Hier wird also eine Eigenschaft herausgearbeitet, die auch Selbstmordverhüter haben, nämlich Schwäche und Hilfsbedürftigkeit. Ohne diese Eigenschaften aber kann wohl niemand Selbstmordverhütung machen. „Wenn Ihr's nicht fühlt – Ihr werdet's nicht erahnen . . ." sagt *Faust* zu seinem Schüler. Wer Schwäche und Hilfsbedürftigkeit nicht aus eigener Erfahrung kennt, kann sie beim anderen auch nicht wahrnehmen und verstehen.

Viele Selbstmordverhüter sind religiös eingestellt und gebunden. Das läßt sich aus der beträchtlichen Zahl der Seelsorger ablesen, die hier arbeiten. Damit soll nicht jedem Pfarrer religiöse Einstellung und Bindung abgesprochen werden. Es gibt ja auch glaubenslose Priester. Aber ein Hinweis ist die Zahl doch. Außerdem kommen viele Laien aus kirchlichen Kreisen zur Selbstmordverhütung. Die Fähigkeit religiös zu fühlen, befähigt manchen sicher, sich dem Nächsten intensiver zuzuwenden und dessen Last zu tragen. Das ist eine wichtige Voraussetzung, um die nötige Geduld für die Arbeit aufzubringen. Daß daraus auch einmal religiöser Eifer werden kann und nicht mehr Selbstmordverhütung, sondern Bekehrung, muß nicht beunruhigen. Die Selbstmordverhütung deshalb in die Nähe der Heilsarmee oder religiöser Zirkel zu rücken und ihr die Fähigkeit zu sachlicher und wissenschaftlicher Arbeit abzusprechen, ist nicht berechtigt. Hierzulande jedenfalls sind Selbstmordverhüter nicht verkappte Missionare, die „. . . jede Gelegenheit zu schaffen (suchen), die Klienten zu Füßen unseres Herrn *Jesus Christus* zu bringen . . .“, wie das die Mitglieder einer entsprechenden Selbstmordverhütungsorganisation in Sidney in Australien geloben müssen (zit. n. Weis [237] S. 186).

Es sind einige tatsächlich vorhandene und möglicherweise typische Eigenschaften der Selbstmordverhüter aufgezählt worden. Hoffentlich wird dieses Dunkelfeld in den nächsten Jahren Gegenstand intensiver Untersuchungen! *Schmidbauers* Bemerkung, daß Helfer sich nicht gern in die Karten schauen lassen und Abwehrstrategien entwickeln, ist ja sehr verständlich. Wer kann sich ohne weiteres so in Frage stellen, daß ihm zunächst die Grundlage seiner beruflichen Existenz zu entschwinden droht, ohne die Möglichkeit neuer Grundlegung zu erkennen? In keinem Beruf ist es üblich, Motivationsanalysen zu machen mit der Gefahr, eigentlich hinterher den Beruf aufgeben zu müssen. In Fortbildungsveranstaltungen kommt jedenfalls oft eine Atmosphäre auf, sofort mit der Selbstmordverhütung aufhören zu sollen, wenn die vielen unbewußten Gefühle zum Vorschein kommen und die Angst, die sich in die Beziehung zum Lebensmüden einmischen können.

Es ist nicht unmittelbar selbstverständlich, in dieser Wahrnehmung eine Chance zu sehen, mehr Sicherheit und Befriedigung für die Arbeit zu bekommen, weil dadurch vielleicht Hilfen sichtbar werden, wie man unlautere Motive umzuwandeln lernt [213]. Jedoch ist die in Rede stehende Berufsgruppe vielleicht auf dem Wege zu dieser Erfahrung, insofern die zunehmende Beliebtheit der „*Balint*-Gruppen“ die eigene Person als Instrument der Arbeit und Mittel der Erkenntnis stark in den Vordergrund rückt [12].

Die abgegriffene Formulierung von der „Droge Arzt“, die *Balint* [12] nun vor fast 20 Jahren in die Medizin eingeführt hat, erinnert immer wieder ganz entschieden daran, welche Wirkungen von der Person des Arztes ausgehen und wie einbezogen sie in den Heilungsprozeß ist. Die medizinische Psychologie insbesondere hat diesen Anstoß belebt, indem sie das Arzt–Patient-Verhältnis zu einem der Hauptgegenstände ihrer Forschung gemacht hat, wie die vielen Lehrbücher und der Gegenstandskatalog dieses Fachs ausweisen. Dabei geht sie vor allem Gefühlen und Einstellungen nach, die die Situation und den anderen verändern. Daraus leitet sich die Forderung nach erhöhter Aufmerksamkeit des Arztes auf seine Reaktionen dem Patienten gegenüber ab, d. h. die Selbstreflexion mit In-Frage-Stellen wird für diesen Berufsstand unumgänglich. Die „*Balint*-Gruppen“ dienen diesem Ziel, indem Ärzte dort zusammen Situationen bearbeiten, die wegen unbewußter Einstellungen dem Patienten gegenüber zunächst nicht verständlich und auflösbar sind, d. h. Situationen mit Patienten, in denen keine Entwicklung oder kein Fortschritt mehr stattfinden.

Die Lehrveranstaltungen in „medizinischer Psychologie“, die inzwischen ein Pflichtfach für Medizinstudenten geworden ist, versuchen ebenfalls, im Gruppenunterricht die angehenden Ärzte zur Selbsterfahrung und Selbstwahrnehmung anzuhalten [41, 89, 165]. Das stößt natürlich auf schon erwähnte Widerstände. Aber sie werden geringer, ähnlich wie Psychotherapeuten lange gebraucht haben, bis ihre eigene Gegenübertragung für sie so wichtig wurde wie die Übertragung ihrer Patienten [178]. Die Erfahrung lehrt im Laufe der Zeit jeden, daß ohne Kenntnis der geheimsten Winkel seiner eigenen Person psychologische Medizin nicht zu machen ist. Mit dieser steigenden Bereitschaft zur Hinwendung zu sich selbst wird, wie gesagt, hoffentlich auch die Bereitschaft, sich zu entsprechenden empirischen Untersuchungen zur Verfügung zu stellen, steigen. Was jetzt gelegentlich noch missionarisch klingt, der Arzt müsse dies oder jenes beachten, würde dann auf einer mehr sachlichen und empirischen Ebene verhandelbarer werden. Selbstmordverhüter werden sich dem nicht entziehen können.

Welche Eigenschaften sollten Selbstmordverhüter aufweisen und welche nicht?

Nach der Aufzählung einiger aus dem persönlichen Umgang mit Selbstmordverhütern bekannten tatsächlichen Eigenschaften erhebt sich nun die Frage, welche Eigenschaften diese Berufsgruppe wünschenswerterweise haben sollte. Bisher war ja mehr oder weniger nur von positiven Eigenschaften die Rede, bzw. waren daran positive Möglichkeiten herausgestellt worden. Gehen wir jetzt so vor, negative Eigenschaften ins Auge zu fassen, die der Arbeit sehr hinderlich im Wege stehen – Angst, Herrschsucht, Eigennutz nämlich.

Angst quält nicht nur jeden Menschen, sondern macht unfrei und behindert die Selbstmordverhütung ganz besonders. Der Lebensmüde, der sich töten will, vermag in verstärktem Maße Ängste in seiner Umgebung auszulösen. Da ist zunächst die Angst vor Ohnmacht: Wer einem Lebensmüden begegnet oder mit ihm ins Gespräch kommt, erlebt unmißverständlich dessen Hilfsbedürftigkeit. Mehrfach war ja darauf hingewiesen worden, daß die verhaltenswissenschaftlich orientierte Psychologie depressives Verhalten, in das immer Selbstmordgedanken eingehen, gern als „gelernte Hilflosigkeit" beschreibt. Hilflosigkeit kennt jeder Mensch aus seinem Leben zumindest aus der Zeit seiner frühesten Kindheit, wo er besonders im ersten Lebensjahr extrem abhängig von der Mutter war. Bewußt oder unbewußt kann die Hilflosigkeit des Lebensmüden an die Erfahrung der eigenen Hilflosigkeit erinnern und dadurch Angst auslösen. Das ist insofern verständlich, als das Ausmaß der Abhängigkeit im ersten Lebensjahr fast katastrophal ist, wie entsprechende Reaktionen von Säuglingen und Kleinkindern auf Alleingelassenwerden und Vernachlässigung zeigen. Es kann das Gefühl eintreten, ich bin selbst ja noch viel ohnmächtiger und hilfloser als der andere, der von mir Hilfe erwartet. Ein gerade selbstgefundenes Gleichgewicht zur Überwindung von Ohnmacht und Hiflosigkeit durch die Gegenregulierung, man könne alles und sei allmächtig, wird in der angesprochenen Situation unter Umständen schlimm erschüttert. Kleinkinder versuchen, durch solche Allmachtsgefühle ihre Ohnmacht und Hilflosigkeit zu überbrücken. *Freud* hat von der Allmacht der Gedanken gesprochen und damit gemeint, daß Gedanken nicht nur frei sind, sondern unter Umständen auch unverbindlich ohne Realitätsbezug. Angesichts der Härte des Todes und der Verzweiflung trägt diese Allmacht der Gedanken oft nicht mehr und weicht im Gegenteil dem Gefühl totaler Machtlosigkeit.

Da ist weiter die Angst vor Überforderung, die durch die Selbstmordabsicht ausgelöst werden kann: Durchgängig ist in unserer Gesellschaftsform das Ergebnis der Erziehung eine hohe Bewertung von Leistung. Im Calvinismus waren Leistung und Erfolg äußerlich sichtbare Zeichen der Auserwähltheit durch Gott. So schlimm mag es heute nicht mehr sein, aber unser industriell-wirtschaftlich-wissenschaftlich-technischer Lebensraum hat die Prinzipien von Fortschritt und Perfektion zur Grundlage. Die werden natürlich durch den Selbstmord gründlich erschüttert. Paßt er doch gar nicht in ein gut funktionierendes System, sondern wird dort vielmehr als eine Art Betriebsunfall empfunden. Er bedeutet doch die

Absage an die Qualität der Lebensformen und das Eingeständnis, daß unter den bestehenden Verhältnissen Zufriedenheit nicht möglich ist. Der Selbstmord verneint ganz ausdrücklich die herrschenden gesellschaftlichen Normen durch seine Weigerung, weiterhin Leistung, Fortschritt und Vollkommenheit zu erbringen. Das Gespräch mit dem Lebensmüden, der einem dies alles klarmacht, kann Angst vor der strafenden Instanz des Über-Ich, wie die Psychoanalyse das innerhalb des Strukturmodells der Persönlichkeit nennt, auslösen, insofern man Angst bekommt, diese Normen selber nicht mehr gut zu finden und weiter, die geforderte Leistung, nämlich den Betreffenden unter allen Umständen am Leben zu erhalten, nicht erbringt. Die Angst vor dem Über-Ich kann sich durch ein Selbstmordverhütungsgespräch bis zu Schuldgefühlen steigern, weil man die nicht sofort weichende Verzweiflung im Lebensüberdruß sich persönlich anlastet und es als Versagen vor der Forderung erlebt, sofort erfolgreich helfen zu können.

Da ist die Angst vor dem Tod: Wir haben uns angewöhnt, Angst vor dem Sterben selbstverständlich zu finden. Insbesondere nach dem völligen Schwinden religiöser Jenseitsvorstellungen ist der Tod mehr und mehr zu einem jähen Ende geworden, einem schrecklichen Verlust, einer Katastrophe, die es in jedem Falle zu vermeiden gilt. Die Medizin insbesondere und die an ihr orientierte Medizinische Psychologie haben das Leben und den Lebenstrieb so zur Grundlage ihrer Arbeit gemacht, daß der Tod in dem System keinen Platz hat. Wohl wird gelegentlich registriert, daß das Sterben auch eine Erlösung sein kann, aber eigentlich soll es besiegt werden, und der Traum von der Abschaffung des Todes liegt zumindest unbewußt der Weiterentwicklung der Medizin zugrunde. Alle im Bereich der Medizin Tätigen und die Selbstmordverhüter teils dort selbst, teils am Rande dieses Bereichs arbeitend, haben ja das erklärte Ziel und den erklärten Auftrag, Leben auf jeden Fall zu erhalten. Der Tod ist dazu der absolute Widerspruch. Selbstmordgedanken und Selbstmordhandlungen stellen dieses Konzept radikal in Frage. Sie zerstören die Phantasien vom ewigen Leben hier auf Erden und heben unter Umständen alle Verdrängungen der Gedanken an den Tod, vor allem an den eigenen Tod, auf. Plötzlich taucht jemand auf und stellt einem den Tod wieder so unmittelbar vor Augen, daß man ihm nicht entgehen kann. Die alte Angst wird wieder wach, und Ratlosigkeit breitet sich aus, wie das mit dem Sterben ist, vor allem auch mit dem eigenen Sterben.

Da ist die Angst vor Aggression: Die Selbstmordhandlung ist ja immer zu einem beträchtlichen Teil auch Zerstörungswut und ohne Aggression nicht durchführbar. Zerstörerische Impulse hat jeder Mensch in sich. Die psychoanalytische Entwicklungspsychologie beschreibt bestimmte Situationen beim Kleinkind, in denen das Schwanken zwischen Liebe und Haß besonders ausgeprägt ist. Das ist einmal die Zeit nach dem ersten Lebensjahr, wo die allmähliche Trennung von der Mutter nicht nur als glückliche Verselbständigung erlebt wird, sondern auch als Verlassenwerden, das Haß auslöst. Das ist zum anderen die Zeit vor der Schulpflicht, wo der Junge sich sehr an die Mutter klammert und das Mädchen sehr an den Vater. Es ist tatsächlich an ablehnenden Verhaltensweisen und auch ganz offenen wörtlichen Äußerungen zu beobachten, daß der Eifersucht entspringende Haßgefühle dem jeweils gleichgeschlechtlichen Elternteil gegenüber auftreten. Diese können sich bis zu Mordphantasien steigern. Wird man mit dem zerstörerischen Gedanken des Selbstmords in Berührung gebracht, können diese früh erlebten Aggressionen, die unter Umständen im Laufe der Entwicklung nicht in das Gesamtgefüge der Persönlichkeit eingebaut werden konnten, wieder wach werden und Angst machen. Es ist die Angst vor Zerstörung mit der Gefahr des tödlichen Ausgangs.

Da ist die Angst vor dem Verlust der eigenen Person: Man spricht doch davon, zu sich selbst gefunden zu haben oder sich selbst zu verlieren und meint damit das, was die Psychoanalyse mit Gewinnung der eigenen Identität benennt. Die Philosophie spricht gelegentlich von einem Leben in Übereinstimmung mit sich selbst. In den meisten Perioden des Lebens kann man die Frage, wer bin ich, relativ mühelos beantworten in der Hinsicht der augenblicklich wahrgenommenen Lebensverhältnisse, Tätigkeiten, Gefühle und Zukunftsvorstellungen. Jemand, der das Leben total verneint und freiwillig sterben will, kann die bis dahin sicher gefundenen Antworten auf die Frage nach sich selbst ungültig und die Möglichkeiten zu neuen Antworten zunichte machen. Wenn man sich nicht mehr kennt, bekommt man ungeheure Angst. Manche Episoden im Wahn von Geisteskranken, wo die Realität sowohl als auch die eigene Person verkannt werden, sind erfüllt von dieser Angst. Wer sich das Leben nimmt, beantwortet die Frage, wer bin ich, negativ in dem Sinne, ich will nicht mehr sein. Das rührt an die Grundfesten der vielleicht mühsam gefundenen Antworten, ich bin der und der und so und so beim anderen. Die Lebensverneinung kann im Gesprächspartner fürchterliche mit Angst verbundene Unsicherheiten auslösen. Die Lebensgrundlagen drohen auch in ihm zu entschwinden.

Es wäre reizvoll, weiteren Ängsten nachzugehen, die durch die Selbstmordhandlung beim Selbstmordverhüter ausgelöst werden können. Noch dringlicher wäre eine Antwort darauf, an welche Bedingungen das Auftreten dieser Ängste geknüpft ist. Man kann da an begünstigende Faktoren denken, die unser Gesellschaftssystem bereitstellt. Von dem Leistungsprinzip, auf dem die westlichen Wirtschaftssysteme aufgebaut sind und das auch die Selbstmordverhüter unter Erfolgszwang setzt, war schon die Rede. Aber auch ein freier Umgang mit Aggressionen ist in unserer auf Anpassung bedachten Kultur erschwert. Wie man früher über Sexualität nicht sprach und sie möglichst heimlich vollzog, darf man heute nur sehr selten offen, eventuell aggressiv sein. Wer zum Erfolg kommen will, muß sich ducken und nach dem Munde reden, damit er nicht stört. So ist man in einer solchen Anpassungskultur besonders anfällig für Angst vor „unerlaubten Aggressionen". Und schließlich in einem Gefüge von Gruppen, Institutionen und Rollen, in dem wir beruflich wie privat uns mühsam durchschlängeln, ist die Erfahrung der Abhängigkeit davon so anhaltend, daß andere Abhängigkeitsverhältnisse, wie die des Lebensmüden vom Selbstmordverhüter, gefährlich werden können.

Eine Analyse der Gesellschaftsstruktur erbrächte sicher noch eine Reihe von Faktoren, welche die besprochenen Ängste begünstigen. Diese wäre Aufgabe der Soziologie. Mehr die medizinische Psychologie würde angehen, die Ängste weiter zu systematisieren, differenzieren und auf die persönliche Entwicklung des Einzelnen zu beziehen. Es könnte ja sein, daß es von Person zu Person verschieden ist, welche Ängste die Selbstmordhandlung in einem auslöst. Die genauere Kenntnis davon würde es dann erleichtern, mit diesen Ängsten umzugehen und ihre Behinderung bei der Selbstmordverhütung zu mindern. *Beckmann* [16] hat in ausführlichen Untersuchungen gezeigt, welcher Arzt zu welchem Patienten paßt, wie beide je nach ihrer Persönlichkeitsstruktur aufeinander reagieren. Daraus ergeben sich für die therapeutische Beziehung und deren Wirksamkeit wichtige Konsequenzen, die analog für die Selbstmordverhüter auch nutzbar zu machen wären. Das wäre mal ein anderes, immer wichtiger werdendes Thema der ziemlich einseitig gewordenen Suizidforschung.

Eine andere Möglichkeit der Systematisierung von Ängsten wäre der Bezug auf die *Persönlichkeitsstrukturen Es – Ich – Über-Ich.* Man könnte dann bei der Untersuchung von Selbstmordverhütern nach der Beschaffenheit dieser Strukturen fragen und davon Strategien zur Bewältigung der Ängste ableiten. Schließlich wäre daran zu denken, die Reaktionen der Selbstmordverhüter auf ihre Klienten als sogenannte Abwehrmechanismen zu interpretieren. Abwehrmechanismen richten sich gegen Angst. „Grundformen der Angst" könnten mit „Reaktionsformen der Angst" korrespondieren. [161, 178]

Deutlich werden sollte in dieser längeren Abhandlung von Ängsten, daß Selbstmordverhüter auch negative, zwar durchaus verständliche Eigenschaften haben können. Daraus ergibt sich, wie sie wünschenswerterweise sein sollen, nämlich zunächst einmal ohne Angst. Wie das zu erreichen ist, wird Thema des letzten Abschnitts sein. Jetzt wenden wir uns zunächst noch zwei anderen Eigenschaften zu, die nicht vorhanden sein sollten, die aber im Zusammenhang mit Selbstmordverhütung leicht auftreten können: Selbstmordverhüter sollten frei sein von Herrschsucht und Eigennutz.

Es klingt vielleicht merkwürdig, Herrschsucht für eine gefährliche Versuchung der Selbstmordverhüter zu halten. Aber so abwegig ist es nicht, daß die selbstaggressive Seite des Lebensüberdrusses Gegenaggressionen auslöst, daß die Forderung nach Erfolg den anderen fast sadistisch zum Weiterleben zwingen will und die verunsichernde Angst, die auftreten kann (s. o.), zur Gegenregulation der Gewalt führt.

Es können Situationen auftreten, wo die Selbstmordverhütung, das Gespräch zwischen dem Selbstmordverhüter und dem Klienten, die Form eines Zweikampfs annimmt. Der eine will unbedingt sterben und der andere das unter keinen Umständen zulassen. Ein Höhepunkt solchen Zweikampfs kann die Zwangseinweisung in eine geschlossene psychiatrische Abteilung sein wegen Selbstgefährdung. Eine solche Maßnahme ist oft unumgänglich und besonders bei anhaltend schweren Depressionen ein Gebot der Verantwortung. Aber eine solche Einweisung hat etwas Gewaltsames, und man sollte sich dabei jedesmal fragen, aus welchen Motiven man sie durchführt. Aus Angst, aber auch aus Herrschsucht kann die Anstrengung zur Überwachung Form und Ausmaß nehmen, die der Würde des anderen nicht mehr angemessen sind.

Ein sorgfältiges Abwägen ist eine menschliche Pflicht, zu deren Erfüllung allerdings Erfahrung und Fähigkeit zur besonnenen Übernahme von Verantwortung gehören. Letztlich entspringt die Herrschsucht mangelnder Toleranz und mangelndem Respekt des Selbstmordverhüters seinem Klienten gegenüber. Herrschsüchtig, intolerant, respektlos sollte Selbstmordverhütung nicht betrieben werden.

In unkonventioneller und auch für manche in provozierender Weise wird in diesem Buch das Recht auf Sterben zugebilligt und die Rechtfertigung der Selbstmordverhütung in einem Eingehen auf ausgesprochene Hilfsbedürftigkeit gesehen. Demut, Toleranz und Respekt sind unbedingt notwendige Tugenden für diese Art von Selbstmordverhütung. Sie eröffnen auch erst Aussicht auf erfolgreiche Arbeit.

Vom „Eigennutz des Sisyphos“ handelt die schon erwähnte Arbeit von

Weis [237]. Er meint mit Sisyphosarbeit einmal die Erfolglosigkeit, zu der sie verurteilt ist, weil die Selbstmordrate eine Rate gesellschaftlicher Pathologie sei und nicht veränderbar. Zum anderen nennt er den Eigennutz gesund, der diese Erfolglosigkeit mit persönlichen Interessen in der Wissenschaft, den eigenen Lebensverhältnissen und am Einzelfall zu kompensieren versucht. Dieser Eigennutz des Sisyphos gilt nicht. Die Rate gesellschaftlicher Pathologie ist ja gar nicht so unveränderbar (s. S. 105) und sich eigennützig im Interesse ganz persönlicher Bedürfnisbefriedigung über eine vermeintliche Sinnlosigkeit einer bestimmten Tätigkeit hinwegzusetzen, ist eigentlich nicht zu vertreten. Wohl muß Selbstmordverhütung Freude machen und darf nicht zu einer reinen Last ausarten. Aber wenn sie nur dem Eigennutz dienen würde, ohne Bezug zum anderen, müßte sie aufgegeben werden. Die Uneigennützigkeit wird von der Hilfsbedürftigkeit der Lebensmüden gefordert. Sie haben ein Anrecht auf uneigennützige Zuwendung, bezogen auf ihre besondere Problemsituation, was unmöglich wird, wenn der Selbstmordverhüter nur an sich denkt.

Als letzte Eigenschaft angeführt, weil sie Voraussetzung für alles Helfen ist, wäre noch Nächstenliebe zu erwähnen. Ohne den anderen Menschen zu lieben, was immer darunter zu verstehen ist, geht diese Art der Zuwendung in der Selbstmordverhütung nicht. Wenn mir der andere gleichgültig ist oder gar verhaßt, bringe ich wohl die nötige Geduld und das nötige Verständnis zur Hilfe nicht auf. Auf dieser Grundlage ist es auch noch am ehesten möglich, sich vor Angst, Herrschsucht und Eigennutz frei zu halten.

Wer die im letzten Abschnitt aufgeführten wünschenswerten Eigenschaften – nämlich Angstfreiheit, Demut, Uneigennützigkeit, Geduld, Toleranz, Respekt, Sachlichkeit, sorgfältiges Nachdenken und Nächstenliebe – nicht hat oder nicht zu lernen vermag, sollte Selbstmordverhütung nicht betreiben. Es wird ja niemand dazu gezwungen. Wie diese Eigenschaften unter Umständen erworben und durchgehalten werden können, wird im nächsten Abschnitt behandelt. Hinweise dazu sind eine wirklich notwendige Hilfe für die Helfenden.

4. Hilfe für die Helfenden

Der Titel des Buches von *Schmidbauer* [197] „Die hilflosen Helfer" könnte das Mißverständnis aufkommen lassen, die Ärzte oder vergleichbare Personen seien kränker als ihre Patienten. Es gibt ja den bissigen

Volksmund, der Psychiater unterscheide sich vom kranken Anstaltspatienten nur durch den Besitz des Schlüssels zur geschlossenen Abteilung. Natürlich haben Psychiater eine gewisse Zuneigung zur Verrücktheit, sonst könnten sie nicht das genügende Interesse für ihre Patienten aufbringen. Als hilflose Helfer sollte man sie und andere nicht bezeichnen. Das Problem liegt ja nicht so sehr in den vermehrten Klinikaufenthalten dieser Personen, der vermehrten Notwendigkeit psychotherapeutischer Behandlungen oder der gesteigerten Selbstmordrate dieser Berufsgruppe. Auch scheint die These von der Verlagerung der eigenen Hilflosigkeit auf den Patienten etwas verzerrt und vereinfacht. Noch fragwürdiger erscheint der Gedanke, daß die helfenden Berufe ihre Klienten in hilfloser Abhängigkeit halten, um die eigene Daseinsberechtigung zu sichern, und schließlich ist auch der angenommene und in Gruppenerfahrungen des Autors beobachtete Über-Ich-Druck, der Zwang zum Erfolg bei Helfenden, vielleicht zu einseitig dargestellt. Das sind Gefahren, die den helfenden Berufen entstehen können. Es läßt sich nicht generalisieren, daß sie diesen Gefahren ständig erliegen.

Gleichwohl ist diese wichtige Abhandlung „über die seelische Problematik der helfenden Berufe“ geeignet, die Notwendigkeit der Hilfe für die Helfenden zu erkennen. Die Überschrift dieses Abschnitts, die diese Notwendigkeit zum Ausdruck bringt, soll bewußt so stehenbleiben, weil sie lange vor Erscheinen des Buchs von *Schmidbauer* [197], dessen letztes Kapitel „Hilfe für Helfer“ heißt, konzipiert war. Die Probleme sind speziell in der Selbstmordverhütung vielleicht auch anders gewichtet und werden dementsprechend anders abzuhandeln sein. Interessant bleibt, daß die Arbeit und Erfahrung in ähnlichen Bereichen der psychologischen Medizin zur Wahrnehmung einer ähnlichen Problematik führt [161, 197].

In der Selbstmordverhütung ist das Haupthindernis, das die Arbeit erschwert, die Angst vor dem Selbstmord. Eine wichtige Hilfe zur Überwindung dieser Angst ist ihr Eingeständnis vor sich und anderen. Wo steht geschrieben, daß die Helfenden keine Angst haben dürfen? Vor dem Selbstmörder ist sie ganz natürlich, kann er mich doch genausogut umbringen wie sich selbst. Es wäre denkbar und entspricht auch mancher Erfahrung, daß die Situation zwischen Selbstmordverhüter und Klienten ohne Angst entschärft wird, und sich ein Zweikampf so leicht nicht einstellen wird. Nun wird man mit Recht einwenden, daß das Eingeständnis und die Wahrnehmung der Angst allein noch nicht ihre Überwindung bedeuten. Die immer wiederholte Erfahrung aber und Konfrontation mit Lebensmüden kann ein Training werden, in dem Angst sich verliert, weil man sie dem anderen gegenüber als unangemessen empfindet und erlebt, daß das Zusammensein mit Lebensmüden ohne Angst leichter ist. Das andere Training ist die dauernde Konfrontation mit Kollegen, die auf demselben Gebiet arbeiten und die sich in Fallbesprechnungen auf ihre Ängste aufmerksam machen können und sich die Erfahrung vermitteln, daß es ohne Angst besser geht. Es ist erlernbar, keine oder weniger Angst zu haben.

Eine weitere Schwierigkeit der Arbeit ist die Unbeholfenheit gegenüber der Aggression. Der mögliche Selbstmörder zeigt durch seinen vertrauten Umgang mit der Aggression, in dem er ständig mit dem Leben spielt, eine Seite des Gefühlslebens, mit der wir nicht umzugehen gelernt haben. Zur Demut und zur Anpassung erzogen, ist es nicht erlaubt, Aggressionen zu äußern, respektlos zu sagen, was man denkt, den Eltern, den Lehrern, den Vorgesetzten und auch der feinen Gesellschaft gegenüber. Es ist auch nicht klug, weil man dann vielleicht keine Karriere macht wegen der Angst der anderen vor Konkurrenz. Die Stillen, Treuen, die keine Schwierigkeiten machen, sind gefragt in unseren Büros und Institutionen – die Menschen mit Dynamik und Phantasie dürfen nur wenige sein, damit die Weiterentwicklung nicht ganz seicht versiegt. In solchem Klima kann die Integration von Aggression kaum gelingen, und der Selbstmörder löst Schrecken vor unerlaubter Gewalttätigkeit aus.

Auch der Umgang mit Aggressionen ist erlernbar. Die ständige Erfahrung, daß der Umgang mit Lebensmüden entspannter wird und leichter, wenn man sich der eigenen und fremden Aggression stellt, verändert. Sie läßt erleben, daß Aggression zum Menschen gehört und der Selbstmörder mich als Partner und Zielscheibe seiner Aggression braucht, damit er die gehemmte, gegen sich gerichtete Aggression wieder nach außen wenden kann. In der Zusammenarbeit mit anderen Selbstmordverhütern läßt sich lernen, offen miteinander umzugehen und sich gegenseitig zu stärken, die Aggressionen des anderen zu ertragen. Solche Arbeitsgruppen könnten zu einem Freiraum werden, wo nicht nach Konkurrenz und Erfolgszwang jede Aggression unterdrückt wird, vor allem auch keine Rivalität wegen der Zugehörigkeit zu verschiedenen Berufsgruppen entstehen muß. Die vielbescholtene Leistungsgesellschaft läßt an manchen Stellen dem einzelnen und kleinen Gruppen mehr Spielraum zu menschlich gerechtem Verhalten als wir, an Entfremdung gewöhnt, zu bemerken imstande sind.

Eine besondere Schwierigkeit ist der Erfolgszwang, unter den Selbstmordverhüter geraten können. In der erwähnten Untersuchung „über die seelische Problematik der helfenden Berufe", wird dieser Über-Ich-Druck besonders bearbeitet. Es wird vermutet, die Helfenden stünden ganz besonders unter der Pflicht, helfen zu müssen, vor allem wirksam helfen zu müssen. Bei Medizinern kommt erschwerend hinzu, daß sie sich der Lebenserhaltung um jeden Preis verschrieben haben, daß chronische Krankheit also und Tod zu einer schweren Belastung werden können. Jedoch scheint sich das Problem des Erfolgszwangs für jeden zu stellen, der in dieser an Fortschritt und Leistung orientierten Gesellschaft lebt. Der in vielen psychoanalytischen Behandlungsstunden getane Ausspruch „... Wo Über-Ich war, soll Es werden ...", den *Cremerius* jetzt auch in Abwandlung eines Zitats von *Freud* zum Thema einer sehr wichtigen Arbeit gemacht hat [32], gilt für die meisten Kinder der modernen Zeit.

Bei der Selbstmordverhütung speziell ist der Erfolgszwang nicht nur hinderlich, sondern gefährlich. Er setzt den Lebensmüden unter Druck. Er darf sich nicht töten, um seinen Helfer nicht zu enttäuschen oder seine Familie oder sonstwen. Unter diesem Druck spürt er unter Umständen vermehrt sein Unvermögen und bekommt im Erlebnis des Versagens Schuldgefühle, die gefährlichsten Geister in der Szene der Selbsttötung. Wieder wird einen der Umgang mit Lebensmüden am ehesten lehren, sich vom Leistungsdenken freizumachen.

Es gibt auch andere Lebenssituationen, wo man das üben kann, wenn z. B. ein Kind mit einer schlechten Schulnote nach Hause kommt, es genauso liebzubehalten wie mit einer Eins. Am wichtigsten erscheint aber gerade für diese Problematik der Erfahrungsaustausch mit Gleichgesinnten und Gleichtätigen. Ärzte und andere Helfende taumeln nicht von einem Erfolgserlebnis zum anderen, und man kann sich im Ertragen dieser unkonventionellen Art der Tätigkeit gegenseitig stützen. Man kann sich auch darauf aufmerksam machen, im Bereich der Liebe mehr seine Bestätigung und Zuwendung notwendig zu haben, und diese dann auch zu suchen, damit der Beruf nicht überfrachtet wird. Man kann sich in der gemeinsamen Arbeit mehr und mehr von der notwendigen Unaufdringlichkeit der Selbstmordverhütung überzeugen lassen, die zu ihrer Rechtfertigung und Wirksamkeit unbedingt gehört.

Das Kernproblem der Selbstmordverhüter ist der Tod. Eine größere Paradoxie kann man sich kaum vorstellen, als daß einer jemandem, der sich der Lebenserhaltung verschrieben hat, sagt, ich will sterben. Diese Paradoxie als Selbstmordverhüter auszuhalten ist nicht leicht. Einmal gemahnt sie an den eigenen Tod, vor dem man Angst hat und den man verdrängt. Weiter bekommt man auch Angst um das Leben des anderen und will ihm den Tod nicht wünschen. Der Tod ist in unserem Zivilisationsrahmen ein jähes, schreckliches Ende, ein Betriebsunfall, den es nicht geben sollte. Auf weite Strecken wird man davon ausgehen können, daß in vielen unbewußten Phantasien eine Welt ohne Tod und Sterben geträumt wird. Um Abschaffung des Todes geht es, nicht um seine Überwindung beispielsweise in einem Auferstehungsglauben. Dann ist es nicht leicht, jemanden sterben lassen zu können, wie immer wieder aus Berichten hervorgeht, nach denen jemand nicht gerettet werden oder nicht davon abgehalten werden konnte. Den Gedanken zu übernehmen, daß es offenbar sein Wille war zu sterben und vielleicht sogar eine gute Lösung für ihn, fällt sehr schwer. Es wäre fast zynisch, auch hier zu sagen, mit zunehmender Erfahrung wächst die Fähigkeit, das Sterben von eigener Hand zu ertragen. Aber eine andere Erfahrung ist hilfreich, nämlich die allgemeine Lebenserfahrung, die lehrt, den Tod allmählich in sein Leben einzulassen.

Es ist vielleicht kein Zufall, daß die Selbstmordverhütung nach dem Schrecken des *Zweiten Weltkriegs* 1948 durch *Ringel* einen so starken Aufschwung nahm und dieser ein ebenso starkes Echo fand. Man war dem Tod so nahe, daß dieser nicht mehr aus dem Leben auszublenden war, ähnlich wie *Freud* unter dem Eindruck des *Ersten Weltkriegs* 1917 „Trauer und Melancholie“ schrieb und bald darauf seine Konzepte über Aggression [59] und Todestrieb [60] vorlegte. Eine gewisse Lebenserfahrung also und tatsächliche Vertrautheit mit dem Sterben machen den Umgang mit dem Selbstmord gewiß leichter. Die andere Möglichkeit, Tod ertragen zu lernen und dem anderen selbst um diesen Preis seinen Willen zu lassen, ist wieder die Zusammenarbeit mit den anderen. Man kann sich dabei von Schuldgefühlen entlasten und eine Festigkeit gegenüber dem Absurden erlernen, daß wir als Lebensretter keine Macht über den Tod haben, aber doch nicht aufgeben.

Das Gefühl, am Tod des anderen schuld zu sein oder daran schuldig zu werden, ist etwas weiteres, was den Helfenden Schwierigkeiten machen kann. Wenn man einmal gelernt hat, den freien Willen des anderen zu respektieren und sich mit der Unabänderlichkeit des Todes angefreundet zu haben, wird dieses Schuldgefühl weniger leicht auftreten. Das ist vorwiegend eine Frage des Älterwerdens. Vordergründiger ist wichtig, daß die Helfenden sich untereinander von Schuldgefühlen entlasten und nicht im Gegenteil durch Vorwürfe und Schadenfreude diese noch verstärken. Manche Ärzte haben die Tendenz, um „reine“ Statistiken besorgt zu sein und peinlich darauf zu achten, daß sie keinen Patienten durch Selbstmord verlieren. Das geht natürlich nur so, daß sie die Übernahme entsprechender Behandlungen zu umgehen verstehen. Andere Kollegen werden dann entsprechend kritisch beobachtet und Schuldgefühle zumindest auf diese Weise begünstigt. Diese Hilfe zur Vermeidung von Schuldgefühlen müssen sich die Helfenden vor allem gegenseitig selber geben, indem sie sich auf keinen Fall gegenseitig Vorwürfe machen, im weiteren dann auch nicht den anderen Umstehenden oder gar den Lebensmüden selbst. Die Befreiung von Schuldgefühlen, die ihre tiefe Wurzel der Entstehung ja vielleicht schon in der frühen Kindheit haben, ist nicht leicht. Aber im ständigen Umgang mit den Hilfesuchenden und den Helfern wird vielleicht doch die Erfahrung wirksam, wie grausam Moral ist und wie wenig angemessen Schuld und Vorwürfe der Würde des Menschen, sowohl seiner selbst als auch des anderen, sind. Die Verantwortung für sich selbst und andere liegt jenseits von Vorwürfen, nämlich auf der Ebene gegenseitiger Achtung.

Lieblosigkeit macht Selbstmordverhütung unmöglich. Das mag für alle helfenden Interventionen gelten, ist hier aber von besonderer Bedeutung. Das Gegenteil von Liebe ist Haß, und dieser kann beim Helfer leicht entstehen angesichts der versteckten Aggression des Lebensmüden und auch der Starrheit, mit der er sich unter Umständen der helfenden Bemühungen widersetzt. Diese kann auch in Herrschsucht umschlagen, einem anderen Gegenteil von Liebe, die den anderen ja frei machen will. Die Berufung auf die christliche Nächstenliebe, die an die eigene Verantwortung wie an die des anderen appelliert, man müsse den Lebensmüden retten, und der dürfe das nicht tun aus Verantwortung für die Angehörigen, hat hier ihre besonderen Gefahren. Die Auslegung des Gebots zur Nächstenliebe ist sicher nicht leicht. Aber dazu gehört Anerkennung der Eigenständigkeit des anderen und Respekt vor dessen ganz persönlichen Entscheidungen. In jeder Begegnung mit dem Mitmenschen muß man es neu erarbeiten, wo Verantwortung im Zusammenhang mit Nächstenliebe anfängt und wo sie im Umschlag zur Lieblosigkeit aufhört. Verantwortung und Nächstenliebe können auch zu Schutzbehauptungen werden, indem der Nächste nicht geliebt, sondern benutzt wird, zur Bewältigung eigener Einsamkeit, Bestätigung durch Erfolg, Erfüllung einer Aufgabe und Befriedigung von Abhängigkeitsbedürfnissen, um nur einiges zu nennen. Von der Freiheit des anderen ist dann nicht mehr viel übrig.

Das könnte zu dem Gedanken verleiten, Selbstmordverhüter müßten eine Schule der Liebe durchmachen, ehe sie an die Arbeit gingen. Wer kann so eine Schulung bieten, und was ist Liebe? Doch mit Recht hat die Liebesfähigkeit die Psychoanalyse immer wieder beschäftigt als Maß der Gesundheit und eines möglichen Behandlungserfolgs. Ziel der Bemühung von *Freud* war es, daß der Mensch lieben und arbeiten könne. Dann wäre also Liebesfähigkeit durch Psychoanalyse erlernbar. Das wird diskutiert [13, 132], soll aber hier nicht weiter verfolgt werden. Wie man zu einer reifen, ausgeglichenen Persönlichkeit wird, die sicher die beste Voraussetzung für die Arbeit in der Selbstmordverhütung darstellt, würde Thema eigener Abhandlungen sein müssen. In unserem mehr praktisch orientierten Zusammenhang ist es als Hilfe für die Helfenden nicht so wichtig, ein Persönlichkeitsideal hinzustellen, das zu dem Gefühl der Unerreichbarkeit führt und den Mut zur Arbeit nimmt. Hilfreich sind Hinweise vielmehr zur Bewältigung aktueller Probleme, die bei dem Umgang mit Lebensmüden auftauchen.

Zur Überwindung von Angst und Schuldgefühlen war auf die Erfahrung mit den Lebensmüden und auf den Austausch mit den Kollegen verwiesen worden. Als die wichtigsten Hilfen für die Tätigkeit erweisen sich Information und Supervision. Es ist einfach sehr nützlich, wenn man aus eigener Erfahrung, aber auch aus der von anderen viel weiß über die Selbstmordhandlung, über die Probleme von Lebensalter, Zuordnung zu Krankheit, besonderen Lebenssituationen, Risikogruppen, Psychologie, Soziologie und anderes mehr. Die Informationsvermittlung ist eine wichtige Vorbereitung auf die Arbeit und eine Hilfe dabei. Das Geschehen der Selbstmordhandlung verliert dadurch wenigstens zum Teil seine Unheimlichkeit. So wird Angst gemindert. Wichtig ist dabei, daß wirklich über Selbstmord informiert wird, über Situationen, Hintergründe, über Fallberichte, und die Vortragenden nicht dem Ehrgeiz erliegen, Psychiatrie für Laien verständlich darstellen zu müssen. Eine differenzierte Psychopathologie der Schizophrenie muß man z. B. für die Selbstmordverhütung nicht kennen.

Die andere Hilfe ist die Supervision. Selbstmordverhütung ist ohne regelmäßige Arbeitssitzungen, wo Fälle vorgetragen und die Schwierigkeiten besprochen werden, nicht möglich. In diesen, als kleine Arbeitsgruppen zu organisierenden Einrichtungen, kann dann alles das geschehen, was wir mit Erlernen von Angstfreiheit, Unbefangenheit, Integration der Aggression, Toleranz Tod und Sterben gegenüber, Freiheit von Erfolgszwang und Respekt vor dem Nächsten meinten. In diesen Supervisionsgruppen ist dann auch genügend Selbsterfahrung möglich, die aktuelle Schwierigkeiten überwinden hilft und allmählich auch zu einer eigenen Stabilisierung beiträgt. Ob schon die Informationsvermittlung in kleinen Gruppen im Dienst der Selbsterfahrung stattfinden soll, scheint Geschmacksache zu sein. Da es dort mehr auf Wissensvermittlung ankommt, ist die Kleingruppenarbeit da wohl entbehrlich. Sie wird auch personell schwer zu organisieren sein. Schaden wird sie andererseits nicht.

Für jeden Selbstmordverhüter eine eigens auf diese Tätigkeit zugeschnittene Selbsterfahrung von mehreren hundert Stunden als Einzel- oder Gruppentherapie zu verlangen, halte ich für falsch. Hochspezialisierte Ausbildungen sind zur Durchführung spezieller Psychotherapieformen sinnvoll. Um die geht es ja aber in der Selbstmordverhütung nicht. Hauptsächlich, und wenn deren Anwendung notwendig wird, muß das der Spezialist machen. Der Alltag der Selbstmordverhütung besteht aus Umgang mit Angst, Aggression, Sterben und Toleranz. Zu deren Bewältigung bedarf es menschlicher Fähigkeiten, die durch unsere Lebensumstände zwar verkümmern können, aber in den einfacheren Zusammenhängen der Information und Supervision wieder erlernt und geübt werden können.

In diesem Zusammenhang kann man auch die Hoffnung hegen, daß die neue Medizinerausbildung mit der Einführung der Fächer medizinische Psychologie, medizinische Soziologie und Pychotherapie/Psychosomatik den angehenden Ärzten mehr Fähigkeit zur Selbstmordverhütung vermittelt, als das in früheren Zeiten möglich war. Das ist hier besonders zu erwähnen, weil der Unterricht in diesen Fächern, besonders der Kurs der medizinischen Psychologie, auf Selbsterfahrung aufgebaut ist [41, 89, 165].

So stehen am Ende des Abschnitts und des Buchs die Helfenden mit den Hilfesuchenden zusammen und geben sich auf dieser gemeinsamen Ebene der Mitmenschlichkeit am wirksamsten die notwendigen Hilfen. Freilich gibt es eine Technik der Mitmenschlichkeit [155], über die man Bescheid wissen und die man erlernen muß. Aber die Grundforderungen einer wirksamen Selbstmordverhütung – abgeleitet aus vielfältiger Erfahrung – nach Unaufdringlichkeit, nach Angstfreiheit, nach Toleranz, nach Unterlassung von moralischer Verurteilung, nach Freundschaft mit dem Tod, nach Liebe zum Nächsten, der ihm seine Freiheit läßt, lassen sich am ehesten im dauernden Umgang von Menschen mit Menschen erlernen. So ist die entscheidende Hilfe für die Helfenden der Hinweis auf seinen Nächsten, der ihn nicht allein läßt – genauso wie für die Betroffenen, die wissen sollen, daß Selbstmordverhüter ihre Nächsten sind und sie nicht allein lassen, wenn sie nicht allein sein wollen. Diese gemeinsame menschliche Ebene kann beiden Seiten Mut machen, einander zu begegnen und das Leben wieder zu finden. Hoffentlich bekommen auf diese Weise auch viele den Mut, sich für das Gebiet der Selbstmordverhütung zu interessieren und in diesem Bereich tätig zu werden.

Nachwort für die Zukunft

Nach dem Lesen und Schreiben von Büchern ist man ein anderer, oft jedenfalls. Bei mir war das so nach der Lektüre des Alten Testaments, den Dialogen von *Plato,* den Bekenntnissen von *Augustinus,* der Philosophie von *Gabriel Marcel, Martin Heidegger, Jürgen Habermas.* Singulär war *Sigmund Freud* und um stellvertrend für viel, was ich der Literatur zu verdanken habe, drei Positionen zu nennen: *Paul Claudel* „Der seidene Schuh", *Henry Miller* „Das Lächeln am Fuße der Leiter" und *Ingeborg Bachmann* „Drei Wege zum See". Man wird fragen, welchen Leser dieses Nachworts die subjektive Erfahrung interessiert. Die Rechtfertigung dazu ist, daß ich nach dem Schreiben dieses Buchs auch ein anderer bin und wieder eine sehr subjektive Erfahrung gemacht habe, auf deren Mitteilung allerdings der Leser nachher ein Anrecht hat. Die dauernde Beschäftigung mit dem Selbstmordproblem während der länger dauernden Abfassung des Manuskripts erfordert ein Nachdenken, das ich vorher nicht kannte.

Meine Konsequenz war, über Selbstmord kann man nur sehr subjektiv schreiben, was zur Stärke und Schwäche dieses Buchs geworden sein könnte. Eine Stärke könnte sein, daß in diesem Buch die Selbstmordhandlung ein Rätsel geblieben ist trotz aller guten uns zur Verfügung stehenden Theorien. Eine Stärke könnte weiter sein, daß ich das „delphische Orakel" [110] der endogenen Psychosen stehengelassen, bzw. als solches wieder verschleiert habe. Eine Stärke könnte schließlich auch sein, daß *Amerys* Herausforderung angenommen und nicht abgetan wurde.

Eine Schwäche könnte sein, daß die Empirie nicht ernst genug genommen und der Versuch unterlassen wurde, durch das Dickicht von widersprechenden Zahlen eine klare Linie zu ziehen. Ich habe außer allgemeinen Hinweisen es nicht als mein Problem betrachtet, Unterschiede der Angaben von 3% bis 28%, wie sie für den Anteil der Selbstmorde bei den endogenen Depressionen angegeben werden, aufzuklären. Das geht nämlich nicht, weil eben keine Einigung über das Zählen und über das, was gezählt werden soll, zu erzielen ist. Jetzt noch entgegenzuhalten, das sei unseriös und unwissenschaftlich, wäre unredlich. Denn wenn diese Einigkeit zu erzielen wäre, warum ist sie nicht da? Meine Konsequenz war eine Relativierung der Empirie. Die andere Konsequenz, an der Vereinheitlichung der Diagnosen und der Zählmethoden und ihrer Auswertung zu arbeiten, ist auch gut. Ich möchte in dieser Zeit aber etwas anderes machen. Wenn auch einmal alle Zahlen geordnet sein werden und man beim Selbstmord nicht mehr nur über methodische Probleme reden muß, findet die Erkenntnis über den Selbstmord doch auf einer anderen Ebene statt.

Der Selbstmord „von innen" erschließt sich nur dem Nachdenken, der sorgfältigen Eigen- und Fremdwahrnehmung, schließlich der Aussöhnung mit dem Tod. Solange Medizin und Gesellschaft über die Erfahrungen und das Wissen zu dem zuletzt erwähnten Thema „Selbstmord von innen" nicht verfügen, wird der Suizidologie im Kreis der Wissenschaften unverdienterweise nur ein sehr geringes Ansehen und ein niedrigerer Rang zukommen. Sie bekommt nämlich dann auch nicht die Möglichkeit, ihre einmal geordneten Zahlen auf einem inhaltlichen Hintergrund zu interpretieren. Die Suizidologie der Zukunft muß unbedingt um diesen Erfahrungs- und Wissensbereich erweitert werden, das ist mir während der Fertigstellung dieses Buchs klargeworden, und da bin ich auch mit vielen Kollegen einig. Das bedeutet eine entschiedene Hinwendung zu sich selbst und zum anderen Menschen, d. h. zum Einzelfall. Er wird auch in diesem Bereich, wie oft in der Psychiatrie, je differenzierter er geschildert werden kann, die solideste Grundlage zur Bildung von Hypothesen sein, die dann empirisch zu überprüfen wären. Das Tun des einen ist das Tun des anderen – nach diesem dialektischen Prinzip verführe nach meiner Erfahrung des Schreibens die Suizidologie in Zukunft am besten. Das Buch sollte als Anstoß in diese Richtung gelten. Der Grundlegung, den Betroffenen und den Helfenden der Selbstmordverhütung könne das nützlich sein.

Zukunft schließt Vergangenheit ein. Deshalb gehört in dieses Nachwort auch der Dank an diejenigen, die in der zurückliegenden Zeit bei der Entstehung des Buchs geholfen haben. Das sind zuerst meine Lehrer. Das sind viele Kollegen und meine Mitarbeiter, mit denen ich so manche Probleme durchsprechen konnte. Das sind vor allem die vielen Menschen, denen ich in meinem Leben begegnet bin und die mich betroffen haben durch ihre Todessehnsucht, ihre Lebensschwierigkeiten und die Erfahrung, die sie mir zur Umwandlung in Erkenntnis hinterlassen haben.

Das sind *Ilse Wehr* und *Monika Westphal,* die das Manuskript geschrieben haben, vor allem aber *Christa Blum,* die in jahrelanger Zusammenarbeit über zeitliche und örtliche Entfernung mit mir Literatur ordnet und kritische Hilfen gibt – Literatur, deren Autoren ich ebenfalls viel zu verdanken habe. Dank und Andenken schließlich gilt auch *Regina John,* die das Buch so wollte, mir aber nicht mehr sagen kann, ob es so recht ist. Nach ihrem Tod fehlte mir ihre Korrektur. Professor *H. Müller* und der Verlag Urban & Schwarzenberg haben ihr Erbe übernommen und mir dadurch viel geholfen. Eine kaum zu überschätzende Unterstützung ist, daß ein großer medizinischer Verlag dem Thema Selbstmordverhütung so viel Platz einräumt und auch unkonventionellen Gedanken Raum gibt. Dafür danke ich auch im Namen aller in diesem Bereich Tätigen.

Selbstmordverhütungs-Beratungsstellen in der Bundesrepublik Deutschland und in Wien

1. Deutsche Gesellschaft für Selbstmordverhütung (DGS) Geschäftsstelle: 7000 Stuttgart 1, Leonberger Str. 220
2. Internationale Gesellschaft für Selbstmordverhütung (IASP) Geschäftsstelle: Spitalgasse 23, A–1090 Wien, Austria
3. Die ARCHE, Zentrale für Selbstmordverhütung und Lebenshilfe e. V. 8000 München 40, Viktoriastr. 9
4. Pro-Vita e. V. Beratungsstelle für Selbstmordgefährdete
4300 Essen 1, Radhoffstr. 48
5. Tecum, Verein zur Nachbetreuung suizidgefährdeter Menschen
5400 Koblenz, Städt. Krankenanstalten, Kemperhof
6. 6800 Heidelberg, Ludolf-Krehl-Klinik, Bergheimer Straße
7. 6100 Darmstadt, Städt. Kliniken, Grafenstr. 9
8. 3000 Hannover, Henriettenstift, Marienstr. 80
9. Ärztliche Lebensmüdenbetreuung Berlin
1000 Berlin 37, Glockenstr. 17
10. Kontakt- und Beratungsstelle für Jugendliche
3400 Göttingen, Goßlerstr. 23
11. Studentenberatungsstelle, Psycho- und Soziotherapie
3400 Göttingen, Wilhelm-Weber-Str. 3
12. Lehrstuhl Medizinische Psychologie
3400 Göttingen, Humboldtallee 1d
13. Arbeitskreis für Selbstmordverhütung
4400 Münster, Sebastian Kirchweg 10
14. Arbeitskreis Selbstmordverhütung
4800 Bielefeld, Nebelswall 11
15. Arbeitskreis Selbstmordverhütung an der Rheinischen Landesklinik
4070 Rheydt, Heinrich-Pesch-Str. 39
16. Kontaktgruppe für Selbstmordgefährdete
3200 Hildesheim, Postfach 1011
17. Kontaktzentrum für Selbstmordgefährdete
6400 Fulda, Wilhelmstr. 8
18. Beratungsstelle für Selbstmordgefährdete
7800 Freiburg, Kartäuser Str. 77
19. Krankenhaus Bethanien
4600 Dortmund, Brinkenstr. 4

Telefonseelsorgestellen in der Bundesrepublik Deutschland (Fortsetzung) **Stand 1. Januar 1978**

Ort	Telefon-Nummer	Anschrift
Aachen	02 41 – 3 33 43	Telefonseelsorge Aachen, Minoritenstr. 3, 5100 Aachen
Augsburg	08 21 – 51 34 10	Ökumenische Telefonseelsorge Augsburg, Postfach 11 21 66, 8900 Augsburg 11
Bayreuth	09 21 – 6 11 11	Telefonseelsorge Bayreuth e. V., Albrecht-Dürer-Str. 37/39, 8580 Bayreuth
Berlin	0 30 –3 13 99 99 31 02 36	Telefonseelsorge Berlin e. V., Jebensstr. 1, 1000 Berlin 12
Berlin	0 30 –8 81 70 25 8 81 70 26	Offene Tür Berlin, Rankestr. 5/6, 1000 Berlin 30
Bielefeld	05 21 – 6 31 01	Telefonseelsorge Bielefeld, Altstädter Kirchplatz 3, 4800 Bielefeld 1
Bonn	0 22 21– 65 16 16	Telefonseelsorge Bonn e. V., Meckenheimer Str. 85, 5300 Bonn-Bad Godesberg
Braunschweig	05 31 – 33 33 37	Telefonseelsorge Braunschweig, Jasperallee 14, 3300 Braunschweig
Bremen	04 21 – 34 30 30	Telefon-Seelsorge Bremen, Hohenlohestr. 9, 2800 Bremen 1
Bremen	04 21 – 32 42 72	Offene Tür Bremen, Balgebrückstr. 22, 2800 Bremen 1
Darmstadt	0 61 51– 2 21 22	Telefonseelsorge Darmstadt e. V., Postfach 133, 6100 Darmstadt 3
Dortmund	02 31 – 52 70 70	Telefonseelsorge Dortmund, Schwanenwall 34a, 4600 Dortmund
Düsseldorf	02 11 – 35 88 88	Telefonseelsorge Düsseldorf, Hohenzollernstr. 25, 4000 Düsseldorf 1

Duisburg	02 03 –	2 69 00	Telefonseelsorge Duisburg, Vom-Rath-Str. 10, 4100 Duisburg 1
Essen	02 01 –	22 44 66	Evang. Telefonseelsorge Essen, II. Hagen 7, 4300 Essen 1
Essen	02 01 –	22 40 20	Ruf und Rat Essen, Peterstr. 2, 4300 Essen 1
Frankfurt	06 11 –	29 10 15	Evang. Telefonseelsorge Frankfurt, Saalgasse 15, 6000 Frankfurt/M. 1
Frankfurt	06 11 –	55 55 36	Notruf-Telefonseelsorge Frankfurt, Eschenheimer Anl. 21, 6000 Frankfurt/M. 1
Freiburg	07 61 –	7 07 17	Telefonseelsorge Freiburg, Goethestr. 7, 7800 Freiburg/Br.
Göttingen	05 51 –	79 17 77	Telefonseelsorge Göttingen, An der Thomaskirche 2, 3400 Göttingen
Hagen	0 23 31–	1 77 71	Telefonseelsorge Hagen, Gartenstr. 7, 5800 Hagen/Westf.
Hamburg	0 40 –	33 50 05	Telefonseelsorge Hamburg, Bugenhagenstr. 21, 2000 Hamburg 1
Hamburg	0 40 –	32 54 55 32 54 56	Offene Tür Hamburg, Domstraße 15, 2000 Hamburg 1
Hanau	0 61 81–	1 58 58	Ökum. Telefonseelsorge Main-Kinzig-Kreis, Eberhardstr. 6, 6450 Hanau
Hannover	05 11 –	66 30 11	Telefonseelsorge Hannover, Rühmkorffstr. 7, 3000 Hannover
Hannover	05 11 –	32 71 61 32 71 62	Offene Tür Hannover, Lavesstr. 4/5, 3000 Hannover
Heidelberg	0 62 21–	2 13 33	s. Mannheim-Ludwigshafen
Herford	0 52 21–	8 61 11	Telefonseelsorge Herford, Goebenstr. 11, 4900 Herford *(ab 15. 1. 1977)*
Karlsruhe	07 21 –	2 33 66	Telefonseelsorge Karlsruhe, Postfach 2407, 7500 Karlsruhe 1
Kassel	05 61 –	7 54 00	Telefonseelsorge Kassel, Hermannstr. 6, 3500 Kassel

Telefonseelsorgestellen in der Bundesrepublik Deutschland (Fortsetzung) **Stand 1. Januar 1978**

Ort	Telefon-Nummer	Anschrift
Kiel	04 31 – 8 22 00	Telefonseelsorge Kiel, Holtenauer Straße 127, 2300 Kiel
Koblenz	02 61 – 1 50 05	Telefonseelsorge Koblenz e. V., Firmungstr. 18, 5400 Koblenz
Köln	02 21 – 32 70 71	Telefonseelsorge Köln, Kartäusergasse 9–11, 5000 Köln 1
Köln	02 21 – 23 77 23	Seelsorgliche Beratungsstelle, Kath. Telefonseelsorge, Steinfelder Gasse 7, 5000 Köln
Krefeld	0 21 51– 2 44 00	Telefonseelsorge Krefeld, Albrechtplatz 13, 4150 Krefeld
Lübbecke	0 57 41– 95 95	Telefonseelsorge im Kirchenkreis Lübbecke, Geistwall 32, 4990 Lübbecke
Lübeck	04 51 – 7 87 44	Telefonseelsorge Lübeck, Hüxterdamm 18a, 2400 Lübeck
Mainz-Wiesbaden	0 61 43– 70 70	Telefonseelsorge Mainz-Wiesbaden e. V., Emserstr. 36, 6200 Wiesbaden von Mainz: 95 70 70 – von Wiesbaden: 18 70 70
Mannheim-	06 21 – 2 28 22	Telefonseelsorge Mannheim-Ludwigshafen-Heidelberg, Postfach 623, 6800 Mannheim 1
Ludwigshafen	2 28 23	
Mannheim	06 21 – 2 46 80	Offene Tür, Glaubens- u. Lebensberatung, D 6, 5, 6800 Mannheim 1
Mettmann	0 21 04– 2 48 48	SOS – Rat und Hilfe, Joh.-Flintrop-Str. 19, 4020 Mettmann
M. Gladbach-Rheydt	0 21 61– 39 14 14	s. Krefeld

München	0 89 –	59 54 55	Evang. Telefonseelsorge, Landwehrstr. 11, 8000 München 2
München	0 89 –	53 00 11	Telefonseelsorge – SOS-Notruf, Rückertstr. 9, 8000 München 2
Münster	02 51 –	4 02 02	Telefonseelsorge Münster, Wegesende 6, 4400 Münster/Westf.
Neuss	0 21 01–	2 35 35	Rat und Hilfe – Telefonseelsorge Neuss, Ad.-Flecken-Str. 8, 4040 Neuss
Nürnberg	09 11 –	35 87 00	Telefonseelsorge Nürnberg, Pirckheimerstr. 16a, 8500 Nürnberg
Oldenburg	04 41 –	68 23 33	Telefonseelsorge Oldenburg e. V., Edewechter Landstr. 23, 2900 Oldenburg
Passau	08 51 –	3 30 42	Telefonseelsorge Passau, Zwinger 1, 8390 Passau
Pforzheim	0 72 31–	1 44 41	Telefonseelsorge Pforzheim, Pestalozzistr. 2, 7530 Pforzheim
Regensburg	09 41 –	5 13 13	Telefon-Seelsorge Regensburg, Postfach 146, 8400 Regensburg
Saarbrücken	06 81 –	3 05 41	Evang.-Kath. Telefonseelsorge, Bahnhofstr. 101, 6600 Saarbrücken 3
Stuttgart	07 11 –	22 33 33	Telefonseelsorge Stuttgart, Postfach 612, 7000 Stuttgart 1
Stuttgart	07 11 –	62 26 44	Ruf und Rat – Kath. Telefonseelsorge, Hospitalstr. 26, 7000 Stuttgart 1
Trier	06 51 –	7 22 72	Telefonseelsorge Trier, Grabenstr. 20, 5500 Trier
Tübingen	0 70 71–	44 44	Telefonseelsorge Tübingen e. V., Postfach 2547, 7400 Tübingen
Viersen	0 21 62–	1 66 66	s. Krefeld
Wolfsburg	0 53 61–	1 23 45	Telefonseelsorge Wolfsburg, Friedr.-Ebert-Str. 7, 3180 Wolfsburg
Würzburg	09 31 –	5 30 30	Telefonseelsorge Würzburg e. V., Postfach 66 62, Würzburg 1
Wuppertal	02 02 –	55 77 66	Telefonseelsorge Wuppertal, Höhne 18, 5600 Wuppertal 2

Telefonseelsorgestellen in der Bundesrepublik Deutschland **Stand 1. Januar 1978**

Ort	Telefon-Nummer	Anschrift
Beratungsstellen		
Frankfurt	06 11 – 29 27 11	Beratungsdienst Hauptwache, U-Bahn-Station Hauptwache, 6000 Frankfurt/M. 1
Mainz	0 61 31– 2 05 11	Beratungsstelle Mainz, Schusterstraße 2, 6500 Mainz
München	0 89 – 22 00 41	„Münchner Insel"-Beratungsstelle, U-Bahnhof Marienplatz, 8000 München 2
Stuttgart	07 11 – 29 47 75	Beratungszentrum Kronprinzstraße, Kronprinzstr. 22, 7000 Stuttgart 1

Geschäftsstellen der Dachorganisationen

Evang. Konferenz für Telefonseelsorge, Postfach 476, Stafflenbergstr. 76, 7000 Stuttgart 1 — 07 11– 2 15 91

Kath. Arbeitsgemeinschaft Telefonseelsorge und Offene Tür, Hospitalstr. 26, 7000 Stuttgart 1 — 07 11–22 00 38

Internationaler Verband für Telefonseelsorge (IFOTES), 20, rue du Marché, CH–1204 Genève (Schweiz) *0 22 –21 43 44*

Literatur

[1] *Abraham, K.:* Ansätze zur psychoanalytischen Erforschung und Behandlung des manisch-depressiven Irreseins und verwandter Zustände (1912). In: Psychoanal. Studien, Bd. II. Fischer, Frankfurt 1971.

[2] *Abraham, K.:* Versuch einer Entwicklungsgeschichte der Libido aufgrund der Psychoanalyse seelischer Störungen (1924). In: Psychoanal. Studien, Bd. I. Fischer, Frankfurt 1971.

[3] *Achte, K. A.:* Über die Suizidverhütung in Finnland. Therapiewoche 28 (1972) 2232-2242.

[4] *Adler, A.:* Selbstmord. Int. Z. Individ. Psychol. 15 (1937) 49-52.

[5] *Alanen, Y. O.:* Family Studies and Suicide Prevention. Suicide Research: Suppl. Psychiat. Fennica: 1976.

[6] *Alexander, F.:* Psychoanalysis and psychotherapy. Norton, New York 1956.

[7] *Alvarez, A.:* Der grausame Gott (1971). Deutsche Übersetzung: Hoffmann & Campe, Hamburg 1974.

[8] *Amery, J.:* Hand an sich legen – Diskurs über den Freitod. Klett, Stuttgart 1976.

[9] *Amery, J.:* Interview mit Ch. Schulz-Gerstein: Manchmal hat das Unglück recht. Die Zeit: 13. 8. (1976) 29-30.

[10] *Balaszeskul, E. N.:* Suizidverhütung in der Telefonseelsorge. Münch. med. Wschr. 117 (1975) 205-208.

[11] *Balint, E.:* Fünf Minuten pro Patient (1973). Deutsche Übersetzung: Suhrkamp, Frankfurt 1975.

[12] *Balint, M.:* Der Arzt, sein Patient und die Krankheit (1952). Deutsche Übersetzung: Klett, Stuttgart 1957.

[13] *Balint, M.:* Die Urformen der Liebe und die Technik der Psychoanalyse (1952). Deutsche Übersetzung: Klett, Stuttgart 1966.

[14] *Beck, A. T. et al.:* An inventory for measuring depression. Arch. gen. Psychiat. 4 (1961) 561-571.

[15] *Beck, A. T.* and *D. Lester:* Components of Depression in Attempted Suicides. J. Psychol. 85 (1973) 257-260.

[16] *Beckmann, D.:* Der Analytiker und sein Patient. Huber, Bern–Stuttgart 1974.

[17] *Benn, G.:* Über Selbstmord im Heer. Neue Rundschau 87 (1976) 669-674.

[18] *Berze, J.* und *H. W. Gruhle:* Psychologie der Schizophrenie. Springer, Berlin–Göttingen–Heidelberg 1929.

[19] *Biener, K.:* Selbstmordverhütung und Abschiedsbriefe Jugendlicher. Nervenarzt 47 (1976) 179-185.

[20] *Bjerg, K.:* The suicidal life space (1967). In: *Shneidman, E. S.* (Ed.): Essays in selfdestruction, s. [208].

[21] *Bleuler, E.:* Die Psychoanalyse Freuds. Barth, Leipzig 1911.

[22] *Bleuler, E.:* Das autistisch-undisziplinierte Denken in der Medizin. Springer, Berlin–Göttingen–Heidelberg 1919.

[23] *Bleuler, M.:* Forschungen und Begriffswandlungen in der Schizophrenielehre 1941-1950. Fortschr. Neurol. Psychiat. 19 (1951) 385-452.

[24] *Blunk, T. U.:* Suizidprobleme einer internistischen Intensivstation. Suizidprophyl. 3 (1976) 13-19.

[25] *Böcker, F.:* Suizid und Suizidversuche in der Großstadt ... Köln. Thieme, Stuttgart 1973.

[26] *Böhme, K.:* Suizidalität als Gegenstand psychiatrischer Forschung. Suizidprophyl. 3 (1976) 163-179.

[27] *Bowlby, J.:* Mutterliebe und kindliche Entwicklung (1953). Deutsche Übersetzung: Reinhardt, Basel–München 1972.

[28] *Brocher, Th.:* Psychoanalytische Aspekte der Depression. Wege zum Menschen 18 (1966) 267-283.

[29] *Cannon, W. B.:* Wut, Hunger, Angst und Schmerz (1929). Deutsche Übersetzung: Urban & Schwarzenberg, München 1975.

[30] *Caplan, G.:* Principles of Preventive Psychiatry. Tavistock, Publ., London 1964.

[31] *Corpus Juris Canonici:* Can. 1240

(Selbstmord); Can. 2350 (Selbstmordversuch); Can. 1399 (Index). Rom, 1918

[32] Cremerius, J.: Übertragung und Gegenübertragung bei Patienten mit schwerer Über-Ich-Störung. Psyche 31 (1977) 593-636.

[33] *Darwin, C.:* Der Ausdruck der Gefühle (1872). Deutsche Übersetzung: Rauh, Düsseldorf 1964.

[34] *Delay, J.* und *P. Pichot:* Medizinische Psychologie (1965). Deutsche Übersetzung: Thieme, Stuttgart 1966.

[35] *Douglas, J. D.:* The social meanings of Suicide, University press, Princeton 1967.

[36] *Dührssen, Annemarie:* Zum Problem des Selbstmordes bei jungen Mädchen. Vandenhoeck & Ruprecht, Göttingen 1967.

[37] *Durkheim, E.:* Der Selbstmord (1897), Deutsche Übersetzung: Luchterhand, Neuwied 1973.

[38] *Engisch, K.:* Der Arzt an den Grenzen des Lebens. Bouvier, Bonn 1973.

[39] *Engisch, K.:* Suizid und Euthanasie nach deutschem Recht. In: *Eser, A.* (Hrsg.): s. [44].

[40] *Engisch, K.:* Konflikte, Aporien und Paradoxien bei der rechtlichen Beurteilung der ärztlichen Sterbehilfe. In: Dreher-Festschrift zum 70. Geburtstag. De Gruyter, Berlin 1977.

[41] *Enke, H.* (Hrsg.): Kursus der Medizinischen Psychologie. Urban & Schwarzenberg, München 1971.

[42] *Enke, H.* et al.: Lehrbuch der Medizinischen Psychologie, 4. Auflage. Urban & Schwarzenberg, München–Wien–Baltimore 1977.

[43] *Erikson, E. H.:* Kindheit und Gesellschaft (1950). Deutsche Übersetzung: Klett, Stuttgart 1965.

[44] *Eser, A.* (Hrsg.): Suizid und Euthanasie. Enke, Stuttgart 1976.

[45] *v. Faberow, N.* et al.: Study of attempted, threatened and complete suicide. J. abnorm soc. psychol. 50 (1955) 230-242.

[46] *Faberow, N. L.* and *S. Shneidman* (Eds.): The cry for help. McGraw Hill, New York 1961.

[47] *Federn, P.:* Die Diskussion über Selbstmord, insbesondere den Schülerselbstmord im Wiener psychoanalytischen Verein im Jahre 1910. Bergmann, Wiesbaden 1910 oder: Z. psychoanal. Päd. 3 (1929) 334-379.

[48] *Ferster, C. B.:* Classification of behavior pathology (1965). Zit. n. Hoffmann, N.: s. [93].

[49] *Feuerlein, W.:* Selbstmordversuch oder parasuicidale Handlung? Nervenarzt 42 (1971) 127-130.

[50] *Feuerlein, W.:* Sucht- und Suizidhandlungen. Münch. med. Wschr. 117 (1975) 197-200.

[51] *Feuerlein, W.:* Sucht- und Selbstmordhandlungen: Situation – Psychopathologische Gemeinsamkeiten (1976). In: *Ringel, E.* (Hrsg.): Sucht und Suizid, s. [184].

[52] *Franke, R. H.* et al.: Suicide and Homicide: Common Sources and consistent Relationships. Soz. Psychiat. 12 (1977) 149-156.

[53] *Freud, Anna:* Das Ich und die Abwehrmechanismen (1936). Kindler Taschenb., München 1973.

[54] *Freud, S.:* Studien über Hysterie. Ges. Werke, Band I/II. London 1895.

[55] *Freud, S.:* Traumdeutung. Ges. Werke, Band III, London 1900.

[56] *Freud, S.:* Der Dichter und das Phantasieren. Ges. Werke, Band VIII. London 1908.

[57] *Freud, S.:* Zur Einleitung der Selbstmord-Diskussion, Schlußwort. Ges. Werke, Band VIII. London 1910.

[58] *Freud, S.:* Zur Einführung des Narzißmus. Ges. Werke, Band X. London 1914.

[59] Freud, S.: Trauer und Melancholie. Ges. Werke, Band X. London 1917.

[60] *Freud, S.:* Jenseits des Lustprinzips. Ges. Werke, Band XIII, London 1920.

[61] *Freud, S.:* Das Ich und das Es. Ges. Werke, Band XIII. London 1923.

[62] *Fuchs, W.:* Todesbilder in der modernen Gesellschaft. Suhrkamp, Frankfurt 1969.

[63] *Gastager, H.:* Versuch einer familientherapeutisch orientierten stationären Psychiatrie. In: *Richter, H. E.* et

al. (Hrsg.): Familie und seelische Krankheit. Rowohlt, Reinbek b. Hamburg 1976.

[64] *Gaupp, R.:* Über den Selbstmord. Gmelin, München 1905.

[65] *Gaus, E.:* Dialysebehandlung. Diss., Ulm 1975.

[66] *Gola, N.:* The Doctor, his Illness and the Patient. Aust. N. Z. J. Psychiat. 6 (1972) 209-213.

[67] *Gorer, G.:* Death, Grief and Mourning in Contemporary Britain. Cresset, London 1965.

[68] *Grüneberg, F.* et al.: Zur Phänomenologie von Suizidversuchen an Hand von 500 Beobachtungen in einem großstädtischen Reanimationszentrum. Therapiewoche 22 (1972) 2242-2252.

[69] *Gruhle, H. W.:* Die Psychologie der Dementia praecox. Z. Neurol. 78 (1922) 454-469.

[70] *Gruhle, H. W.:* Kraepelins Bedeutung für die Psychologie. Arch. Psychiat. 87 (1929) 43-49.

[71] *Gruhle, H. W.:* Selbstmord. Thieme, Leipzig 1940.

[72] *Habermas, J.:* Protestbewegung und Hochschulreform. Suhrkamp, Frankfurt 1969.

[73] *Häfner, H.* et al.: Incidenz seelischer Erkrankung in Mannheim. Soz. Psychiat. 4 (1969) 126-135.

[74] *Halbwachs, M.:* Les causes du suicide. Press universit., Paris 1930.

[75] *Hartmann, H.:* Ich-Psychologie und Anpassungsproblem (1935). Klett, Stuttgart 1960.

[76] *Hadfield, J. H.:* Dreams and Nightmares. Penguin Books, Harmondsworth 1954.

[77] *Haynal, A.:* Über Depression, Langeweile und Gewaltsamkeit. Jb. Psychoanal. 9 (1976) 91-109.

[78] *Heidegger, M.:* Was ist Metaphysik? Klostermann, Frankfurt 1929.

[79] *Heidegger, M.:* Sein und Zeit (1927). Neomarius, Tübingen 1949.

[80] *Heinrich, M.:* Übersichtsarbeiten zum Suizidproblem. Suizidprophyl. 2 (1975) 88-96.

[81] *Heinrich, M.:* Die Urteile des BAG zum Suizidversuch und Alkoholismus aus psychiatrischer Sicht. Nervenarzt 47 (1976) 596-603.

[82] *Heizer, M.* und *H. L. Wedler:* Gruppentherapie in der Medizinischen Klinik. Münch. med. Wschr. 118 (1976) 645-648.

[83] *Hendin, H.:* Black Suicide. Basic books, New York 1968.

[84] *Henseler, H.:* Selbstmord und Selbstmordversuche: Vorurteile und Tatsachen. Dtsch. Ärztebl. 68 (1971) 789-791.

[85] *Henseler, H.:* Der unbewußte Selbstmordversuch. Nervenarzt 42 (1971) 595-598.

[86] *Henseler, H.:* Narzißtische Krisen – Zur Psychodynamik des Selbstmordes. Rowohlt, Reinbek b. Hamburg 1974.

[87] *Henseler, H.:* Fragen über Fernsehsendungen zum Selbstmordproblem (Diskussionsbemerkung). Suizidprophyl. 2 (1975) 139-140.

[88] *Henseler, H.:* Mündliche Mitteilung.

[89] *Herwig, Hedda* und *H. Pohlmeier:* Unterricht Medizinische Psychologie in Göttingen. Med. Psychol. 3 (1977) 70-73.

[90] *Herzog E.:* Psyche und Tod. Rascher, Zürich 1960.

[91] *Hippius, H.* und *P. Baum:* Vorwort zum Themenheft „Suizidalität". Münch. med. Wschr. 117 (1975) 181-182.

[92] *Hippius, H.* und *H. Selbach* (Hrsg.): Das depressive Syndrom. Urban & Schwarzenberg, München 1969.

[93] *Hoffmann, N.* (Hrsg.): Depressives Verhalten. Otto Müller, Salzburg 1976.

[94] *Ibe, K.:* Die innere Wachstation. Urban & Schwarzenberg, München 1969.

[95] *Illich, J.:* Die Enteignung der Gesundheit. Rowohlt, Reinbek b. Hamburg 1975.

[96] *Jacobs, J.:* Selbstmord bei Jugendlichen. Kösel, München 1974.

[97] *Jacobson, E.:* Depression (1971). Deutsche Übersetzung: Suhrkamp, Frankfurt 1977.

[98] *Janis, I. L.:* Psychological Stress . . . Chapman and Hall, London 1958.

[99] *Jaspers, K.:* Psychologie der Weltanschauungen (1929), 6. Aufl. Springer, Berlin–Göttingen–Heidelberg–New York 1971.

[100] *Kehrer, G.:* Die Abschätzung der Suizidalität aus soziologischer Sicht. Suizidprophyl. 3 (1976) 132-144.

[101] *Kernberg, O.:* Zur Behandlung narzißtischer Persönlichkeitsstörungen. Psyche 29 (1975) 890-905.

[102] *Kernberg, O.:* Borderline-Störungen und pathologischer Narzißmus. Suhrkamp, Frankfurt 1977.

[103] *Kielholz, P.* (Hrsg.): Depressive Zustände. Huber, Bern 1972.

[104] *Kierkegaard, S.:* Die Krankheit zum Tode (1849). Deutsche Übersetzung: Storm, Bremen 1949.

[105] *Kiev, A.:* New directions for suicide prevention centers. Amer. J. Psychiat. 127 (1970) 87-88.

[106] *Klein, M.:* Die Psychoanalyse des Kindes (1935, 1940). Deutsche Übersetzung: Kindler, München 1973.

[107] *Köhler, K. H.:* Ärztliche Behandlung beim Selbstmordversuch. Dtsch. med. Wschr. 97 (1972) 5-8.

[108] *Köhler, K. H.:* Die Misere unserer Krankenhäuser. Dtsch. med. Wschr. 98 (1973) 805-808.

[109] *Kohut, H.:* Narzißmus (1971). Deutsche Übersetzung: Suhrkamp, Frankfurt 1973.

[110] *Kolle, K.:* Die endogenen Psychosen – das delphische Orakel der Psychiatrie. Lehmann, München 1955.

[111] *Kottusch, Wilma:* Nicht leben – Nicht sterben. Fernsehdokumentation 1977. In: *Pohlmeier, H.* (Hrsg.): Selbstmordverhütung – Anmaßung oder Verpflichtung, s. [168].

[112] *Kraepelin, E.:* Über die Beeinflussung einfacher psychischer Vorgänge. Jena 1892.

[113] *Kraepelin, E.:* Psychiatrie. Ein Lehrbuch für Studierende und Ärzte, 6. Aufl. J. A. Barth, Leipzig 1899.

[114] *Kretschmer, E.:* Medizinische Psychologie (1922). Springer, Heidelberg–Berlin–New York 1975.

[115] *Krose, H. A.:* Der Selbstmord im 19. Jahrhundert. Herder, Freiburg 1906.

[116] *Küchenhoff, G.:* Gemeinsame Anmerkung zu Nr. 25 u. 26, § 1 Lohn-FG. Arbeitswl. Praxis 53 (1973) 420-425.

[117] *Kuhn, R.:* Über die Behandlung depressiver Zustände mit einem Imimodibenzylderivat. Schweiz. med. Wschr. 87 (1957) 1135-1140.

[118] *Kuhnert, G.:* Hand an sich legen – Überlegungen zu einem Buch von *J. Amery*. Frankfurter Rundschau: Samstag, 26. 2. 1977.

[119] *Laiing, D.:* Phänomenologie der Erfahrung (1967). Deutsche Übersetzung: Suhrkamp, Frankfurt 1969.

[120] *Lewinsohn, P.* und *G. Atwood:* Depression – a clinical research approache. Psychotherapy 6 (1969) 166-171.

[121] *Lidz, Th.:* Familie und psychosoziale Entwicklung (1965). Deutsche Übersetzung: Fischer, Frankfurt 1972.

[122] *Linden, K. J.:* Der Suizidversuch. Enke, Stuttgart 1969.

[123] *Linden, K. J.:* Die Struktur der Selbstmordhandlung. Therapiewoche 22 (1972) 2216-2222.

[124] *Loch, W.:* Mord – Selbstmord oder die Bildung des Selbstbewußtseins. Wege zum Menschen 19 (1967) 262-268.

[125] *Lotze, R. H.:* Medizinische Psychologie. Leipzig 1842.

[126] *Lungershausen, E.:* Selbstmord und Selbstmordverhütung bei Studenten. Hüthig, Heidelberg 1968.

[127] *Mahler, S.:* Symbiose und Individuation (1968). Deutsche Übersetzung: Klett, Stuttgart 1972.

[128] Martin, D. G.: Gesprächspsychotherapie als Lernprozeß. Müller, Salzburg 1975.

[129] *Matussek, P.:* Zwang und Sucht. Nervenarzt 29 (1958) 452-456.

[130] *Matussek, P.* et al.: Endogene Depression. Urban & Schwarzenberg, München–Berlin 1965.

[131] *Matussek, P.:* Die Konzentrationslagerhaft und ihre Folgen. Springer, Berlin–Göttingen–Heidelberg–New York 1971.

[132] *Matussek, P.:* Kreativität als Chance. Piper, München 1976.

[133] *Matussek, P.:* Psychotherapie schizophrener Psychosen. Hoffmann & Campe, Hamburg 1976.

[134] *Menninger, K.:* Selbstzerstörung (1938). Deutsche Übersetzung: Suhrkamp, Frankfurt 1974.

[135] *Minkoff, K.* and *A. T. Beck:* Hopelessness, depression and attempted suicide. Amer. J. Psychiat. 130 (1973) 455-459.

[136] *Moss, L. M.* et al.: The psychotherapy of the suicidal patient. Amer. J. Psychiat. 112 (1956) 814-820.

[137] *Motto, J. A.:* Suicide attempts. Arch. gen. Psychiat. 13 (1965) 516-520.

[138] *Motto, J. A.:* Newspaper Influence on Suicide. Arch. gen. Psychiat. 23 (1970) 143-148.

[139] *Müller, Ch.:* Die Pioniere der psychoanalytischen Behandlung Schizophrener. Nervenarzt 29 (1958) 456-462.

[140] *Müller, Ch.:* Zur individuellen Psychotherapie Schizophrener. Nervenarzt 45 (1974) 419-421.

[141] *Oenen, J. J. v.:* Suizidverhütung in Holland (Krisenzentrum Amsterdam). Vortrag DGS – Jhrsver. Dortmund 1976 (unveröffentl.).

[142] *Österreich, K.:* Amnesie in der forensisch-psychiatrischen Begutachtung. Diss., Heidelberg 1954.

[143] *Ohlmeier, D.:* Gruppeneigenschaften des psychischen Apparates. In: *Eicke, D.* (Hrsg.): Die Psychologie des 20. Jahrhunderts, Band II. Kindler, München 1976.

[144] *Ollendorf, K.:* Krankheit und Selbstmord. Diss., Greifswald 1905.

[145] *Overall, J. E.:* Standardisierte Beschreibung psychiatrischer Symptome. Triangel (Sandoz) 8 (1968) 178-184.

[146] *Parkes, C. W.:* Vereinsamung (1970). Deutsche Übersetzung: Rowohlt, Reinbek b. Hamburg 1974.

[147] *Philipps, D. P.:* The influence of Suggestion on Suicide. Substantive and thematical implications of the „Werther-Effekt". Amer. soc. Res. 39 (1974) 340-354.

[148] *Philipps, D. P.:* Motor Vehicle Fatalities Increase just after published Suicide Stories. Science 196 (1976) 1464-1465.

[149] *Piaget, J.:* Die Psychologie der frühen Kindheit. In: *Katz, D.* (Hrsg.): Handbuch der Psychologie. Schwabe, Basel 1951.

[150] *Plath, Sylvia:* Ariel (1965). Deutsche Übersetzung: Suhrkamp, Frankfurt 1974.

[151] *Pöldinger, W.:* Die Abschätzung der Suizidalität. Huber, Bern–Stuttgart 1968.

[152] *Pöldinger, W.:* Wirkungsspektren und Indikationen der Antidepressiva unter besonderer Berücksichtigung der Selbstmordprophylaxe. Therapiewoche 22 (1972) 2286-2296.

[153] *Pohlen, M.:* Die Abhängigkeitsthematik in der Revolte der Studenten. Psyche 23 (1969) 762-771.

[154] *Pohlmeier, H.:* Probleme der Psychopharmakotherapie. Med. Klin. 61 (1966) 1313-1318.

[155] *Pohlmeier, H.:* Buchbesprechung über *Schulte, W.:* Studien zur heutigen Psychotherapie. Med. Klinik 61 (1966) 1200.

[156] *Pohlmeier, H.:* Neuroleptic Treatment of a Pernicious Catatony. In: Proc. of 5th Intern. Congr. of CINP Excerpta Medica, Amsterdam 1966. (Ser. 129, Int. Congress).

[157] *Pohlmeier, H.:* Depression und Selbstmord. Manz, München 1971.

[158] *Pohlmeier, H.:* Soziologie der Depression. Z. psycho-som. Med. 18 (1973) 58-68.

[159] *Pohlmeier, H.:* Einige Bedingungen für die Psychotherapie von Suizidpatienten. Med. Mschr. 28 (1974) 115-119.

[160] *Pohlmeier, H.:* Sozialpsychiatrische Betrachtung der Selbstmordhandlung. Wege zum Menschen 26 (1974) 188-195.

[161] *Pohlmeier, H.:* Die Angst vor Sucht- und Suizidpatienten (1976). In: *Ringel, E.* (Hrsg.): Sucht und Suizid, s. [184].

[162] *Pohlmeier, H.:* Die psychoanalytische Theorie der Depression. In: Die Psychologie des XX. Jahrhunderts, Band II. Kindler, Zürich–München 1976.

[163] *Pohlmeier, H.:* Schulstreß allein weckt keine Selbstmordgedanken (Diskussion). Ärztl. Prax. 28 (1976) 2019-2021.
[164] *Pohlmeier, H.:* Buchbesprechung über *Hoffmann, N.* s. 93. Med. Klinik 72 (1977) 8–10.
[165] *Pohlmeier, H.:* Selbstmordverhütung und Medizinische Psychologie. Med. Psychol. 3 (1977) 185-197.
[166] *Pohlmeier, H.:* Neue Wege zur Krisenintervention. Suizidprophyl. 4 (1977) 263–267.
[167] *Pohlmeier, H.:* Konflikt – Entstehung und Lösung. In: *Enke, H.* et al.: Lehrbuch der Med. Psychologie, s. [42].
[168] *Pohlmeier, H.* (Hrsg.): Selbstmordverhütung – Anmaßung oder Verpflichtung. Keil, Bonn 1978.
[169] *Pohlmeier, H.* (Hrsg.): Psychologie und Krankenhaus. Enke, Stuttgart in Vorbereitung.
[170] *Pohlmeier, H.:* Social class and depressive Illness. Psychiat. of the University of Ottawa (im Druck).
[171] *Pohlmeier, H.* und *Sibylle Biefang:* Kann man Krankheit messen? MMG 2 (1977) 158-165.
[172] *Pongratz, L. J.* (Hrsg.): Klinische Psychologie. In: Hdbch. d. Psychol., Band 8. Hogrefe, Göttingen 1977.
[173] *Portmann, A.:* Zoologie und das neue Bild des Menschen. Rowohlt, Reinbek bei Hamburg 1951.
[174] *Reimann, H.:* Die Mental Health Bewegung. Mohr-Siebeck, Tübingen 1967.
[175] *Reiner, A.:* Ich sehe keinen Ausweg mehr. Kaiser–Grünewald, München–Mainz 1974.
[176] *Richter, H. E.:* Die Gruppe. Rowohlt, Reinbek b. Hamburg 1972.
[177] *Richter, H. E.:* Lernziel Solidarität. Rowohlt, Reinbek b. Hamburg 1973.
[178] *Riemann, F.:* Die Struktur des Therapeuten und ihre Auswirkung in der Praxis. Psyche 13 (1959) 150-157.
[179] *Ringel, E.:* Der Selbstmord – Abschluß einer krankhaften psychischen Entwicklung. Maudrich, Wien 1953.
[180] *Ringel, E.:* Neue Untersuchungen zum Selbstmordproblem. Wien 1961.
[181] *Ringel, E.* (Hrsg.): Selbstmordverhütung. Huber, Bern 1969.
[182] *Ringel, E.:* Möglichkeiten der ärztlichen Selbstmordprophylaxe. Therapiewoche 22 (1972) 2199-2214.
[183] *Ringel, E.:* Suizid und Euthanasie. In: *Paus, A.* (Hrsg.): Grenzerfahrung Tod. Styria, Salzburg (Hochschulwochen) 1975.
[184] *Ringel, E.* (Hrsg.): Sucht und Suizid. Lambertus, Freiburg 1976.
[185] *Ringel, E.* und *H. Wedler:* Briefwechsel über den Krankheitsbegriff in der Selbstmordverhütung. Suizidprophyl. 4 (1977) 121-124.
[186] *Robertson, J.:* Das Trennungstrauma des hospitalisierten Kleinkindes. In: *Biermann, G.* (Hrsg.): Handbuch der Kinderpsychotherapie. Urban & Schwarzenberg, München 1969.
[187] *Robertson, J.:* Mütterliche Verhaltensstile in ihrem Einfluß auf die kindliche Entwicklung. In: *Bittner, G.* et al.: Erziehung in früher Kindheit. Reinhard, München–Basel 1969.
[188] *Robins, E.* et al.: The communication of suicidal intent. Amer. J. Psychiat. 115 (1959) 724-740.
[189] *Rogers, C. R.:* Die klientenzentrierte Gesprächstherapie (1942). Deutsche Übersetzung: Kindler, München 1972.
[190] *Rost, H.:* Bibliographie des Selbstmordes. Augsburg 1927.
[191] *Roxin, C.:* Täterschaft und Tatherrschaft, 3. Aufl. De Gruyter, Berlin 1975.
[192] *Roxin, C.:* Die Mitwirkung beim Suizid – Ein Tötungsdelikt? In: Dreher-Festschrift zum 70. Geburtstag. De Gruyter, Berlin 1977.
[193] *Roxin, C.:* Ist die Nichtverhinderung von Selbstmord strafbar? In: *Pohlmeier, H.* (Hrsg.): Selbstmordverhütung – Anmaßung oder Verpflichtung, s. [168].
[194] *Sartre, J. P.:* Ist der Existenzialismus ein Humanismus? (Humanismusbrief) Europa, Zürich 1947.
[195] *Schaefer, H.:* Lebenserwartung und Lebensführung. MMG 1 (1976) 27-32.
[196] *Schmale, A.* and *J. P. Jker:* The affect

of hopelessness and the development of cancer. Psychosom. Med. 28 (1966) 714-718.

[197] *Schmidbauer, W.:* Die hilflosen Helfer. Rowohlt, Reinbek b. Hamburg 1977.

[198] *Schmidbauer, W.:* Unsere kranken Therapeuten. Psychologie heute 4 (1977) 53-56.

[199] *Schmidtobreick, B.:* Suizid und Suizidversuche bei Suchtkranken (1976). In: *Ringel, E.* (Hrsg.): Sucht und Suizid, s. [184].

[200] *Schneider, K.:* Selbstmordversuche. Dtsch. med. Wschr. 59 (1933) 1389-1391.

[201] *Schneider, P. B.* et al.: Contribution à l'étude de la prévention du suicide. Schweiz. Arch. Neurol. Neurochir. Psychiat. 118 (1976) 307-355.

[202] *Schou, M. L.:* Heutiger Stand der Lithium-Rezidivprophylaxe bei endogenen affektiven Erkrankungen. Nervenarzt 45 (1974) 397-418.

[203] *Schuller, A.:* Patientenkarriere und Krankheitsbegriff. MMG 1 (1976) 47-53.

[204] *Schulte, W.* und *W. Mende* (Hrsg.): Melancholie. Thieme, Stuttgart 1969.

[205] *Schwidder, W.:* Symptombild, Grundstruktur und Therapie der Zwangsneurose. Psyche 8 (1954) 126-142.

[206] *Seligmann, M. E. P.:* Helplessness. Freemann, San Francisco 1975.

[207] *Selye, H.:* Das allgemeine Adaptationssyndrom (1950). Deutsche Übersetzung: Piper, München 1974.

[208] *Shneidman, E. S.* (Ed.): Essays in selfdestruction. Science House, New York 1967.

[209] *Simson, G.:* Die Suizidalität. Eine vergleichende Betrachtung. Beck, München 1976.

[210] *Sole, D.* et al.:Suicide and Role Strain among Physicians. Amer. psychiat. Ass., Detroit 1967.

[211] *Sonneck, G.:* Die Abschätzung der Suizidalität. Suicidprophyl.: 3 (1976) 79-95.

[212] *Sonneck, G.:* Krisenintervention und Suizidverhütung. ARS MEDICI 66 (1976) 419-424.

[213] *Sperling, E.:* Das therapeutische Gespräch mit Suizidanten. Nervenarzt 43 (1972) 409-411.

[214] *Spitz, R.:* Vom Säugling zum Kleinkind (1965). Deutsche Übersetzung: Klett, Stuttgart 1967.

[215] *Stengel, E.:* Selbstmord und Selbstmordversuch (1964). Deutsche Übersetzung: Fischer, Frankfurt 1969.

[216] *Stengel, E.:* Grundsätzliches zum Selbstmordproblem (1969). In: *Ringel, E.* (Hrsg.): Selbstmordverhütung, s. [181].

[217] *Stengel, E.* und *N. G. Cook:* Attempted Suicide. London 1958.

[218] *Stolze, H.:* Die Sicherheit und Angst des Arztes in der Begegnung mit suizidalen Patienten. Münch. med. Wschr. 117 (1975) 183-188.

[219] *Swintek, Christine:* Erfordernisse einer Nachbetreuung von Suizidpatienten. Suizidprophyl. 3 (1976) 180-182.

[220] *Tabachnik, N.:* Destruction by Automobile – Accident or Suicide. Charles und Thomas, Springfield 1975.

[221] *Tellenbach, H.:* Melancholie (1961). Springer, Berlin–Heidelberg–New York 1974.

[222] *Thomae, H.:* Bemerkungen zur Bedeutung neuerer physiologischer Schlaf- und Traumuntersuchungen für die psychoanalytische Traumlehre. Psyche 19 (1965) 801-912.

[223] *Thomas, K.:* Handbuch der Selbstmordverhütung. Enke, Stuttgart 1963.

[224] *Thomas, K.:* Menschen vor dem Abgrund. Wegner, Hamburg 1970. Neuauflage: Warum weiterleben? Herder, Freiburg 1977.

[225] *Vaillant, G. E.* et al.: Some psychological vulnerabilities of physicians. New Engl. J. Med. 287 (1972) 372-375.

[226] *Varah, Ch.* (Ed.): The Samaritans. Constable, London 1965.

[227] *Varah, Ch.:* Die Zukunft unserer Bewegung. IFOTES-Kongreßbericht, Genf 1973.

[228] *Venzlaff, U.:* Die forensisch-psychiatrische Beurteilung affektiver Störun-

gen. Nervenarzt 48 (1977) 253-258.
[229] *Wagner, J.:* Selbstmord und Selbstmordverhinderung. Juristischer Verlag, Karlsruhe 1975.
[230] *Waller, W.:* The Family: A Dynamic Interpretation. Dryden, New York 1951.
[231] Wawersik, J.: Reanimation und ihre Grenzen (1975). In: *Eser, A.* (Hrsg.): Suizid und Euthanasie, s. [44].
[232] Wedler, H. L.: Betreuung Suizidgefährdeter in der medizinischen Klinik. Suizidprophyl. 2 (1975) 76-81.
[233] *Wedler, H. L.:* Änderungen sozialer Risikofaktoren nach Suizidversuchen. Suizidprophyl. 2 (1975) 126-132.
[234] *Wedler, H. L.:* Selbstmord in Zeitz. Suizidprophyl. 3 (1976) 183-184.
[235] *Weichbrodt:* Der Selbstmord. Karger, Basel 1937.
[236] *Weinert, Th.:* Aggression und Depression. Vandenhoeck & Ruprecht, Göttingen 1976.
[237] *Weis, K.:* Der Eigennutz des Sisyphos – Zur Soziologie der Selbstmordverhütung (1976). In: *Eser, A.* (Hrsg.): Suizid und Euthanasie, s. [44].
[238] *Weissmann, Myrna* et al.: Suicide attempts in urban community, 1955 and 1970. Soz. Psychiat. 8 (1973) 82-91.
[239] *Weissmann, Myrna* et al.: Hostility and depression associated with suicide attempts. Amer. J. Psychiat. 130 (1973) 450-455.
[240] *Weizsäcker, V. v.* und *A. Mitscherlich:* Verhandlung der deutschen Gesellschaft für innere Medizin. Bergmann, München 1948.
[241] *Wellmann, K. S.:* Der deprimierte Arzt. Dtsch. med. Wschr. 101 (1976) 1786.
[242] *Welz, R.:* Gesellschaftliche Einflußgrößen auf die Selbstmordhandlung. In: *Pohlmeier, H.* (Hrsg.): Selbstmordverhütung – Anmaßung oder Verpflichtung, s. [168].
[243] *West, D. J.:* Murder followed by Suicide. London, 1965.
[244] *Whitlock, F. A.:* Depression and Suicide. In: *Burrows, G. D.* (Ed.): Handbook of Studies on Depression. Biomedical press, Elsevier-Holland 1977.
[245] *Windelband, W.* und *H. Heimsoeth:* Lehrbuch der Geschichte der Philosophie, 13. Aufl. Siebeck & Mohr, Tübingen 1935.
[246] *Wirth, U.:* Konzept für die Behandlung von Patienten mit Suizidversuchen. Suizidprophyl. 3 (1976) 21-23.
[247] *Wold, C.:* A Two-Year Follow-up of Suicide Prevention Center Patients. Life-Threatening Behavior 3 (1973) 171-183.
[248] *Wundt, W.:* Grundzüge der physiologischen Psychologie. Leipzig 1873.
[249] *Zerssen, D.v., Dora-Maria Köller* und *H. Rey:* Objektivierende Untersuchungen zur prämorbiden Persönlichkeit endogen Depressiver (1969). In: *Hippius-Selbach* (Hrsg.): Das depressive Syndrom, s. [92].
[250] *Zumpe, Lenore:* Selbstmordversuche von Kindern und Jugendlichen. Karger, Basel–New York 1966.

Sachverzeichnis

Namenverzeichnis